Ausgewählte Psalmen

Meinem Lehrer und Freund
Walther Zimmerli
zum Gedächtnis

Ausgewählte Psalmen

Übersetzt und erklärt

von Claus Westermann

Vandenhoeck & Ruprecht in Göttingen

CIP-Kurztitelaufnahme der Deutschen Bibliothek

Westermann, Claus:
Ausgewählte Psalmen / übers. u. erkl. von Claus Westermann. –
Göttingen: Vandenhoeck und Ruprecht, 1984.
ISBN 3-525-51665-7

© Vandenhoeck & Ruprecht, Göttingen 1984
Printed in Germany. – Ohne ausdrückliche Genehmigung des Verlages
ist es nicht gestattet, das Buch oder Teile daraus auf foto- oder akusto-
mechanischem Wege zu vervielfältigen.
Gesetzt aus Sabon auf Linotron 202 System 3 (Linotype).
Satz: Gulde-Druck GmbH, Tübingen.
Druck und Bindearbeit: Hubert & Co., Göttingen.

Vorwort

Im Jahr 1917 hat Hermann Gunkel im gleichen Verlag, in dem dies Buch erscheint, „Ausgewählte Psalmen" herausgegeben, neben seinem großen Psalmenkommentar und seiner Einleitung in die Psalmen. Er schreibt in seinem Vorwort: „Die Frömmigkeit der Psalmisten dem modernen Leser deutlich zu machen und ans Herz zu legen, das ist mein eigentliches Ziel gewesen." – Bei meinen Arbeiten zu den Psalmen, zusammengefaßt in „Lob und Klage in den Psalmen", 1977, habe ich empfunden, daß es gut wäre, die hier gewonnenen Erkenntnisse in ihrer Auswirkung in zusammenhängender Auslegung weiterzuführen. Das soll in diesem Band ausgewählter Psalmen geschehen. Er beansprucht nicht, ein regelrechter Kommentar zu sein; die rein wissenschaftlichen Aspekte treten stark zurück. Die wissenschaftliche Begründung für die Hauptlinien meines Verständnisses der Psalmen habe ich in den schon genannten Arbeiten gegeben. Auch auf die Fachdiskussion bin ich nur ganz selten eingegangen. Mir geht es in diesem Band nur darum, „die Psalmen zum Reden zu bringen" (H. Gunkel am gleichen Ort).

Seit meiner Dissertation „Das Loben Gottes in den Psalmen", deren Anfänge im Krieg und im Gefangenenlager entstanden, haben mich die Psalmen durch mein Lehramt begleitet. Sie haben dabei für mich eine Bedeutung bekommen, die weit über die üblichen Begrenzungen in Konfessionen und Kirchen hinausreicht. Die überbrückende Kraft, die sich auf dem Weg der Psalmen durch die Geschichte bisher gezeigt hat, wird in die Zukunft der als ganzer gefährdeten Menschheit reichen. Daß Gott den Menschen zu seinem Bild, zu seinem Gegenüber geschaffen hat, daß er, ein Mensch in allem, in Freude und Leid zu Gott reden kann, so wie er Mensch ist und so, wie er als Mensch empfindet, und daß er in allem und durch alles hindurch seinem Schöpfer vertrauen kann, das kommt in den Psalmen zu einem einzigartigen Ausdruck.

Claus Westermann

Inhalt

Einleitung

Was ist ein Psalm?
Lied – Gebet – Gedicht

In den Psalmen des Alten Testaments ist uns ein Sprachgebilde bewahrt, das in seinen Grundelementen in die Frühzeit des Menschengeschlechts zurückreicht, das seine Prägung in der Geschichte des israelitischen Volkes erhielt und das durch die Aufnahme in die Bibel der Christenheit durch die Geschichte der christlichen Kirchen bis in die Gegenwart lebt, in den jüdischen und in den christlichen Gottesdiensten, in der persönlichen Frömmigkeit und darüber hinaus als ein kostbares Gut sprachlicher Kultur. Als solches sind die Psalmen Gedichte, Dichtungen, die Jahrtausende überdauert haben und durch den Wandel von Kulturen, Religionen und Sprachen bis zum heutigen Tag lebendiges Wort blieben. Diese Lebenskraft der Psalmen ist darin begründet, daß sie an Gott gerichtete Worte sind, Gebete, Rufe zu Gott. Gebete zwar haben sich in den Religionen und ihrer Geschichte gewandelt, die Gebete der Christen sind anders als die in der jüdischen Synagoge und sie haben sich mit den Epochen gewandelt; aber die Psalmen haben einen weiteren Horizont in Urelementen des Rufens zu Gott bewahrt, die auch bei Wandlungen des Gebetes, auch über Grenzen hinweg, konstant bleiben. Es verhält sich damit ähnlich wie mit den ersten elf Kapiteln der Bibel, der biblischen Urgeschichte, in der es auch um Grundelemente des Menschseins geht, die durch alle Wandlungen hindurch bleiben. Wie der Mensch von Gott geschaffen, aber zugleich durch Tod und Verfehlung begrenzt ist, so ist das Rufen zu Gott in den Psalmen wesentlich bestimmt von Lob und Klage; an diesem polaren Bestimmtsein der menschlichen Existenz ändert sich nichts: Lachen hat seine Zeit und Weinen hat seine Zeit, wie der weise Prediger sagt.

Aber nicht allein diese zum Menschen gehörende Konstante bestimmt die Psalmen; es sind Gebete, die in der Geschichte eines bestimmten Volkes geprägt wurden. Die Geschichte des Volkes Israel spiegelt sich in den Psalmen, vor allem in den Klagepsalmen des Volkes, in den Geschichtspsalmen und vielen weiteren Motiven. Es ist klar, daß die israelitischen Volksklagen nicht aus ihrer Situation in unsere übertragbar sind; sie gehören aber als ein notwendiger Teil zum Psalter, da dieser als ganzer aus der besonderen Geschichte Israels erwachsen ist. Die Psalmen enthalten auch in anderen Gattungen Bestandteile, die wir als unser Gebet nicht direkt übernehmen können, wie insbesondere die Bitten gegen die Feinde in den Einzelklagen; aber man kann sie nicht aus den Psalmen streichen, wenn man diese als ganze verstehen will. Zum Psalter gehören notwendig Worte, die uns nahe sind und die unmittelbar zu uns sprechen und solche, die uns fern und fremd sind. Daraus ergibt sich eine notwendige Voraussetzung für alles Erforschen der Psalmen, für ihr Verstehen, für das Vertrautwerden mit ihnen: Wir müssen sie so nehmen, wie sie sind. Das gilt einmal für den Psalter als ganzen. Die verschiedenen Gruppen und Arten von Psalmen sind in einem langen Prozeß zu einem Ganzen zusammengewachsen, in dem jeder Teil seinen Ort und seinen Sinn hat. Wir können den einzelnen Psalm nur verstehen, wenn wir dieses Ganze voraussetzen, in dem er ein Teil ist.

Es gilt ebenso für jeden einzelnen Psalm: Jeder Psalm ist ein gewachsenes Gebilde, und jeder Psalm ist eine Dichtung. Er ist aber nicht wie ein modernes Gedicht aus den Gedanken eines Menschen erwachsen, sondern aus dem, was zwischen diesem Menschen und Gott geschah. In diesem Wechselgeschehen zwischen Gott und Mensch ist die Form des Psalms begründet. Der Dichter eines Psalms hat sich nicht ,ausgedacht‘, was er in seinem Psalm sagt. Das Rufen zu Gott ist längst vor ihm geprägt in festen Formen. In seinem Dichten des Psalms geht er einen Weg, den viele vor ihm gegangen sind. Eine Klage, eine Bitte, ein Lobruf hat eine feste Struktur. Auch darin ist ein Psalm ein gewachsenes Gebilde. Er gleicht darin dem Blatt eines Baumes. Sie haben alle die gleiche Struktur, auch wenn kein einziges dem anderen völlig gleicht. Es folgt daraus, daß man einen Psalm nur als ganzen von seiner Struktur her verstehen kann. Vom Ganzen muß man ausgehen; nur vom Ganzen her kann man das Einzelne verstehen. Dieses Ganze ist nicht ein Gedanken –, sondern ein Geschehenszusammenhang. Die Struktur eines Psalms ist nicht eine gedankliche, sondern eine Geschehensstruktur. In jedem Psalm geschieht etwas zwischen dem Rufenden und dem, zu dem er ruft. Das wird die Auslegung auf Schritt und Tritt zeigen.

Die Psalmen sind Lieder, darin zeigt sich am deutlichsten ihr gottesdienstlicher Charakter. Das eigentliche Subjekt der Psalmen ist dann die im Gottesdienst zusammengekommene Gemeinde. Über den „kultischen Charakter" der Psalmen ist viel gesagt worden. Aber der oft wiederholte Satz: „Der Kult ist der ,Sitz im Leben‘ der Psalmen" besagt noch gar nichts. Es kommt darauf an, was man unter „Kult" versteht. Man muß sich davor hüten, einen schon geprägten Kultbegriff von außen an die Psalmen heranzubringen, ebenso davor, diesen Kult als eine in sich ruhende Institution zu verstehen, deren Subjekt das „Kultpersonal" ist und die vom übrigen Leben des Volkes abgetrennt wäre. Der Gottesdienst, dessen Bestandteil die Psalmen sind, ist vielmehr in erster Linie aus den Psalmen selbst zu erschließen. Das Subjekt dieses Gottesdienstes ist nicht das „Kultpersonal", sondern die in ihm zusammenkommende Gemeinde Israel, in der auch die Priester ihren besonderen Auftrag haben. Vor allem aber: dieser Gottesdienst steht nicht als eine gesonderte Institution außerhalb des übrigen Lebens dieses Volkes, sondern ist dessen Mitte, die das ganze Leben des Volkes in allen seinen Bereichen und in allen seinen Zweigen umfaßt. Denn die Eigenart der Psalmen Israels besteht gerade darin, daß sich in ihnen dieses Ganze spiegelt, vom Schöpfer, der Schöpfung und der Geschichte bis zum persönlichen Leid eines einzelnen Menschen.

Die Entstehung der Psalmen

Die Psalmen sind – obwohl Gedichte – nicht entstanden, wie Literatur entsteht; sie sind – obwohl Lieder – nicht als eine der Institution Kult zugehörige sakrale Literatur entstanden. Die Vorstellung, ein Priester habe sich hingesetzt, um einen Psalm zu schreiben, den er dann im nächsten Gottesdienst aufführen ließ, ist für die Zeit bis zum Exil unsinnig. Wohl aber kann man sagen, daß so etwa die spätesten Psalmen, z. B. der 119. Psalm oder die Hodajot (eine Sammlung von Lobliedern aus den Qumranschriften), entstanden sind.

Die Psalmen sind aus dem Gottesdienst Israels entstanden. Sie sind nicht zuerst geschrieben und dann gesungen worden, sondern umgekehrt. Wenn irgendwo die These von der mündlichen Entstehung der kleinen Einheit im Alten Testament zutrifft, dann bei den Psalmen. Die meisten Psalmen sind sehr lange gesungen und gebetet worden, bevor sie aufgeschrieben wurden. Sie wurden erst aufgeschrieben im Prozeß des Entstehens der Sammlung. Das Sammeln der Psalmen setzt schon ein langes, reiches und vielfältiges Leben der Psalmen in der mündlichen Überlieferung im Zusammenhang des Gottesdienstes voraus. Aber daß und wie die Psalmen im Gottesdienst entstanden, muß näher erklärt werden. Der Gottesdienst in Israel von der Zeit der Einwanderung in Palästina und dem Beginn des Königtums mit dem Tempelbau an bis zum Ende des Königtums und der Zerstörung des Tempels unterscheidet sich darin grundlegend von dem, was wir unter Gottesdienst verstehen, daß er die selbstverständliche und notwendige Mitte der Gemeinschaft des ganzen Volkes war, die Mitte aller seiner Lebensbereiche, auch des politischen, des wirtschaftlichen und des kulturellen Bereiches. Wenn im Gottesdienst der Segen erteilt wurde, dann wurde das Leben derer, die ihn empfingen, in allen Formen und Aktivitäten außerhalb des Gottesdienstes gesegnet; es gab keinen Zweig ihres Lebens, der davon nicht betroffen wäre. Wenn wir sagen, daß die Psalmen im Gottesdienst entstanden, kann das nur bedeuten: aus dem Gottesdienst, in dem damals das Herz der ganzen Gemeinschaft Israels schlug. Israel konnte so wenig ohne Gottesdienst existieren, wie der Gottesdienst ohne Israel. Die Funktion dieses Gottesdienstes ist allein verständlich und sinnvoll durch die Adern, die das Herz mit dem ganzen Körper verbinden, den Strom des Lebens, der vom Gottesdienst in das übrige Leben des Volkes ausging und aus dem Leben des Volkes zum Gottesdienst zurückfloß, realisiert im Weg zum Gottesdienst und aus dem Gottesdienst zurück in die Häuser. Eben dies ist nicht beachtet worden in einer Richtung des Verständnisses der Psalmen, in der der Gottesdienst Israels (hier sagt man nur: der Kult) als eine in sich ruhende, von den übrigen Lebensbereichen abgeschlossene Institution gesehen wurde, die ein vom Kultpersonal dirigiertes Eigenleben führte. Unter der Voraussetzung eines solchen Verständnisses des Kultes müssen die Psalmen beinahe notwendig falsch verstanden werden.

Wenn aber der Gottesdienst die Mitte des gesamten Lebens des Volkes Israel war, folgt daraus notwendig: zum Leben dieses Volkes gehörte seine Geschichte, oder anders gesagt: das Leben dieses Volkes vollzog sich in einer Geschichte.

Wenn wirklich der Gottesdienst das Herz des Lebens des Volkes war, dann mußte sich die Geschichte des Volkes in einer Geschichte des Gottesdienstes spiegeln (d.h. der Gottesdienst muß neben konstanten auch variable Elemente enthalten, in denen sich seine Geschichte abzeichnet), und diese Geschichte muß sich dann auch in irgendeiner Weise in den Psalmen spiegeln. Nun ist die wichtigste, den ganzen Psalter bestimmende Gliederung die in Psalmen der Gemeinschaft und Psalmen des Einzelnen. Sie ist darin begründet, daß die Geschichte des Volkes Israel eine Vorgeschichte in einer Geschichte von Familien hatte, die uns in den Vätergeschichten überliefert ist. Der Gottesdienst in der Väterzeit unterscheidet sich wesentlich von dem des seßhaften Volkes (hierzu BK I/2 S. 116–138). Die Elemente der Anrufung Gottes in den Psalmen: Klage, Lob, Bitte, Vertrauen, Gelübde begegnen schon hier. Sie gehen in gewandelter Form in den Psalter ein als Psalmen des Einzelnen, d.h. als Psalmen aus dem persönlich-familiären Lebensbereich. Mit der Volkwerdung kommen die Psalmen des Volkes hinzu. Beide bleiben dann nebeneinander bestehen. In den Psalmen des Volkes und in denen des Einzelnen und in ihrem Verhältnis zueinander kommen dann Wandlungen hinzu, die in Wandlungen des Gottesdienstes, durch die Geschichte bedingt, ihre Begründung haben. Die wichtigste Wandlung des Gottesdienstes innerhalb der seßhaften Zeit war das Entstehen des Königtums. Mit ihm kamen die Königspsalmen auf. Nach dem Ende des Königtums trat eine Wandlung ein: Jetzt trat der Preis Gottes als des Königs in den Vordergrund (Ps 47; 93–99), und die alten Königspsalmen wurden messianisch gedeutet.

Mit dem Zusammenbruch des Staates und dem Ende von Königtum und Tempel trat wieder ein tiefgehender Wandel ein, der sich in den Psalmen vielfach abzeichnet (Ps 89, die Klgl usw.). Die nachexilische Gemeinde mit dem wiederum gewandelten Gottesdienst bedingt tiefgehende Wandlungen in den Psalmen, die um so deutlicher hervortreten, als der uns überlieferte Psalter als Sammlung in dieser Zeit entstanden ist. Um nur eins zu nennen: die Psalmen, die es mit dem politisch-staatlichen Bereich zu tun haben, treten jetzt ganz in den Hintergrund, nur noch wenige von ihnen bleiben in der Sammlung des Psalters erhalten. Besonders bezeichnend dafür ist, daß die berichtenden Lobpsalmen des Volkes (zu denen das Siegeslied gehört) jetzt fast ganz verschwinden. An die Stelle des Gegenübers Israels zu seinen politischen Feinden tritt jetzt das von Frommen und Gottlosen.

Diese wenigen Hinweise genügen, um zu zeigen, wie sich mit der Geschichte des Volkes die des Gottesdienstes wandelt und wie sich dieser Wandel in den Psalmen zeigt.

In einer früheren Epoche der Psalmenforschung hat man versucht, die einzelnen Psalmen möglichst genau zu datieren. Das war ein Fehlweg, auf dem das Entstehen der Psalmen verkannt war. Dagegen ist bisher nicht genügend beachtet worden, daß das Entstehen der Psalmen aus dem Gottesdienst auch bedeutet: aus der Geschichte des Gottesdienstes als der Mitte der Geschichte des Volkes Israel. In ihr läßt sich zwar nicht der einzelne Psalm (mit wenigen Ausnahmen) datieren, wohl aber das Mitgehen der Psalmen mit der Geschichte Gottes mit seinem Volk erkennen.

Wenn, wie es oben gesagt wurde, sich die Bedeutung des Gottesdienstes als Mitte des gesamten Lebens des Volkes im Weg zum Gottesdienst und aus dem Gottesdienst zurück realisiert, erhält dies eine Bestätigung in Erzählungen in den geschichtlichen Büchern, die von einem solchen Weg in den Gottesdienst handeln. Für die Psalmen, in denen es um das Schicksal eines einzelnen Menschenlebens im familiären Lebensbereich geht, zeigt das die Erzählung von Hanna, der Mutter Samuels 1.Sam 1, wie sie in den Tempel zu Silo geht und dort vor Gott ein Gelübde ablegt, „und betrübten Herzens betete sie zum Herrn unter vielen Tränen . . . Wenn du das Elend deiner Magd ansiehst und meiner gedenkst . . . und ihr einen Sohn schenkst . . .". Von ihrem Heimweg wird erzählt: „Und die Frau ging ihres Weges und aß und sah nicht mehr traurig aus." Für die Psalmen, in denen es um das Schicksal des Volkes geht, zeigt dasselbe die Szene Jes 37,14f., in der der König Hiskia den Brief, der den Untergang Jerusalems bedeuten kann, in den Tempel bringt und vor Gott ausbreitet: „Als Hiskia den Brief aus der Hand des Boten empfangen und gelesen hatte, ging er hinauf in das Haus des Herrn und breitete ihn vor dem Herrn aus. Und Hiskia flehte zu dem Herrn . . .".

Diese beiden Beispiele zeigen eindringlich, wie der Gottesdienst in Israel die sammelnde Mitte des Lebens des Volkes und des Einzelnen war, zu der die kinderlose Frau (Psalm 113) und der vom Feind bedrängte König kommen, um ihr Leid vor Gott zu bringen. Von Hanna wird dann weiter erzählt, daß sie, nachdem Gott ihr Flehen erhört und sie ein Kind bekommen hatte, wieder zum Tempel geht, ihr Gelübde einlöst und ihre Freude in einem Lobpsalm ausspricht (1.Sam 2).

Nur so ist das Entstehen der Psalmen im Gottesdienst gemeint, nur so ist es zu verstehen, daß er die sammelnde Mitte des gesamten Lebens des Volkes ist. Nicht immer ist es möglich, das Flehen zu Gott an die heilige Stätte zu bringen; es entsteht ja draußen, wo der Einzelne oder die Gemeinschaft von einer Freude oder einer Not betroffen werden: der Kranke betet auf seinem Lager, der Gefangene im Gefängnis, der vom Sturm Bedrohte auf dem Schiff (Psalm 107); das Siegeslied erhebt sich auf dem Kampfplatz, das Gotteslob bei der Geburt eines Kindes. Ohne diese Erfahrungen draußen würde das Gebet im Gottesdienst seine Kraft verlieren; es lebt allein von der Bewegung von draußen in den Gottesdienst und aus ihm wieder in das alltägliche Leben.

In dieser Bewegung hat das gottesdienstliche Gebet die Funktion, die Erfahrungen und das Rufen zu Gott der vielen draußen in eine Form zu bringen, die diese zusammenfaßt und in der für viele die verschiedenen Erfahrungen so zur Sprache gebracht werden, daß sie es alle mitsprechen können. Darin liegt das Geheimnis der Sprache der Psalmen, die von vielen und durch viele Generationen als ihr eigenes Gebet verstanden und mitgesprochen werden kann. Daß die Psalmen aus der Bewegung vom Leben draußen in den Gottesdienst und wieder aus dem Gottesdienst in das Leben draußen zu verstehen sind, das bringen noch in später Zeit die Sammler der Psalmen dadurch zum Ausdruck, daß sie die Psalmen in den Überschriften, die sie ihnen jetzt geben, als aus Situationen im Leben draußen erwachsen, überschreiben: Ps 3,1: „Ein Psalm Davids, als er vor seinem Sohn Absalom floh" oder Ps 102,1: „Gebet eines Elenden, wenn er verzagt ist und seine Klage vor dem Herrn ausschüttet."

Jeder einzelne Psalm muß aus einer Entstehungsgeschichte heraus gehört werden, an deren Ende erst der schriftlich fixierte, in die Sammlung aufgenommene Psalm steht, einer Vorgeschichte, in der er das Gebet vieler verschiedener Menschen in verschiedenen Situationen war und seine Form im Sammelpunkt dieser verschiedenen Stimmen im Gottesdienst erhielt. Der Prozeß der gottesdienstlichen Formung umfaßt viele Generationen, in denen er in der sammelnden Mitte, dem Gottesdienst, weitergegeben wurde von den Eltern zu den Kindern durch die Jahrhunderte. Ein besonders schönes und sprechendes Beispiel für diese Gestaltung in der sammelnden Mitte des Gottesdienstes ist der 107. Psalm, in dem die Erfahrung Verschiedener von einer Rettung aus lebensbedrohender Not in einem Psalm zusammenkommt, der damit zu einem Psalm der gottesdienstlichen Gemeinde wurde.

Die Sammlung der Psalmen

Die Sammlung ist in einem allmählichen, über Jahrhunderte sich erstreckenden Prozeß entstanden; darin ist es begründet, daß die Folge der 150 Psalmen so gut wie ganz ohne sachliche Ordnung ist, was sowohl das Lesen der Psalmen wie auch das Verstehen außerordentlich erschwert. Für beides ist es daher unerläßlich, sich einen Überblick über die 150 Psalmen zu verschaffen, da der einzelne Psalm nur aus einem Zusammenhang heraus verstanden werden kann. Es ist nur ein schwacher Trost, daß die späteste Einteilung der Psalmen in fünf Bücher (Ps 1–41; 42–72; 73–89; 90–106; 107–150, sie ist an der Schlußdoxologie am Ende jedes dieser Bücher zu erkennen; die Fünfzahl soll wohl der des Pentateuch, der fünf Bücher Mose, entsprechen) nur rein mechanisch und künstlich ist. Zu einer sachlichen Ordnung kommen wir erst, wenn wir von den großen Sammlungen bis zu den kleinsten zurückschreiten.

Mittlere Sammlungen sind Ps 3–41, Davidps, und 42–83, die elohistische Sammlung (in ihr ist überwiegend der Name Jahwe, Herr, durch Elohim, Gott, ersetzt, mit dem Anhang 84–90; innerhalb von 42–83 ist der Hauptteil 51–71 wieder eine Sammlung von Davidps, nur an der Überschrift kenntlich).

Kleinere Sammlungen wurden nach Sängergilden benannt: Korach Ps 42–49, Asaph u. a. in 73–89, dazu die Wallfahrtsps 120–134.

Kleine Gruppen von Psalmen schließlich zeigen das früheste Stadium an, in dem formal oder/und inhaltlich gleiche Psalmen zusammengeordnet wurden: die Jahwe-Königsps in 93–99, Lobps 103–107, Hallelujaps 111–118 (mit 135 f.), Davidps 138–145, in ihrer Mitte die formal und inhaltlich einheitliche Gruppe von Klagen des Einzelnen 140–143. Dazu gibt es eine ganze Anzahl weiterer Anzeichen dafür, daß das Sammeln von Psalmen mit Gruppen zusammengehöriger Psalmen begann. Daraus ergibt sich für uns die Möglichkeit und die Berechtigung, den einzelnen Psalm aus dem Zusammenhang zu erklären, dem er ursprünglich zugehört: der Art oder Gattung, d. h. der Gruppe eindeutig nach Form und Inhalt zusammengehöriger Psalmen. Nach ihnen ist nun zu fragen. Näheres zur Sammlung des Psalters kann aus der Tabelle ersehen werden; dazu mein Aufsatz: Zur Sammlung des Psalters, ThB 24, 1964, S. 336–343.

Die Arten oder Gattungen der Psalmen

Was einleitend gesagt werden kann, ist nur vorläufig, es muß sich erst an der Auslegung der Psalmen erweisen. Aber ein vorläufiger Überblick ist notwendig, weil mit der Art oder Gattung des Psalms der Zusammenhang benannt wird, dem der einzelne, dieser Art zugehörige Psalm angehört und der ihm vorgegeben ist. Einen einzelnen Psalm auszulegen ohne diesen Zusammenhang zu beachten, ist methodisch nicht zu verantworten. Dazu gehört, daß die einzelne Art oder Gattung eine Geschichte hat, das will der Methodenbegriff „Formgeschichte" zum Ausdruck bringen, und so der einzelne Psalm ein Glied dieser Geschichte ist. Das ergibt sich notwendig aus dem zur Geschichte des Gottesdienstes in Israel Gesagten, denn die Geschichte der Psalmengattungen gehört in den weiteren Zusammenhang der Geschichte des Gebets, in dem ihre Vor- und Nachgeschichte nachgewiesen werden kann.

Daß die Psalmen je in ihrer Art oder Gattung einer Geschichte angehören, bedeutet auch, daß die Gattung nicht ein Schema ist, in das die einzelnen Psalmen gepreßt sind (dieser Vorwurf ist oft gegen Gattungsforschung erhoben worden), sondern diese Formen haben teil an der Vielfalt alles Lebendigen. So wie in der Schöpfung Arten zu erkennen sind, die dem einzelnen Exemplar der Gattung die Einzigkeit alles Lebendigen lassen, so gehören die einzelnen Psalmen Formen an, die eine unbegrenzte Zahl von niemals ganz gleichen Einzelausprägungen zulassen.

Die uns überlieferten Psalmen lassen eine Grundgliederung einmal nach den beiden polar zueinander gehörenden Weisen des Rufens zu Gott als Lob und Klage, zugleich aber nach dem Subjekt als Lob oder Klage des Einzelnen und der Gemeinschaft erkennen.

Die beiden Hauptgruppen von Lob- und Klagepsalmen entsprechen dem allem Menschendasein eignenden Rhythmus von Freude und Leid, begründet im Geschaffensein des Menschen und seinem Begrenztsein. Freude und Leid aber sind hier nicht menschliche Stimmungen, die nachträglich mit Gott in Verbindung gebracht werden, vielmehr ist Lob zu Gott hin zu Wort kommende Freude, Klage ist zu Gott hin sich aussprechendes Leid.

Die Gliederung nach dem Subjekt als Psalmen des Einzelnen und Psalmen der Gemeinschaft ist darin begründet, daß beides notwendig zum Menschsein gehört. Die Einzigartigkeit eines Menschenlebens mit seinem nur ihm eigenen Schicksal kann niemals ganz in der Gemeinschaft aufgehen, welcher Art auch diese Gemeinschaft sei, der Einzelne aber kann sein Dasein niemals ganz aus der Gemeinschaft herauslösen; in irgendeiner Weise gehört er immer einer Gemeinschaft an.

Aus diesen beiden Grundgliederungen ergeben sich zunächst vier Hauptformen, von denen schon die frühesten Sammlungen der Psalmen ausgehen: (jeweils mit Beispiel)

> Der Klagepsalm des Volkes (Ps 80)
> Der Lobpsalm des Volkes (Ps 124; 113)
> Der Klagepsalm des Einzelnen (Ps 13)
> Der Lobpsalm des Einzelnen (Ps 40; 103).

Die Lobpsalmen des Volkes und des Einzelnen gliedern sich in zwei Gruppen nach dem Anlaß: ist der Anlaß ein bestimmtes Ereignis, meist eine gerade erfahrene Rettung, so hat das Gotteslob eine berichtende (oder erzählende) Form, die Rettung aus der Not wird berichtet (Ps 124; 40). Liegt ein solcher besonderer Anlaß nicht vor, sondern soll Gott gelobt werden in der Fülle seines Handelns und seines Gottseins, so hat der Lobpsalm eine beschreibende Form (Ps 113; 103); der Anlaß ist dann das Zusammenkommen der Gemeinde im Gottesdienst. So gehören zu den beschreibenden Lobpsalmen die liturgischen, d. h. die mit einer gottesdienstlichen Handlung verbundenen Psalmen (z. B. Ps 118).

Damit sind nur die Grundgattungen genannt. Sie ermöglichen eine Fülle von Variationen: das berichtende kann sich mit dem beschreibenden Lob in mancherlei Weise verbinden, so z. B. wenn in Ps 107 mehrere Berichte einzelner von der Erfahrung einer Rettung einmünden in das Lob der Gemeinde. Ein Motiv wie etwa das Vertrauensmotiv oder das Lob des Schöpfers oder der Ruf zum Lob kann sich zu einem eigenen Psalm verselbständigen, dazu eine Fülle anderer Möglichkeiten. Aber alle diese Variationen sind in irgendeiner Weise auf die Grundgattungen bezogen und können von ihnen her verstanden werden.

Es gibt aber auch eine Reihe von Psalmen, die keiner dieser Grundgattungen zugehören und auch keine Beziehung zu ihnen erkennen lassen. Bei ihnen ist jeweils zu fragen, ob sie im eigentlichen Sinn Psalmen sind und wie sie sich von den Grundgattungen her in der Sammlung des Psalters verstehen lassen.

Der religionsgeschichtliche Hintergrund der Psalmen

F. Heiler hat in seinem Werk „Das Gebet" den Versuch unternommen, das Gebet in den Religionen der Menschheit zu untersuchen. Dieses Werk hinterläßt den Eindruck einer erstaunlich weitgehenden Gemeinsamkeit dessen, was wir Gebet nennen, in den Religionen der Menschheit. Klagen und Bitten, Loben und Danken gehören zu den meisten Religionen, die einen persönlichen Gott oder persönliche Götter kennen. Sie sind der natürliche Ausdruck des Rufens oder Redens zu einem mächtigen und gütigen Gottwesen. So ist das Gebet im ganzen genommen eher etwas die Religionen Verbindendes als sie Trennendes. Den Hintergrund der Psalmen des Alten Testaments bilden die Religionen des vorderasiatischen Kulturkreises, die insbesondere im Bereich der semitischen Sprachen eine weitgehende Zusammengehörigkeit erkennen lassen. In diesem Bereich haben sich Formen der Klage und des Gottespreises entwickelt, die Jahrhunderte lang und über einen weiten Raum hin bestanden. Darin ist es begründet, daß die Psalmen des Alten Testaments manche Entsprechung zu denen ihrer Umwelt aufweisen. Das zeigt eindrücklich die Sammlung von A. Falkenstein/W. von Soden (1953). Es treten die gleichen Motive auf und ähnliche Strukturen, die gleiche rhythmische Form, auch manchmal der Parallelismus. Die Ähnlichkeit geht bis in die Sprache, es werden manchmal die gleichen Vergleiche gebraucht, so wenn Gott als Hirte angeredet wird, oder von den Feinden wird wie von wilden Tieren gesprochen, ihre Anschläge werden als Fallenstellen bezeichnet. Bei so weitgehender Ähnlichkeit treten aber die Unterschiede und Gegensätze um so schärfer heraus. Die ägyptischen Psalmen stehen denen des Alten Testaments ferner, aber auch hier gibt es einige auffällige Ähnlichkeiten. Der 104. Psalm steht dem Sonnenhymnus des Echnaton nahe; aber es begegnet auch der Dankpsalm eines Einzelnen, der denen des Alten Testaments sehr nahekommt (hierzu ausführlich A. M. Blackman). In Ugarit hat man bisher Psalmen oder Psalmensammlungen nicht gefunden, nur einzelne Teile und Motive. Aber auch diese lassen schon Ähnlichkeiten und Entsprechungen mit denen des Alten Testaments erkennen. So wird von vielen Forschern angenommen, daß der 29. Psalm auf ein ugaritisches Vorbild zurückgeht.

Während sich das bisher Gesagte auf den vorderasiatischen Kulturkreis bezieht, gibt es darüber hinaus, wie allein schon das Werk von Heiler ausgiebig zeigt, Ähnlichkeiten mit und Entsprechungen zu Gebeten zeitlich und räumlich weit entfernter Völker und Religionen, die aus der Gleichartigkeit der Grundelemente des Gebets als des Rufens zu Gott in der ganzen Menschheit zu erklären sind.

Die Psalmen im Zusammenhang der Geschichte des Gebetes

Im Alten Testament lassen sich drei Stadien der Geschichte des Gebets erkennen. In einem frühen Stadium bestand es in kurzen Gebetsrufen (oder Rufen zu Gott), die so sehr ein Bestandteil des alltäglichen Lebens waren, daß sie nur in Erzählungen (und sonstigen Prosatexten) als ein Bestandteil des in diesen erzählten Geschehens begegnen, unmittelbar aus der Situation erwachsen, in der sie gesprochen sind. So z.B. ein Lobruf: „(Und Jethro sprach:) Gelobt sei der Herr, der euch aus der Hand der Ägypter und aus der Hand des Pharao gerettet hat!" (Ex 18,10). Oder eine Klage (Simson Ri 15,18): „Du hast durch die Hand deines Knechtes diesen großen Sieg verliehen; und nun soll ich vor Durst sterben und in die Hand der Unbeschnittenen fallen?" Oder der Stoßseufzer Davids (2.Sam 15,31): „O Herr, vereitle doch den Rat Ahithophels!"

In der Mitte steht das Stadium der Psalmen. Es steht mit dem Frühstadium in einem engen Zusammenhang. Denn die Psalmen sind zum größten Teil Kompositionen aus Gliedern, die vorher einmal als Gebetsrufe selbständig waren, so wie wir sie in den Prosaberichten antreffen, als Anruf Gottes (denn der Anruf „O Gott!" kann ein selbständiges Gebet sein), als Klage oder Flehen, als Hilferuf, Gelübde (Gen 28,20–22), Lobruf, als Ausdruck des Vertrauens. Die Psalmen sind aus solchen Elementen komponiert in einer gedichteten Form, die ihrer Funktion im Gottesdienst entspricht. Z. B. sind in der Komposition eines Klagepsalmes die Elemente zu einem Ganzen gefügt, die dort begegnen, wo ein Mensch aus einer Not oder Gefährdung heraus zu Gott ruft. In der Komposition des Psalms spiegelt sich das Zusammenkommen vieler aus vielerlei Situationen im Gottesdienst, der sammelnden Mitte. In der gedichteten Fügung kann der Psalm die Erfahrung vieler in sich aufnehmen und zum Ausdruck bringen, und der im Gottesdienst weitergetragene Psalm kann zum Ausdruck immer neuer Erfahrungen werden. Der im Gottesdienst von vielen mitgebetete Psalm steht so in der Mitte zwischen den Erfahrungen und den Rufen zu Gott, aus denen er einmal erwachsen ist, und der aus dem Gottesdienst in ihren Alltag Hinausgehenden. Der 22. Psalm, eine gewendete Klage, ist einmal aus dem Rufen eines Menschen in tiefster Not entstanden. Der Ruf „Mein Gott, warum . . .“ ist ja nicht erst im Gottesdienst entstanden, sondern aus der Erfahrung dieser Not in ihn gebracht worden. Dort wurde er zum Psalm für die im Gottesdienst zusammenkommende Gemeinde gedichtet, damit er von dort in die Erfahrungen vieler anderer, von Generation zu Generation eingehe und sich in ihnen bewähre. Der so komponierte gottesdienstliche Psalm kann seine Funktion nur in dieser Kontinuität bewahren.

Daraus ergeben sich zwei Folgerungen: Einmal wird daraus klar, daß der Zusammenhang eines Psalms nicht primär ein Gedanken-, sondern ein Geschehenszusammenhang ist. In jedem Psalm geschieht etwas. Danach ist bei der Auslegung zuerst zu fragen. Und das andere: So wird es verständlich, daß die Glieder, aus denen ein Psalm gefügt ist, ein relatives Eigenleben behalten. Das zeigt sich an den Variationsmöglichkeiten: im Aufbau eines Psalms kann ein Glied besonders betont und entfaltet werden, wie etwa im 103. Psalm das Lob der Güte Gottes, andere Glieder können nur angedeutet oder ganz weggelassen werden. Es kann aber auch ein Glied des Psalms sich zu einem selbständigen Psalm entwickeln: aus dem Vertrauensmotiv kann ein Vertrauenspsalm werden, aus dem Lob des Schöpfers ein Schöpfungspsalm.

Das dritte Stadium in der Geschichte des Gebetes im Alten Testament ist das (lange) Prosagebet, wie 1.Kön 8; Esra 8; Neh 9. Es ist ein tiefer Einschnitt zwischen dem gedichteten gottesdienstlichen Psalm und dem Prosagebet. In der Geschichte des Gottesdienstes Israels ist dieser Einschnitt begründet in der Vernichtung des Tempels als der Mitte des Gesamtlebens des Volkes Israel. Der nach dem Exil wieder aufgebaute Tempel konnte das nicht mehr in gleicher Weise sein. Die Psalmen lebten zwar weiter, aber das war ein Nachleben, in dem sie nicht mehr die Funktion voll erfüllen konnten, die sie früher einmal gehabt hatten. Das zeigt sich eben an den nun beginnenden Prosagebeten, die der späten Zeit mehr entsprachen.

Mit der Wandlung von der Dichtung zur Prosa ist eine tiefgreifende inhaltliche Wandlung des Gebets verbunden: Klage und Lob, polar zueinander gehörend als zu Wort kommende Freude oder Schmerz, sind Reaktion; sie setzen etwas voraus, was vorher geschah. Sie haben einen spontanen Charakter und sind eine natürliche Reaktion, wie ihr Vorkommen in Erzählungen zeigt, eine notwendige Daseinsäußerung. Dieser spontane Charakter von Klage und Lob als Antwort tritt in der dritten Phase zurück. An die Stelle des Gegenübers von Klage und Lob tritt nun allmählich immer mehr das von Bitte und Dank, diese aber sind nicht in derselben Weise natürliche Reaktion wie Klage und Lob, sie können eher als eine actio des Menschen gemeint sein. Denn im Danken und Bitten ist der Mensch Subjekt: „Wir danken dir, daß . . .“; „wir bitten dich, du mögest . . .“; in Klage und Lob aber ist Gott Subjekt: „Warum bist du ferne?“; „wie wunderbar sind deine Werke!“ Klage und Lob ist ein Reden auf den Höhen und in den Tiefen, Bitte und Dank ein Reden auf der Ebene. Der Pendelschlag von Klage und Lob ist ein starker, weit ausholender, der von Bitte und Dank ein mäßiger, gedämpfter. Darin ist es begründet, daß nun Dank und Bitte gewissermaßen in einem Atem gesprochen werden können; damit erst wird es möglich, daß aus Dank und Bitte zusammen das „Gebet“ entsteht, ein an Gott gerichtetes Wort, das gleichzeitig Dank und Bitte enthält, das bis in die Gegenwart unser Verständnis von Gebet bestimmt.

Wir können hinter diese Wandlung von Klage und Lob in Bitte und Dank nicht mehr zurück; man kann auch nicht sagen, das eine sei richtig, das andere falsch. Man muß sich nur klarmachen, daß sich hier ein tiefgreifender Wandel vollzogen hat und daß sich das Beten der Psalmen hierin wesentlich unterscheidet von dem, was wir unter Gebet verstehen. Der Wandel zeigt sich schon daran, daß die Psalmen ein Wort für Gebet nicht kennen (das Wort Psalmen, Psalter ist ein spätes griechisches Wort nach einem Musikinstrument), sondern nur das je besondere Rufen zu Gott, wie Klage, Flehen, Lob. Daran zeigt sich, daß solches Rufen zu Gott der Situation noch näher war, aus der es erwuchs, noch einen spontanen, natürlichen Charakter hatte. Das spätere, uns geläufige Verständnis von Gebet zeigt sich daran, daß man ein Gebet spricht wie man ein Werk verrichtet, etwa bei einem nur formelhaften Hersagen des Vaterunsers.

Wenn die Psalmen des Alten Testaments viele Jahrtausende nicht nur bewahrt, sondern in lebendigem Gebrauch blieben, ist das darin begründet, daß in ihnen eine Art des Rufens zu Gott bewahrt blieb, in der dieses spontan und unmittelbar ist und in der der Mensch so zu Gott spricht, wie er wirklich denkt und empfindet.

Die Form der Psalmdichtung

Es ist bezeichnend, daß die Psalmen bis zum Beginn der Neuzeit für Prosa gehalten worden waren; das erschien selbstverständlich, weil man nur das Prosa-Gebet kannte. Erst Herder in seinem Werk „Vom Geist der ebräischen Poesie“ (1782 f.) fand in den Psalmen die Form der Dichtung wieder. Einschränkend muß man jedoch hinzufügen, daß Luthers Übersetzung der Psalmen eine instinktive Ahnung der dichterischen Gestalt der Psalmen erkennen läßt (z. B. Luthers Übersetzung des 90. Psalms).

Inwiefern aber und in welcher Weise die Psalmen Dichtung sind (das Wort ‚Poesie‘ paßt nicht gut dafür), muß sorgfältig erfragt werden, weil es eine andere als die uns geläufige Art von Dichtung ist. Ihre Eigenart zeigt sich in erster Linie im Satzrhythmus, genannt parallelismus membrorum. Zwei Sätze (in wenigen

Fällen auch drei) sind einander so zugeordnet, daß sie einander gleichen oder ergänzen oder im Gegensatz zueinanderstehen im a) synonymen, b) synthetischen, c) antithetischen Parallelismus, z. B.:

a) Lobe den Herrn, meine Seele,
   und was in mir ist, seinen heiligen Namen (Ps 103,1)
b) Lobe den Herrn, meine Seele,
   und vergiß nicht, was er dir Gutes getan hat! (Ps 103,2)
c) Ob tausend fallen zu deiner Seite –
   dich trifft es nicht (Ps 91,2).

Dies sind nur die Grundformen, es gibt eine Fülle von Varianten. Eine besonders kunstvolle Form (sie ist auch in ugaritischen Texten gefunden worden) zeigt der 93. Psalm in drei sich steigernden Sätzen (klimaktischer Parallelismus):

Es erhoben Ströme, o Herr,
   Ströme erhoben ihre Stimme,
      es erhoben Ströme ihr Brausen.

Der Satzreim begegnet auch in der Umwelt Israels, besonders in babylonischen, assyrischen Psalmen. Wenn hier Sätze gereimt werden und nicht Wörter (oder Silben), und zwar nicht nach dem Klang, sondern nach dem Sinn, zeigt das ein Sprachbewußtsein, gemäß dem ein sprachliches Gebilde nicht aus Wörtern, sondern aus Sätzen besteht; eine Erkenntnis, die erst in der jüngsten Sprachwissenschaft wiedergewonnen worden ist: Nicht das Einzelwort (die Vokabel), sondern der Satz ist die Grundeinheit der menschlichen Sprache. Von dieser Erkenntnis her ist der parallelismus membrorum in den Psalmen (und überhaupt in der Dichtung des Alten Testaments) zu verstehen. Die Sätze, die so einen Rhythmus (oder Reim) bilden, sind wiederum in sich rhythmisch gegliedert. Früher hat man hier von Metrum (Versmaß) gesprochen und dahinter ein metrisches Schema zu finden versucht, der griechischen und lateinischen Dichtung entsprechend. Jedoch ist das Metrum als ein von außen an den Text angelegtes Maß streng zu unterscheiden von einem Sprachrhythmus, der in den Sätzen selber liegt, also dem, was diese Sätze sagen wollen, inhärent ist.

Was damit gemeint ist, kann daran deutlich werden, daß in manchen Erzählungen des Alten Testaments die Sprache auf dem Höhepunkt der Erzählung „gedichtet", d. h. in Rhythmus gedichtet werden kann. Wie z. B. in der Erzählung von der Erschaffung des Menschen in Gen 2 die Worte des Mannes, dem Gott die als Entsprechung zu ihm erschaffene Frau zuführt: „Fleisch von meinem Fleisch und Bein von meinem Bein", rhythmisch im Parallelismus, oder die Worte, mit denen Nathan dem David sein Gleichnis deutet: „Du bist der Mann!", dies ist ein (anklagender) Ausruf. Dem Ausruf eignet auch in der alltäglichen Sprache der Rhythmus in zwei Hebungen. Der Rhythmus wird durch das Miteinander von Hebungen und Senkungen gebildet, das aller Sprache eignet. Zwei Sätze, die im Parallelismus miteinander stehen, können einen gleichmäßigen oder ungleichmäßigen Rhythmus bilden. Besonders häufig ist der Rhythmus 3:3 wie z.B. in Ps 103,1.2; außerdem begegnet der Rhythmus 2:2 z.B. Ps 113,5 f. und 4:4 z.B. Ps 103,10, das richtet sich je nach dem Inhalt, deswegen wechselt in den meisten Psalmen der Rhythmus von Abschnitt zu Abschnitt. Es kommt auch gleichmäßiger Rhythmus in drei Gliedern vor: 2:2:2 und 3:3:3. Daneben gibt es die ungleichmäßigen Rhythmen 3:2 oder 4:3. Die Form 3:2 wird besonders für die Totenklage angewendet, z.B. Amos 5,1. Gerade dadurch, daß der Rhythmus in ein und demselben Psalm häufig wechselt, ist diese Form der Dichtung der gewöhnlichen Sprache viel näher, er ist natürlich, nicht künstlich. Der Übergang von nicht gebundener zu gebundener Sprache ist oft schwebend. Eine feste Zahl haben dabei nur die Hebungen, nicht die Senkungen; zu einer Hebung kann die Senkung in ein, zwei oder sogar drei Silben bestehen, auch das bewirkt die Nähe zur nicht-gebundenen Sprache; in bestimmten Fällen können auch zwei Hebungen unmittelbar aufeinander-folgen.

Im Unterschied zu dem griechisch-lateinischen Metrum und dem neuzeitli-chen Endreim ist die Absicht bei den äußerst freien und beweglichen Rhythmen der Psalmen nicht eine ästhetische (deshalb paßt hier die Bezeichnung Poesie schlecht), sondern eine funktionale: in diesen Rhythmen können die Psalmen im Gottesdienst mitgesprochen und mitgebetet werden. In ihnen prägen sie sich so leicht ein, sie sind meist kurz, daß sie nach mehrmaligem Mitsprechen wie von selbst im Gedächtnis haften und nicht etwa ‚auswendig' gelernt zu werden brauchen. So konnten sie weitergegeben werden von Generation zu Generation.

Wurden die Psalmen gesprochen oder gesungen?

Nach Ps 150 und vielen anderen Stellen wurden die gottesdienstlichen Loblie-der von Instrumenten begleitet; danach wurden die Psalmen gesungen. Das muß aber nicht für alle Psalmen gelten. Es gilt für Lieder der Gemeinschaft (ob für alle, kann offen bleiben), aber nicht notwendig für Psalmen des Einzelnen. Daß Klagepsalmen des Einzelnen gesungen wurden, ist unwahrscheinlich. Aber auch das Singen von Lobpsalmen der Gemeinde dürfen wir uns nicht vorstellen wie das Singen eines Chorals in unseren Gottesdiensten. Es ist anzunehmen, daß dabei das Singen dem Sprechen sehr nahe war, jedenfalls in der Zeit vor dem Exil. Erst im zweiten Tempel ist von den Sängergilden der Psalmgesang künstle-risch ausgebildet worden; jetzt erst wurden die Psalmen von den Chören der Sängergilde gesungen. Die Tempelmusik ist aber mit der Zerstörung des zwei-ten Tempels vollkommen abgebrochen; wir können nicht näher sagen, welcher Art sie war, auch die dabei genannten Instrumente lassen nur wenig erkennen. Das mittelalterliche „Psalmodieren" hat keinerlei Zusammenhang mit der altis-raelitischen Tempelmusik; es ist mit Sicherheit anzunehmen, daß es sehr weit – nicht nur zeitlich – von dieser entfernt ist.

Anmerkung zur Wiedergabe der Gottesbezeichnung: Bei der Übersetzung ist der hebräische Gottesname Jahwe (jhwh) mit „Herr" wie in der Lutherbibel wiedergegeben worden.

Bemerkungen zu den Psalmenüberschriften

Der nicht gelehrte Leser mag sich damit trösten, daß viele der Psalmenüberschriften trotz langer gelehrter Bemühung bisher nicht erklärt sind. Für das Verständnis der Psalmen ergeben sie in den meisten Fällen nichts, da sie nicht zusammen mit den Psalmen entstanden, sondern im Stadium ihrer Sammlung zum gottesdienstlichen Gebrauch hinzugekommen sind. Alle Psalmen sind ursprünglich ohne Überschrift gewesen, 24 sind auch ohne sie geblieben.

Man kann die Überschriften in drei Gruppen einteilen:

1. Es sind Namen von Personen oder Personengruppen genannt. Mit diesem Namen wurden sie einem der Großen der Geschichte zugeschrieben (von David, von Salomo, von Mose); mit dem Namen von Personengruppen wurden Gruppen von Tempelsängern bezeichnet (z. B. Korachiten), durch die diese Psalmen überliefert oder vorgetragen wurden.

2. Die Psalmenarten werden in den Überschriften bezeichnet als Lied, Psalm, Loblied, Klagelied und andere. Ein Teil dieser Bezeichnungen ist ungedeutet.

3. Es werden in den Überschriften Stichworte zur gottesdienstlichen Bestimmung und zur musikalischen Begleitung, die Instrumente betreffend, gegeben. Diese Bezeichnungen sind für den Chorleiter oder Musikmeister, der in den Überschriften oft genannt wird, bestimmt. Es sind musiktechnische Bezeichnungen, die wir meist nicht verstehen, da wir von der Tempelmusik nur sehr wenig wissen.

Die Klagepsalmen des Volkes (KV)

Die Texte

Im Psalter sind nur wenige Klagepsalmen des Volkes überliefert: Ps 44; (60); 74; 79; 80; 83; 89. Außerhalb des Psalters ist das Buch Threni eine Sammlung von Volksklageliedern (Kap. 3 ist Klage des Einzelnen = KE; in Kap. 1; 2; 4 ist die KV mit Motiven der Totenklage verbunden).

In den Prophetenbüchern begegnen vollständige Volksklagen Jer 14; Jes 63,7–64,12; Hab 1 und Motive oder Anklänge, z. B. Am 7,2–5; Jes 26; 33; Jer 3; Joel 1 f. Bei Deuterojesaja ist die Klage des Volkes nach dem Jahr 587 vorausgesetzt und klingt vielfach an, z. B. 40,27.

In den Geschichtsbüchern ist die Situation der Klagen des Volkes oft erwähnt: Ex 32,11–14; Dtn 9,25–29; Jos 7,7–9; Ri 20,23–26; 21,2–4; 1.Sam 7,6; 1.Kön 8; 21,9.12; 32,11 f.; ebenfalls in *Prophetenbüchern*, ausführlich in Joel 1–2, dazu Hos 7,14; Jes 15,2; 58,3 ff.; Jer 4,8; 6,2.6; 14,1; 36,6.9; Jona 3,5 ff.; Mi 1,8.16; 4,14.

Der gottesdienstliche Vorgang

Die Begehung, zu der die Volksklage gehört, kennen wir aus den eben genannten Texten und anderen gut, auch ihre Bezeichnung: das Fasten (ṣōm). Weil es kein im Jahreslauf regelmäßig wiederkehrendes Fest ist, sondern zu ihm jedesmal, wenn ein Unglück, eine Gefährdung oder Katastrophe über das Volk gekommen ist, aufgerufen werden muß, wird von ihm im Zusammenhang mit solchen Ereignissen berichtet; deshalb die häufige Erwähnung in den Geschichtsbüchern. Weil von solchen Nöten alle betroffen sind, nehmen an den Klagebegehungen auch alle teil, Männer, Frauen, Kinder, Alte und Junge (Joel 2,15; Jona 3,5). Der Aufruf zum Fasten wird 1.Kön 21,9.12; Jer 36,9; Ez 21,17; Joel 2,16; Jona 3,5 erwähnt. Die Festgemeinde wird geheiligt, Joel 1,14, Enthaltungen (Fasten) gehören dazu, Trauerkleidung, das Anlegen des Sackes, Jes 22,12; Jer 4,8; 6,26, das Bestreuen des Kopfes mit Staub und Erde, Jos 7,6; Neh 9,1, Gebärden der Demütigung und des Flehens, das „Weinen vor dem Herrn" Ri 20,23–26; Jer 14,12. Die Klage setzt draußen ein, in den Weinbergen, auf den Straßen und Plätzen der Stadt, dann geht der Zug zum Heiligtum zum „Weinen vor dem Herrn".

Bei den Klagebegehungen sind zwei Gruppen von Volksnöten zu unterscheiden: politische, wie Krieg, Feindeinfall, Zerstörung der Stadt oder des Heiligtums, Wegführung der Einwohner. Daneben Naturkatastrophen wie Dürre, Heuschreckenplage, Mißernte, Hungersnot. Es fällt auf, daß im Psalter nur Volksklagen aus Feindesnot begegnen, bei den Erwähnungen in Prophetenbüchern dagegen fast immer Naturkatastrophen. Dieser Tatbestand ist noch nicht erklärt, auch nicht, daß uns kein Klagepsalm aus Anlaß einer Seuche überliefert ist. Einige Schlüsse aber lassen sich aus diesem Tatbestand ziehen: Die Gattung der Volksklagepsalmen muß einmal viel größer gewesen sein als es die wenigen Psalmen im Psalter erkennen lassen. Es gab verschiedene Gruppen, die je gesondert nach den Anlässen überliefert wurden, im Psalter ist nur eine dieser Gruppen bewahrt. Der Grund dafür, daß der Psalter nur wenige Volksklagen enthält, ist klar zu erkennen. Die Sammlung des Psalters ist in der nachexilischen Zeit entstanden, in der Israel Provinz eines Großreiches war, kein Staat mehr, der seine eigenen Kriege führte. Die Begehung der Volksklage, das Fasten, fiel fort; an dessen Stelle traten wenigstens zum Teil die Bußgottesdienste, wie sie z. B. in Esra 9 geschildert sind. Diese bedurften des spontanen Anlasses nicht mehr, sie konnten regelmäßig wiederkehren (wie bei uns der Bußtag).

Die Volksklagepsalmen behielten aber in einem Punkt ihre theologische Bedeutung, und wahrscheinlich aus diesem Grund sind einige von ihnen im Psalter bewahrt worden. Diese Bedeutung bleibt auch für die christlichen Kirchen bestehen, auch wenn die Volksklagen wegen der grundlegend anderen Situation nicht mehr Gebet einer christlichen Gemeinde sein können.

Wird das Volk von einer schweren Not betroffen, bringt es seine Not vor Jahwe. Weil hier der politische Bereich, das politische Geschehen noch in die Gottesbeziehung eingeschlossen war (für Israel nur bis zum Exil), waren alle davon überzeugt: dieser Schlag kommt von Jahwe, nur er kann darum auch die

Not wenden. In den Klagebegehungen und in den Klagepsalmen geht es darum, daß sich Gott in Erbarmen seinem Volk wieder zuwende. Daß sie alle Gott um sein Erbarmen anflehen, wird dadurch ermöglicht, daß er früher sein Volk errettet, geführt, bewahrt hat. Daran halten sie sich und erinnern Gott an seine früheren Taten und seine früheren Zusagen. Darum erhoffen sie trotz der schweren Schläge in der Gegenwart eine Wendung, darin begründet, daß Gott sich ihnen wieder zuwendet. Darum sind die Klagepsalmen eines der wichtigsten Zeugnisse für das Geschichtsbewußtsein des alten Israel, für das Gegenwart, Vergangenheit und Zukunft durch das Handeln Gottes einen Zusammenhang erhalten.

Psalm 80: Du Hirte Israels!

2   Du Hirte Israels, höre!
    Der du Joseph leitest wie eine Herde,
3   der du thronst auf den Cheruben, erscheine
    vor Ephraim, Benjamin und Manasse!
    Erwecke deine Heldenkraft und komme uns zur Hilfe!
4   O Gott, stell uns her
    und laß dein Antlitz leuchten, daß uns Hilfe werde!

5   Herr Zebaoth, wie lange strafst du den Rest deines Volkes?
6   Du ließest sie Tränenbrot essen,
    du tränktest sie mit Tränen im Übermaß.
7   Du machtest uns zum Hohn unseren Nachbarn,
    und unsere Feinde spotteten unser.
8   O Gott Zebaoth, stell uns her
    und laß dein Antlitz leuchten, daß uns Hilfe werde!

9   Einen Weinstock hobst du aus aus Ägypten,
    Völker vertriebst du und pflanztest ihn ein.
10 Du machtest Raum vor ihm her,
    und er schlug Wurzeln und füllte das Land.
11 Berge wurden von seinem Schatten bedeckt
    und Gotteszedern von seinen Ranken.
12 Er streckte seine Ranken bis zum Meer
    und bis zum Strom seine Sprossen.
13 Warum hast du seine Mauern zerbrochen,
    daß ihn pflücken alle, die des Weges kommen?
14 Es frißt ihn ab der Eber aus dem Wald;
    was sich im Felde regt, weidet ihn ab.

15 Gott Zebaoth, kehre doch um!
    Schaue vom Himmel und sieh!
    Und suche diesen Weinberg heim

16a ... und den Garten, den deine Rechte gepflanzt!
17   Die ihn mit Feuer verbrannt, abgehauen,
      sollen vergehen vor dem Drohen deines Angesichts.
18   Es sei deine Hand über dem Mann deiner Rechten,
      dem Menschen, den du dir stark machtest.

19   Laß uns leben, so wollen wir deinen Namen anrufen
      und nicht von dir weichen!
20   Jahwe Zebaoth, stell uns her!
      Laß dein Antlitz leuchten, daß uns Hilfe werde!

Zum Text

Zu V. 1 (und zu allen weiteren Überschriften) vgl. den Exkurs zu den Psalmenüberschriften S. 24.

V.   2:   Das Schlußzeichen *(pasūk)* am Ende von V. 2 ist hinter V. 3a zu
        versetzen.

V. 5a: Lies: „Jahwe Zebaoth", *elohim* ist als nachträgliche Erweiterung zu
        streichen.

V. 5b: „wie lange rauchst du (im Zorn, so wörtlich *'āšanta*) beim (während,
        trotz des) Gebet deines Volkes" ist unsicher. Andere Vorschläge „wie
        lange ‚strafst' du die ‚Entronnenen' deines Volkes" oder „wie lange ‚bist
        du taub' gegen das Gebet deines Volkes".

V.   6:   Die beiden Verben sind mit suff. der 1. pers. zu lesen *šališ* eigentlich ein
        Drittel; es ist ein großes Maß gemeint.

V.   7:   Statt *mādōn* (= Zank) ist wegen des Parallelismus *mānōd* (= Schütteln,
        zu ergänzen „des Kopfes") zu lesen; vgl. Ps 44,15.

V. 10:   *pānāh* im Sinn von „bahnen" (erg. „Weg") wie Jes 40,3.

V. 11:   *kossū* statt *kussū*; *'arzē'ēl* = Gotteszedern wie Ps 104,16.

V. 14:   „Es frißt ihn ab" seltenes Verb *krsm* mit vier Radikalen; *zīz* = Getier nur
        noch Ps 50,11. Das ' im dritten Wort über die Zeile erhöht (suspensum),
        Bedeutung unsicher, vielleicht soll es die Mitte des Psalters anzeigen.

V. 16:   Statt *wekannāh* ist mit H. Gunkel *wegannāh* zu lesen: „und den Gar-
        ten"; V. 16b ist Doppelschreibung von V. 18b und daher gestrichen.

V. 17:   Die Verben beziehen sich noch auf den Weinstock, daher ist zu lesen
        serāfūhā und *kesahūha*: „sie haben ihn verbrannt, abgehauen".

V. 19:   Die beiden Vershälften sind umzustellen.

V. 20:   *elohīm* wie V. 5 zu streichen.

Zum Aufbau

Die in V. 3 erweiterte Anrede von V. 2 leitet die Eingangsbitte 2.3b.4 ein. Daran
schließt mit wiederholter Anrede die Klage 5–7, die von der Eingangsbitte 4=8
gerahmt wird. Die Klage wird in 13–14 fortgesetzt, ihr folgt in 15–16b die
eigentliche Bitte. Dazwischen steht in 9–12 das Kontrastmotiv: Gott wird an

seine früheren Heilstaten erinnert; dieses Erinnern soll die Bitte unterstützen. An die Bitte schließt der „Doppelwunsch" 17–18, der Psalm schließt mit dem Lobgelübde 19, auf das kehrversartig noch einmal die Bitte 20 (= 4 = 8; vgl. V. 15) folgt.

Vereinfacht und ohne die Wiederholungen ergibt sich die Grundstruktur der Volksklage: Anrede, Klage, Kontrast, Bitte, Doppelwunsch, Lobgelübde.

V. 2–4: Der Psalm beginnt mit einem Anruf Gottes, der dann durch den Psalm hindurch mehrfach wiederholt wird (V. 4.5.8,15.20). Dieser oft wiederholte Anruf gibt dem Psalm eine eigenartige Lebendigkeit. Der Anruf Gottes hat die Funktion eines Kontaktschlusses so wie zwischen Menschen auch. Und wie bei Menschen auch erhält ein solcher Anruf Gottes eine besondere Intensität als Anruf aus einer Notsituation, in der er zum Hilferuf wird. In schwerer Not kann der Anruf beim Namen als solcher schon ein Hilferuf sein; das verleiht ihm die Intensität. Schon daran wird deutlich: Anruf Gottes und Anrede Gottes ist nicht dasselbe. Das, was er jeweils ist, was er jeweils bedeutet, wird er erst aus der Situation, aus der Gott angerufen wird. Hier erhält der ganze Psalm durch den vielfach wiederholten Anruf den Charakter eines Hilferufes.

Der Anruf ist jeweils nur aus dem Gesamtzusammenhang des Psalms zu verstehen, weil er von der Situation, aus der er erfolgt, nicht abzulösen ist. Darum ist auch Anruf Gottes und Anrede Gottes nicht dasselbe; denn der Anruf setzt Entfernung voraus („Warum bist du ferne?"). Der Verlust der Intensität des Anrufs kann sich in der Häufung der Anrede zeigen (wie oft in babylonischen Psalmen). Auch da, wo ein Gebet aus Bitte und Dank besteht, ist aus dem Anruf die Anrede geworden. Zum Klagepsalm gehört notwendig der Anruf Gottes, der, aus der Not kommend, den Retter anruft.

Es ist dieser aus der Not kommende Anruf Gottes, der sich in den beiden Imperativen „Höre (zu)!" und „Komm uns zu Hilfe!" (3b) ausspricht.

Das Flehen aus einer Not ist im ganzen Psalter zweigliedrig: Höre! – Komm uns zu Hilfe! Die zweigliedrige Bitte (Bitte im Sinn von Flehen gemeint; zu dem Unterschied s. S. 58) ist darin begründet, daß der aus einer Not zu Gott Flehende die Not als Fernesein Gottes oder als Abwendung Gottes erfährt. Die Möglichkeit einer Rettung hängt ihm davon ab, daß Gott sich ihm zuwendet. Gottes helfendes Eingreifen setzt die Zuwendung zu dem Flehenden notwendig voraus. Sowohl der Anruf Gottes wie auch die zweigliedrige Bitte zeigen, daß das Verhältnis des Menschen zu Gott in den Psalmen ein unbedingt personales ist. Gott gibt es für den in den Psalmen zu ihm Rufenden nicht anders als so; einen Gott, den man in irgendeiner Weise zum Gegenstand machen, irgendwie, wenn auch nur in Gedanken, objektivieren kann, gibt es für ihn nicht.

Die Erweiterung: Gott wird in V. 2 nicht mit seinem Namen angeredet, sondern mit einem Gottesprädikat „Du Hirte Israels". Der Vergleich Gottes mit einem Hirten, weitergeführt in 2b „der du Joseph leitest wie eine Herde" begegnet auch in Ps 74,1 und 79,13, beidemal wie hier in einer Volksklage. Er hat seinen Ort im Vertrauensbekenntnis, das zeigt Ps 79,12: „Wir aber, dein Volk und Herde deiner Weide" (vgl. Ps 23). Wenn Gott hier als Hirte angeredet wird, impliziert das das Vertrauensbekenntnis: das Flehen um Gehör, um Zuwendung Gottes, geht an den, zu dem Israel als seinem Hirten Vertrauen hat. In dieser Erweiterung ist schon das Kontrastmotiv V. 9–12 andeutend vorausgenommen, das Flehen seines Volkes wendet sich an den Gott, mit dem es eine Geschichte hatte, den es in dieser Geschichte als seinen guten Hirten erfahren hat, den es kennt als seinen Hirten (zum Hirtenvergleich bei Ps 23). Die Erweiterung ist aus verschiedenartigen Elementen zusammengesetzt. Die Zusammensetzung ist nicht literarkritisch zu erklären, sondern aus der Funktion des Psalms im Gottesdienst durch eine lange Zeit hindurch, in die solche Erweiterungen aus ganz anderen Zusammenhängen hinzukommen konnten. Die Absicht der Erweiterung ist in diesem Fall deutlich zu erkennen. Der Anruf wird erweitert, indem gesagt wird, was der in der Not Angerufene für sein Volk in der Vergangenheit bedeutet hat, und zwar vor dem Seßhaftwerden (der Hirte, der „Joseph-Israel" 77,16; 81,5–6, auf seinem Weg leitet) und in der Zeit der Ansässigkeit (der Gott der seßhaften Zeit ist der thronende Gott, daher hier die Tradition von dem Cherubenthron, vgl. 1.Sam 4,4; 2.Sam 6,2; 2.Kön 19,15; Jes 37,16; Ps 99,1). Die Bitte „Komm uns zu Hilfe!" ist erweitert durch eine dieser Situation entsprechende Bitte in der Sprache der Richterzeit, vgl. die Epiphanie Ri 5,4–5: Gott erscheint vor den Stämmen in einer Notsituation, um für sie einzugreifen (Hab 3,3–15; Ps 18,8–16; 68,8 f.34; 77,17–20; 97,2–5).

Deutlich spiegeln sich in dieser Erweiterung die Epochen der Geschichte Israels, in denen Israel Gottes Beistand erfuhr. Es ist dann grundsätzlich nicht zulässig, aus den Angaben in V. 2–3 auf die Entstehungszeit des Psalms zu schließen oder auch auf Nordisrael als Entstehungsort; man kann nur sagen, daß hier eine nordisraelitische Tradition aufgenommen wurde.

Nach der Erweiterung kehrt V. 4 zu der Eingangsbitte zurück, neu einsetzend mit dem Anruf „O Gott!" (elohim, also Anruf ohne alle Prädikate). Das Flehen um Hilfe ist in das eine Wort „stell uns wieder her!" *(hašībēnw)* gefaßt, das in den beiden folgenden expliziert wird. Dieser Vers kehrt noch einmal wieder in V. 8 am Ende des ersten und in V. 15 etwas abgewandelt am Ende des zweiten Teils der Klage; es wirkt wie ein Kehrvers. Es ist aber kein Kehrvers in einem nur formalen Sinn, vielmehr hat er jeweils im Zusammenhang seinen Sinn, in V. 4 den Anruf mit Eingangsbitte abschließend, V. 8 und 15 auf die Klage folgend. Die dreimalige Wiederholung soll die mit dem Anruf verbundene Bitte unterstreichend hervorheben; der ganze Psalm soll von diesem Grundmotiv bestimmt sein: O Gott hilf! (vgl. Ps 118,25). Dabei ist daran gedacht, daß dieser Ruf „O Gott hilf" einmal in der Frühzeit ein in sich selbständiges Gebet war, ein zu Gott aus einer Not unmittelbar erhobener Hilferuf (er ist in dem „Hosiannah" bis ins Neue Testament bewahrt). Wenn hier nicht das Verb helfen *(hōšīaʿ),* sondern „wiederherstellen" gewählt ist, entspricht das dem Psalm als ganzem, es deutet schon V. 9–12 an. Die beiden den Hilferuf entfaltenden Verben zeigen wieder die Zweigliederung: Gottes Zuwendung im Leuchten seines Angesichtes (wie Num 4,24–26) und Gottes helfendes (hier das Verb *hōšīaʿ)* Eingreifen.

V. 5–8: Auf die einleitende Bitte folgt die Klage. In vielen Klagepsalmen fehlt die einleitende Bitte, sie setzen nach dem Anruf mit der Klage ein. Hier ist es die an Gott gerichtete, die Du-Klage oder Anklage Gottes (zu den drei Aspekten der Klage s. S. 56 f). Die Klage setzt da ein, wo das Leid seinen Ursprung hat: beim Verhalten Gottes. Dieses seinem Volk abgewandte Verhalten dauert schon lange an (das deutet schon der Ruf „stell uns wieder her!" an), daher setzt die Klage ein mit der Frage „Wie lange?", die neben der anderen „Warum?" (V. 13) für die Klagepsalmen charakteristisch ist. Aber von V. 5 ist nur der Anfang intakt erhalten: „Jahwe Zebaoth, wie lange . . ." Es sind viele Wiederherstellungsversuche gemacht worden, die aber alle nicht berücksichtigen, daß V. 5 (wie 6) aus zwei Halbversen bestanden haben muß. Ich vermute deshalb:

> Wie lange, Jahwe, raucht dein Zorn,
>   schweigst du beim Flehen deines Volkes?

Die Klage einer langen Leidenszeit wendet sich unmittelbar und ohne alle Scheu an den Gott, dessen Verhalten das Volk unter der Last des Leidens nicht mehr verstehen kann: Wie lange soll es noch dauern? Wir halten uns doch trotz deines Zornes an dich! Die Verse 6 und 7 enthalten dieses „Wie lange", sie reden nun von dem, was sie aushalten mußten, schon so lange Zeit, sie selbst (Wir-Klage) und gegenüber den anderen (Feindklage).

V. 6 ist ein Bildwort oder Vergleich, der aus der Erfahrung langen Leidens erwachsen und deshalb so sprechend ist. Nicht vom Leid selber, sondern von seiner Wirkung wird gesprochen: so tief ist das Volk in sein Leid hinuntergestoßen, daß das Essen und Trinken nicht mehr Erholung, Erfrischung im Rhythmus des normalen Tageslaufes ist, sondern nur noch Bestandteil unablässiger Qual. Noch stärker ist dasselbe in der Klage Klgl 3,15 f. gesagt; ein Nachklang ist: „Wer nie sein Brot mit Tränen aß . . ."

In V. 7 ist die Anklage Gottes mit der Feind-Klage verbunden wie in V. 6 mit der Wir-Klage. Auch dieser Vers spricht nicht von den Leiden selbst, sondern von ihrer Wirkung. Die Geschlagenen haben Hohn und Spott zu ertragen, nun schon so lange. Alles Leid ist im Alten Testament ein Leid im Miteinander, zum Leid gehört immer die Schande, die es einbringt. Sie müssen es anhören und aushalten, wie die anderen jetzt lachen (der Kontrast zum Weinen in V. 6) und sich an ihnen auslassen können. Wenn in V. 7 Feinde und Nachbarn genannt sind, ist darin vorausgesetzt, daß Völker trotz aller Kämpfe und Kriege in einer Gemeinschaft leben; die nicht zu den Gegnern gehören, sind nicht „Neutrale", wie wir sagen, sondern Nachbarn. Und ihr Hohn schmerzt wie der der Feinde. Vers 7 beginnt: „Du machtest uns . . .": was das Volk von den Feinden und den Nachbarn trifft, wird auf Gott zurückgeführt; es ist eine Seite des Leids, das durch Gottes Abwendung von ihm bewirkt ist. Aber eben deswegen gibt es nur eine Möglichkeit der Wandlung: daß sich Gott ihnen wieder zuwendet V. 8.

V. 9–12: In V. 13–14 wird die Klage fortgesetzt, dem „Wie lange?" V. 5 folgt in V. 13 das „Warum?". Dazwischen eingefügt ist das Kontrastmotiv V. 9–12, ein Rückblick auf Gottes früheres Heilshandeln, der Gott den Gegensatz zwischen

Einst und Jetzt ‚vorhält'. Es wird auf die Ereignisse zurückgeblickt, die im „geschichtlichen Credo" (G. v. Rad) tradiert wurden, ebenso in der Verheißung am Anfang des Exodus 3,7–8. Gott wird an seine eigenen „großen Taten" erinnert, daß er daran gedenke. Der Rückblick ist gegliedert in Gottes Taten V. 9–10a und deren Folgen V. 10b–12. Löst man ihn aus der Sprache des Vergleiches, so umfaßt er die Herausführung aus Ägypten und Hineinführung nach Kanaan V. 9, dabei das Raumschaffen durch Vertreibung von Völkern V. 9b.10a. Die Folge 10b–12 ist das Einwurzeln und Sich-Ausbreiten Israels in Kanaan.

Dies alles ist gefaßt in den Vergleich vom Wirken des Weingärtners an seinem Weinberg oder Weinstock, das im Alten Testament häufig begegnet (z.B. Jes 5,1–7; Joh 15). Darin ist das Wirken Gottes an seinem Volk als Ganzheit, als ein in sich geschlossener, ganzheitlicher Vorgang dargestellt. Geschichte erwächst aus dem Planen und Handeln einer das Ganze bewirkenden Person; der einzelne geschichtliche Akt erhält erst aus diesem Ganzen seinen Sinn. Dem Einssein des Herrn dieser Geschichte entspricht das Einssein des Geschichtsverlaufes, der von ihm Ursprung und Ziel hat.

Der Vergleich hat noch einen weiteren Sinn, der sich aus seiner Gliederung ergibt. Er faßt das rettende (9–10a) und das segnende Handeln Gottes an seinem Volk (10b–12) zusammen, wobei das Bild aus der Vegetation im zweiten Teil zu seiner eigentlichen Ausprägung kommt: Das Wachsen in die Tiefe und in die Weite ist überschwänglich geschildert wie in den Segensverheißungen der Vätergeschichte.

Das zusammenfassende Vergegenwärtigen der Taten Gottes an seinem Volk hatte also seinen Ort nicht nur im geschichtlichen Credo, sondern auch im Rückblick auf Gottes Heilstaten in den Klagepsalmen des Volkes (weitere Stellen Ps 44,1–9; (74,12–17); 83,10–12; 85,2–4; 126,1–3; Jes 63,11–14; vgl. 22,5–6, KE; dazu C. Westermann, Vergegenwärtigung der Geschichte in den Psalmen, ThB 24, 1964, S. 306–335). Weil das Ganze der Taten Gottes an seinem Volk bedroht ist durch die gegenwärtige Not, hält das Volk seinem Gott sein bisheriges Werk an ihm vor und fleht ihn an: „Stelle uns wieder her!" Die Geschichtserinnerung hat hier die Funktion der Geschichtseinwirkung; das ist nur möglich, weil hier Geschichte und Gotteswirken noch eine völlige Einheit sind.

V. 13–14: In V. 13–14 wird die Klage von V. 5–7 fortgesetzt; dem „Wie lange?" dort folgt hier das „Warum?", in dem der Kontrast von V. 9–12 aufgenommen wird: Warum zerstörst du, was du doch aufgebaut hast? Hier ist die Anklage Gottes (13a) mit der Feindklage (13b–14) verbunden. Von V. 5–7 ist 13–14 darin unterschieden, daß der Vergleich von V. 9–12 in 13–14 weitergeführt wird: Gott selbst hat die Mauern seines Weinberges zerbrochen (das ist das Unbegreifliche), daß er von den Räubern (im Bild von wilden Tieren) zerstört werden kann.

V. 15–16a: Und wieder (die Folge von V. 15–16a auf 13–14 ist die gleiche wie die von V. 8 auf 5–7) können die Betroffenen nur zu dem schreien, von dem das alles kommt, sich an den zornigen Gott klammern, dessen Tun sie nicht mehr begreifen. V. 15.16a unterscheidet sich von V. 4 und 8 darin, daß auch das Flehen zu Gott in der Sprache des Vergleichs bleibt: die Geschlagenen und Gedemütigten flehen zu Gott, daß er sich seinem eigenen Werk wieder zuwende („. . . und suche diesen Weinberg heim . . .“), hat doch seine Hand den Garten gepflanzt.

Hier zeigt sich noch einmal die durchdachte Kraft und Tiefe des Vergleichs, er umfaßt die drei Aspekte einer Geschichte: das Pflanzen des Weinbergs am Anfang (9), das Zerstören in der unmittelbar erfahrenen Gegenwart (13), die erflehte Zuwendung Gottes zu seinem Werk in der Zukunft (15b.16a). Eine besondere sprachliche Feinheit dabei ist, daß das Flehen in V. 4 und 8 das Verb *šūb* im Hiphil („stelle uns her“) benutzt, in V. 15 im qal („kehre um“), weil nun alles an Gottes Zuwendung zu seinem Werk hängt.

V. 17–18: Ein Doppelwunsch, d. h. ein Wunsch, der den Feinden Unheil, dem eigenen Volk Heil wünscht. Er begegnet in den Klagepsalmen oft, und zwar immer an der gleichen Stelle: nach der Bitte, vor dem Schluß. Er ist in seiner jetzigen Form der Bitte angeglichen, ist aber von ihr zu unterscheiden, weil er seinen Ursprung in Fluch und Segen hat und eine in sich selbständige Form war, die nachträglich dem Psalm eingefügt wurde. Dieser noch selbständige Fluch- und Segenswunsch wurzelt im magischen Denken und ist ursprünglich als selbst-wirkendes Wort gemeint, ganz ohne Nennung Gottes. Dieser Doppelwunsch konnte in die Klagepsalmen des Volkes (auch in Ps 79) aufgenommen werden, weil im Verständnis der damaligen Zeit ein Eingreifen Gottes für Israel in einem politischen Konflikt nicht anders denkbar war als ein Eingreifen gegen seine Feinde, denn Gotteswirken und politisches Geschehen waren noch dekkungsgleich. Erst die Geschichte der Prophetie bewirkte hier eine Wandlung. Ein Zwischenstadium zeigt sich darin, daß durch die Einfügung in die Psalmen an die Stelle des Fluches das Handeln Gottes trat, sowohl gegen die Feinde (V. 17) wie für Israel (18). Mit dem „Mann deiner Rechten“ ist wegen des Parallelismus von V. 17 und 18 mit Sicherheit das Volk Israel gemeint, nicht, wie einige Ausleger sagen, der König.

V. 19–20: Der Psalm schließt in V. 19 mit einem Lobgelübde, das eigentlich zum Klagepsalm des Einzelnen gehört und bei Volksklagen nur selten begegnet. Es ist ein Gelöbnis der Treue, wobei sich das Anrufen des Namens besonders auf den Gottesdienst, das „nicht von dir weichen“ auf das übrige Leben des Volkes bezieht. Beidem ist die Bitte vorangestellt, das Volk am Leben zu erhalten. Ihr schließt sich der Kehrvers in V. 20 an, der noch einmal den Grundakkord des ganzen Psalms anschlägt: Der flehende Ruf zu Gott um Hilfe.

Exkurs: Die Vergleiche in den Psalmen. Hat man den 80. Psalm mehrmals gelesen, bleiben vor allem die beiden Vergleiche – man sagt gewöhnlich „Bilder“ – im Gedächtnis haften: „Du Hirte Israels, der du Joseph leitest wie Schafe“ und dann „Einen Weinstock hobst du aus in Ägypten . . .“. Denkt man ein wenig über diese Vergleiche nach, so verbinden sich damit bestimmte Vorstellungen: Gott, der Hirt, – Gott, der Weingärtner. Auf die Geschichte des

Volkes bezogen: die Zeit des Wanderns – die Zeit der Seßhaftigkeit. In den Vergleichen wird das Tun Gottes fest mit der Wirklichkeit verbunden: Hirt und Herde, Weingärtner und Weinberg, das ist ein Teil der Wirklichkeit, in der die Hörer des Psalms und die Beter des Psalms leben. Was Gott an seinem Volk getan hat, tut und tun wird, das ist genau so wirklich, so normal und natürlich wie das, was der Hirt mit der Herde, der Weinbauer mit seinem Weinberg tut. Die Vergleiche vermitteln den Eindruck: wenn die Psalmen von Gott reden, so reden sie von der Wirklichkeit.

Das gilt nicht nur von diesem 80. Psalm, das gilt von den Psalmen überhaupt; einige Beispiele:

> Deine Pfeile haben mich getroffen.
> Du hast uns gespeist mit Tränenbrot.
> Wie der Hirsch lechzt nach frischem Wasser.
> Hätte ich doch Flügel wie Tauben!
> Wie ein einsamer Vogel auf dem Dach.
> Ein scharfes Schwert ist ihre Zunge.
> Sammle meine Tränen in einem Krug!
> Wie du versiegte Bäche wiederbringst im Südland.
> Er birgt mich in seiner Hütte am Tag des Unheils.
> Im Schatten deiner Flügel finde ich Zuflucht.
> Du hast mir meine Klage in Reigen verwandelt.
> Wie sich ein Vater über Kinder erbarmt.
> Das Netz ist zerrissen und wir sind frei!
> Herr, deine Güte reicht, so weit der Himmel ist.
> Bei dir ist die Quelle des Lebens.

Das sind nur wenige Beispiele; die Psalmen sind voll von solchen Vergleichen, nur in wenigen Psalmen fehlen sie ganz. Man bezeichnet sie gewöhnlich als Bilder oder Bildworte und sieht ihre Bedeutung im Veranschaulichen dessen, was die Psalmen sagen wollen. Aber das ist nicht ihre eigentliche Absicht. Alle diese Vergleiche verbinden das, was in den Psalmen zwischen Gott und Menschen geschieht, mit dem, was in der geschöpflichen Wirklichkeit geschieht, in der die Beter der Psalmen leben. Diese geschöpfliche Wirklichkeit, Himmel und Erde, Land und Meer, die Elemente und die Gestirne, Pflanzen und Tiere, das Leben des einzelnen Menschen und des Menschen in der Gemeinschaft, – dies alles ist im Gebet der Psalmen dabei und spricht in ihm mit. Als bloße Illustration, als bloße ästhetisch-poetische Ausschmückung wären diese Vergleiche mißverstanden; sie haben als die zu den die Psalmen Hörenden und Sprechenden gehörende Wirklichkeit einen wesentlichen, unentbehrlichen Anteil an dem, was hier zwischen Gott und Menschen geschieht, an der vertrauenden Hinwendung zu Gott, an der Klage, dem Flehen und der Zuversicht, am Gotteslob in allen seinen Formen. Sie vor allem sind es, die den Psalmen eine solche Strahlkraft verleihen und sie uns vertraut machen: es ist ja auch unsere Wirklichkeit, die in den Vergleichen mitspricht.

Es wird darum gut sein, beim Hören auf die Psalmen auf die Vergleiche besonders zu achten, bei ihnen zu verweilen und ihnen nachzudenken.

Klagelieder 5: Erneuere unsere Tage!

1 Gedenke, o Herr, was uns geschehen,
schau her und sieh an unsere Schmach!

2 Unser Erbteil fiel den Feinden zu,
unsere Häuser wurden Fremden gegeben.

3 Wir sind Waisen geworden, vaterlos,
unsere Mütter wurden zu Witwen.

4 Das Wasser, das wir trinken, müssen wir bezahlen,
nur um Geld bekommen wir Holz.

5 Das Joch drückt auf unseren Nacken,
wir sind müde, man läßt uns keine Ruhe.

6 Nach Ägypten streckten wir die Hand aus,
nach Assur, um uns satt zu essen.

7 Unsere Väter haben gesündigt, – sie sind nicht mehr,
wir aber, wir schleppen ihre Schuld.

8 Knechte sind Herren über uns,
niemand befreit uns aus ihrer Gewalt.

9 Unter Lebensgefahr holen wir unser Brot
bedroht von dem Schwert aus der Wüste.

10 Unsere Haut glüht wie ein Ofen
vor den Qualen des Hungers.

11 Frauen wurden geschändet auf dem Zion,
Mädchen in den Städten Judas.

12 Fürsten wurden durch sie erhängt,
das Antlitz der Greise nicht geachtet.

13 Jünglinge wurden verdingt zur Handmühle,
Knaben strauchelten unter der Holzlast.

14 Die Alten hielten sich fern vom Tor,
die Jungen von ihrem Saitenspiel.

15 Zu Ende ist es mit der Freude unseres Herzens,
unser Reigen hat sich in Klage verkehrt.

16 Gefallen ist der Kranz von unserem Haupt,
wehe uns, daß wir gesündigt haben!

17 Darüber ist unser Herz krank geworden,
daran verdunkelt unser Auge.

18 Darüber, daß wüst liegt der Zion-Berg,
daß Schakale auf ihm wildern.

19 Du aber, Herr, thronst auf ewig,
dein Thron besteht von Geschlecht zu Geschlecht.

20 Warum vergißt du uns für immer,
    verläßt du uns für so lange Zeit?
21 Bring uns, o Herr, zu dir zurück,
    erneuere unsere Tage wie voreinst!
22 Oder hast du uns gänzlich verworfen,
    zürnst du über uns gar so sehr?

Zum Text

V. 2 zu ergänzen *nittenū* = sie wurden gegeben
V. 5 lies *hadaphānū:* das Joch drückt uns auf unseren Hals
V. 7 zu ergänzen *we* = aber
V. 13 statt Qal ist Nifal zu lesen (Budde): verdingt werden
V. 19 statt *'attāh* ist zu lesen *we'attāh*
V. 21 „dann kehren wir zurück" ist nachträglicher Zusatz.

Zum Aufbau

Der Aufbau von Klgl 5 weicht stark von dem der sonstigen Volksklagen ab, so stark, daß man es kaum zu ihnen rechnen kann. Eindeutig entsprechen der Volksklage nur V. 20–22: V. 20 ist an Gott gerichtete Klage (Du-Klage) mit der Frage „Warum?"; V. 22 ist das zweite Glied der Bitte. Das erste Glied (Bitte um Zuwendung Gottes) könnte sich hinter der langen, abschließenden Frage verbergen: Können wir die Zuwendung Gottes überhaupt noch erhoffen? Der eigenartig isolierte Satz V. 19 entspricht im Aufbau dem Kontrastmotiv: „Aber du, Gott . . .", weist aber hier nur im Kontrast auf die unbegreifliche Ferne Gottes (7.16b).

Der ganze übrige Psalm V. 2–18 ist eine klagende Schilderung der Not, die Jerusalem betroffen hat, der Wir-Klage entsprechend, aber anders als sonst in einem klagenden Erguß sich ausbreitend, ein Ausschütten der Herzen vor Gott; auch darin ein Erguß, daß eine vorgeprägte Gliederung darin nicht zu erkennen ist.

V. 1: Die zur Klagebegehung zusammengekommene Gemeinde, die aus der Katastrophe Übriggebliebenen, bringen ihr Leid (1a) und die Schande ihres Leides (1b) vor Gott. In diesem Psalm sind die Ereignisse noch so nahe, daß das „Ausschütten des Herzens" vor Gott fast ganz in einem das Leid schildernden Erzählen besteht. Was als dumpfer Schmerz, Bitterkeit und Verzweiflung die Herzen der Betroffenen erfüllt, wird in dieser erzählenden Klage heraus und vor Gott gebracht. Gott ist der, vor den man so etwas bringen kann; man kann sich vor ihm aussprechen, die schwere Last vor ihm ausbreiten, damit er sie annimmt: „Gedenke, o Herr, was uns geschehen . . .!"

V. 2–18: Es ist eine Klage um die zerstörte Stadt (V. 17–18); aber die Stadt birgt das Schicksal lebendiger Menschen, die in die Katastrophe der Stadt hineingezogen sind. Sie haben ihren Besitz und ihre Häuser verloren (2), und was

schlimmer ist, ihre Angehörigen, vor allem die Väter und Söhne (3). Sie müssen
ein Leben in äußerster Härte führen, selbst für das Trinkwasser und das
Brennholz müssen sie bezahlen (4), von Fremden müssen sie Nahrung erbitten
(6), beim Besorgen der Nahrung sind sie in ständiger Lebensgefahr (9) und
müssen körperliche Qualen ertragen (10). Sie haben ihre Freiheit verloren (8)
und schwer unter der Besatzungsmacht zu leiden (5.13–16a). Sie werden von
Fremden regiert (8) und die Ortsgerichtsbarkeit ist ihnen genommen (14),
müssen Zwangsarbeit tun (13). Bei der Eroberung der Stadt wurden Frauen
geschändet (11), Vornehme hingerichtet und entehrt (12). Alle Freude ist aus
dem Leben der Stadt gewichen (14b.15–17) (15b ist eine Umkehrung von Ps
30,12).

Dies alles ist so lebendig, so ergreifend geschildert, daß man es beim Hören
dieser Worte mitzuerleben meint. Das ist anders gar nicht zu erklären, als daß
die Menschen hier sprechen, die das alles selber mitgemacht, selber durchgemacht haben. Das kann jeder bestätigen, der in unserem Jahrhundert die
Einnahme einer Stadt und das Leben unter der Besatzung mitgemacht hat.

Es liegt einer der seltenen Fälle (vgl. etwa die Klage um Ur; W. Beyerlin, 1975,
S. 140–142) vor, daß wir von Augen- und Ohrenzeugen die Schilderung des
Lebens in einer eroberten Stadt vernehmen. Diese Schilderung ist uns überliefert
worden allein, weil die aus der Katastrophe Übriggebliebenen ihr Leid vor Gott
brachten in einer gottesdienstlichen Klagebegehung, die trotz der Zerstörung
des Tempels nach dem Zusammenbruch weitergehen konnte. In ihr kommen
die Erfahrungen der Einzelnen zusammen, sie gehen in die Klage ein und
erhalten so eine würdige, gedichtete Form, in der sie zur Erfahrung der in dieser
Klagebegehung zusammengekommenen Gemeinschaft werden: ein Bild des
nach 587 zerstörten und von den Feinden besetzten Jerusalem. Weil diese
Schilderung in den fortgesetzten Klagefeiern weitergetragen wird, erwächst
daraus ein für uns kostbarer Geschichtsausschnitt, der auf Augen- und Ohrenzeugen zurückgeht. Ein Musterbeispiel einer Tradition aus erster Hand, bei der
der Weg vom Entstehen bis zur schriftlichen Fixierung exakt zu verfolgen ist,
beruhend auf dem Traditionsweg einer aus dem Ereignis selbst erwachsenen
gottesdienstlichen Klagebegehung.

V. 7.16b: Aus der Schilderung fallen merkwürdig abrupt heraus die Sätze, die
von der Schuld der Väter (V. 7) und von der eigenen Schuld (V. 16b: „Weh uns,
daß wir gesündigt haben!") sprechen. Sie sind zunächst dadurch zu erklären,
daß sie zum Aufbau des Klagepsalms gehören (vgl. Ps 74,8). Die Abwendung
Gottes kann durch eine Schuld des Volkes verursacht sein; daß Gott sich seinem
Volk wieder zuwendet, hat dann ein Bekenntnis der Schuld zur Voraussetzung.
Nun scheint aber ein Widerspruch zwischen V. 7 und 16b vorzuliegen. Ein
Schuldbekenntnis ist 16b, und zwar ein spontanes, tief betroffenes Schuldbe-
kenntnis. In ihm schließt sich offenbar die gegenwärtige Generation mit den
Vätern zusammen; aber doch so, daß die gegenwärtige Generation sich eigener
Schuld durchaus bewußt ist, was aus dem Jeremiabuch überzeugend zu belegen
ist. Dagegen ist aus V. 7 ein rebellischer Ton zu hören: die Hauptlast der Schuld

liegt bei unseren Vätern, und nun müssen wir ihre Folgen tragen! Hier ist eine Wendung zu spüren, die sich damals anbahnte und die bei Ezechiel deutlich bezeugt ist: daß der Einzelne nicht mehr für die Sünden seiner Väter verantwortlich gemacht werden kann. Beides nebeneinander (V. 7 und 16b) ist durchaus möglich, und beides nebeneinander ist damals unter dem unmittelbaren Eindruck des Zusammenbruches gewiß gesagt und gedacht worden.

V. 19–22: Das „Aber du . . .“ meint im Gegensatz zu der gerade erfahrenen Katastrophe das davon nicht berührte Thronen Jahwes in stetiger Dauer, zugleich aber in der unbegreiflichen Ferne, in der er sich um sein Volk nicht kümmert; der Satz hat einen bewußten Doppelsinn.

Es folgt ein Satz der traditionellen Volksklage: So ferne thront Gott, daß es seinem Volk unbegreiflich ist in dem, was es durchmachen muß, warum Gott es verläßt und vergißt. So unbegreiflich lange dauert es schon, daß Gott sich nicht um es gekümmert hat.

Auf die Klage folgt, auch in der Sprache der Klagepsalmen, die Bitte. Beide Verben erflehen die Wiederherstellung, daß es wieder werde, wie es früher war: „Bring uns zu dir zurück“ hat hier den Sinn: laß uns wieder von deinem Erbarmen umfangen sein.

Erschütternd endet der Psalm in einer bangen Frage, was nur an dieser einen Stelle vorkommt. Weil das Volk Gottes das Furchtbare, das es durchmacht, als Abwendung, als Zorneswirken Gottes erfährt, ist die Frage verständlich. Das völlige Verwerfen Gottes würde den völligen Untergang des Volkes bedeuten.

Bemerkungen zu einigen anderen Klagepsalmen des Volkes

Psalm 44

Der Psalm ist bestimmt von dem Kontrast zwischen den großen Taten Gottes an seinem Volk in vergangener Zeit V. 1–9 und der furchtbaren Gegenwart, in der Gott seinem Volk nicht mehr hilft V. 10–15. Die Anklage Gottes ist hier besonders bitter und schroff: „Und doch hast du uns verstoßen, mit Schmach uns bedeckt . . .“ (V. 10). So endet der Psalm mit einem leidenschaftlichen Hilferuf V. 24–27. Mitten darin aber steht die Versicherung, trotz allem an Gott festzuhalten V. 18–19.

Psalm 74

In der Mitte des 74. Psalms steht die Klage über die Zerstörung des Heiligtums, die ausführlich bis zu Einzelheiten geschildert wird (V. 3–9). An der Stelle des Rückblicks aus Gottes frühere Taten in der Geschichte seines Volkes steht hier (V. 12–17) der Blick auf den Schöpfer, wobei der Chaoskampf in mythischer Sprache dargestellt ist (V. 12–14).

Psalm 79

Der Anlaß des 79. Psalms ist die Eroberung und Zerstörung der Stadt Jerusalem und Entweihung des Tempels. Die gegen die Feinde gerichteten Bitten (V. 6.10.12) und die Schmach der Niederlage (V. 4.12) treten in besonderer Schärfe heraus.

Psalm 89

Der 89. Psalm ist eine Abwandlung der Volksklage, in der es um das Ende des Königshauses und damit der davidischen Dynastie geht. Ihr entgegengesetzt ist in der Klage der Bund, den Gott einmal mit David geschlossen hat (V. 4–5.20–38; vgl. 2.Sam 7). Auf diesem Kontrast beruht die an Gott gerichtete Klage. Vorangestellt ist ihr in V. 2–3.6–19 ein vollständiger Lobpsalm.

Psalm 83

Dieser Psalm ist von Anfang bis Ende fast ganz gegen die Feinde gerichtet, in Feindklage und Bitte gegen die Feinde. Dabei fällt die Aufzählung der vielen Völkernamen in V. 7–9 auf. Es ist möglich, daß es sich dabei nur um Decknamen für die Frevler handelt, die die Frommen bedrohen. Dann zeigt der 83. Psalm, daß in später nachexilischer Zeit die alten Volksklagen umgestaltet wurden für den Gegensatz der Frommen zu den Frevlern in dieser späten Zeit. Das ist gut möglich in einer Zeit, in der Israel als Provinz eines Großreiches keine Kriege mehr führte.

Vertrauenpsalmen des Volkes

Psalm 123: Ein Wallfahrtslied

1   Zu dir erhebe ich meine Augen,
     du, der du thronst in den Himmeln.
2   Siehe: Wie die Augen der Knechte auf die Hand ihres Herrn,
     Wie die Augen der Magd auf die Hand ihrer Herrin,
     So unsere Augen auf den Herrn, unsern Gott,
     bis er sich unser erbarmt.
3   Erbarme dich unser, o Herr, erbarme dich unser!,
     denn übersatt sind wir des Hohnes.
4   Satt, übersatt ist unsere Seele
     des Lachens der Sicheren, des Spottes der Stolzen.

Zum Text

V. 4b   „der Sicheren" lies *l* statt *h* (BHApp.)
„der Stolzen" lies *lega'ajōnīm* mit K und Versionen (BHApp.)

Zum Aufbau

Um den Aufbau zu verstehen, muß man V. 2 als einen Vergleich vom übrigen Text sondern und beides je für sich hören: V. 2 und V. 1.3.4: Klammert man V. 2 zunächst ein, so ist V. 1 eine Hinwendung zu Gott (wie Ps 12T,1) mit der Erweiterung einer Anrede (diese selbst folgt V. 3). Die Mitte des Psalms ist 3a das an Gott gerichtete Flehen um Erbarmen (vgl. dessen starke Hervorhebung auch in Ps 80). Darauf folgt nur noch die Begründung dieses Flehens in V. 3b und 4; inhaltlich ist diese Begründung eine angedeutete Klage (Wir-Klage verbunden mit der Feind-Klage).

Demnach enthält V. 1.3.4 Anruf Gottes mit Erweiterung – Hinwendung zu Gott – Flehen zu Gott um Erbarmen – Begründung dieses Flehens mit einer Klage. Das alles sind Glieder der Volksklage, die aber stark reduziert ist; betont aus ihr ist nur das Flehen um Erbarmen. Dieser Aufbau aber wird durch den Vergleich in der Mitte des Textes V. 2 gewandelt, der den ganzen Text beherrscht. Durch diesen Vergleich in der Mitte wird es ein Vertrauenspsalm; denn in der Mitte steht nun der Vergleich, der sein Ziel in den Worten hat: „. . . bis er sich unser erbarmt". Diese Worte entsprechen der „Gewißheit der Erhörung".

V. 1: Der erste Vers ist Einleitung, in der der Betende sich zu Gott hinwendet, zu ihm seine Augen erhebt. Die „Hinwendung zu Gott" ist in vielen babylonischen Psalmen die Einleitung, in den Psalmen des AT fast nie (ähnlich Ps 121,1). Die Besonderheit dieser Einleitung entspricht der Besonderheit des Psalms: sie wird in dem Vergleich V. 2 entfaltet. Der eigentliche Anruf folgt erst in V. 3, in V. 1 aber ist die Erweiterung der Anrede schon vorausgenommen: „du, der du thronst in den Himmeln". Wenn Gott hier als der im Himmel Thronende angeredet wird, ist das bewußt doppelsinnig (ähnlich in Klgl 5,19). Gott wird als der majestätisch Thronende angeredet (= der König), weil er als solcher alles vermag; zugleich aber klingt darin die Ferne Gottes mit. Der Numeruswechsel von V. 1 zu V. 2 ist wahrscheinlich so zu erklären, daß 1a eine geprägte Wendung ist, die eigentlich zur Klage des Einzelnen gehört.

V. 2: Das Erheben der Augen zu Gott (V. 1) wird in einem Vergleich dargestellt in der oft begegnenden Form: Wie *(ke)* . . . so *(kēn); „*Wie der . . . so unsere Augen . . ." Diese Form des Vergleichs begegnet besonders häufig in den Proverbien, z.B. 25,3.11.13.20.26.28. Der Vergleich beginnt mit „Siehe, . . ." *(hinnēh)*, das es als einen neuen Einsatz kennzeichnet und zugleich hinweisenden Charakter hat: achte darauf! Damit wird der Vergleich in seiner Selbständigkeit und Eigenbedeutung aus dem Kontext herausgehoben. Die gleiche Funktion des Hervorhebens hat die Zweigliedrigkeit des Vergleiches: „die Augen der Knechte" – „die Augen der Mägde". Das zweite Glied (die Mägde) fügt nichts Neues hinzu; vom Inhalt her wäre es unnötig. Jedoch schafft die Hinzufügung einen Parallelismus, der dem Vergleich ein größeres Gewicht gibt. (Etwas Ähnliches ist es, wenn in Erzählungen einem Traum dadurch ein größeres Gewicht gegeben wird, daß er mit einem zweiten zu einem Traumpaar wird, wie in der Josepherzählung.) Was aber steht hinter dieser Absicht, dem Vergleich ein größeres Gewicht zu geben? Es hätte vom Inhalt her genügt: „Zu dir erheben wir unsere Augen wie Knechte zu ihrem Herrn" (so wie in den El-Amarna-Briefen Nr. 195: „Der Herr ist die Sonne am Himmel. Und wie auf das Aufgehen der Sonne am Himmel, so warten die Diener auf das Ausgehen der Worte aus dem Mund ihres Herrn."). Die Absicht kann nur sein, den Vergleich für sich selbst sprechen zu lassen; die den Psalm Betenden sollen bei diesem Vergleich verweilen. Der in V. 1.3 f. dargestellte Vorgang, das Flehen der Gemeinde zu Gott um Erbarmen, soll dadurch nicht eigentlich erklärt oder veranschaulicht werden, das wäre unnötig, es soll vielmehr verstärkt, intensiviert werden. Man kann das noch näher bestimmen: Ohne den Vergleich ist der Vorgang in seinem Verlauf ganz unbestimmt, durch ihn erhält er einen fest bestimmten Verlauf, und zwar durch den Satz „bis er sich unser erbarmt" *('ad šejeḥonnēnū):* einen in sich gespannten Verlauf von dem Erheben der Augen zu . . . bis zu diesem Ziel: dem Sich-Zuwenden Gottes. Dabei ist das „bis" dem „Wie lange noch?" der Klage entgegengesetzt, das in V. 3b.4a anklagt. Dieser klar artikulierte Verlauf, dieses Gefälle wird an einem Vorgang zwischen Menschen, Herr und Knecht, Frau und Magd, gezeigt, weil er zum Erfahrungsbereich der den Psalm Betenden gehört. Im Nebeneinanderstellen erhält das Verglichene (das Flehen der Gemeinde und die Antwort Gottes darauf) an der „Wirklichkeit" des Vorganges im Vergleich teil. Das zwischen Gott und Mensch Geschehende wird wirklich, wird menschlich, wird erfahrene und erfahrbare Realität: so . . . wie . . . So bietet der 123. Psalm das Musterbeispiel eines Vergleichs im Alten Testament (vgl. das Gleichnis von der Witwe Luk 18,1–8), von dem her die Gleichnisse Jesu im Neuen Testament deutlicher bestimmt werden können.

Voraussetzung für dieses Verständnis von V. 2 ist, daß das Verhältnis von Herr und Knecht, Frau und Magd hier völlig positiv verstanden ist, wie das die Vätergeschichte und viele andere Stellen im Alten Testament zeigen. Wenn Knecht und Magd auf die *Hand* ihres Herrn (Herrin) sehen, so ist mit den Händen das ihnen freundliche ‚Handeln' gemeint (dasselbe Wort). So verstanden kann „auf die Hände sehen" als ein Ausdruck für bitten gebraucht werden; vgl. Jes.Sir 30,30: „Es ist besser, daß deine Söhne dich bitten, als daß du auf die Hände deiner Söhne sehen mußt."

V. 3a: Das wiederholte „Erbarme dich unser!" (oder „Sei uns gnädig!") ist die Mitte des Psalms. Es ist eigentlich kein vollständiger Psalm, sondern ein Anrufen Gottes um Erbarmen, das sonst ein Glied des Psalms ist. Der 123. Psalm zeigt, daß diese Glieder eines Psalms außerhalb des Gottesdienstes selbständige Rufe zu Gott waren, genauso wie der Ruf um Erbarmen, den die Leidenden am Wege zu Jesus erheben: Mt 9,27: „Da schrieen sie und sprachen: Ach, du Sohn Davids, erbarme dich unser!"

V. 3b.4: Die Klage ist kein selbständiger Teil, sondern nur als begründender Nebensatz der Bitte angefügt, auch ist in diesem zweigliedrigen Begründungssatz die Klage nur angedeutet in der Wirkung der Not auf die Betroffenen, von der Not selber ist nichts gesagt. Diese Andeutung ist von einer erschütternden Verhaltenheit; sie sagt nur: wir können nicht mehr! „Übersatt sind wir des Spottes"; und V. 4 sagt parallel dazu dasselbe etwas erweitert, wobei als Subjekt des Spottens die „Sicheren" und „Stolzen" genannt werden. Die Worte lassen nicht erkennen, wer damit gemeint ist, sie weisen eher auf einen sozialen als einen politischen Kontext (Jes. 30,9.11; Am 6,1; Sach 1,15). So läßt sich auch die Art der Not, aus der der Hilferuf kommt, nicht erkennen. Der Psalm hat sein Schwergewicht so ganz in dem Ruf um Erbarmen und der Gewißheit der Zuwendung Gottes, daß alles andere dahinter zurücktreten kann.

Psalm 126: Die mit Tränen säen, werden mit Jubel ernten

1 Als der Herr das Geschick Zions wendete,
  da waren wir wie die Träumenden;
2 da war unser Mund voll Lachens
  und unsere Zunge voll Jubels.
  Da sagte man unter den Völkern:
  Der Herr hat Großes an ihnen getan!
3 Ja, der Herr hat Großes an uns getan,
  wir waren voll Freude.
4 Wende, o Herr, unser Geschick
  wie du im Südland versiegte Bäche wiederbringst!
5 Die mit Tränen säen,
  mit Jubel werden sie ernten.
6 Da geht man hin und weint,
  wenn man den Samen streut;
  heim kommt man, kommt mit Jubel,
  bringt seine Garben ein.

Zum Text

V. 1: Die Verse 1–3 reden von der Vergangenheit, nicht, wie in der Übersetzung Luthers, von der Zukunft.
V. 6: lies *mōsēk mesek*, BHApp.; vgl. Am 9,13.

Zum Aufbau

Es geht in diesem Psalm um das Geschick des Volkes, und der Satz in der Mitte, V. 4, ist ein Flehen um die Wende der Not, also ein Glied der Volksklage. Aber ähnlich wie in Ps 123 ist dieses Flehen um die Wende so sehr die Mitte des

Psalms, daß alles andere ihm zu- und untergeordnet ist. Und ähnlich wie in Ps 123 ist dieses Flehen ganz vom Vertrauen bestimmt, das in V. 5–6 ausgesprochen wird und den Psalm zum Vertrauenspsalm macht. Den Eingang des Psalms bildet ein Rückblick auf eine frühere Rettungstat Gottes, der hier aber nicht, wie in Ps 80,9–12, die Funktion eines Einwirkens auf Gott hat, sondern das Vertrauen auf eine künftige Rettung durch Gott bestärken soll. Dem Flehen um die Wende in V. 4 folgt in 5–6 ein auf die frühere Erfahrung (1–3) gegründeter Ausdruck der Gewißheit, daß auch die gegenwärtige Not von Gott gewendet werden wird.

Der Aufbau des Psalms entspricht keiner Psalmform, ihm liegt (vgl. Ps 123) das *eine* Motiv des Flehens um die Wende der Not zugrunde, das von Worten der Zuversicht gerahmt ist.

V. 1–3: Viele haben den Anfang des 126. Psalms in der Übersetzung Luthers im Ohr: „Wenn der Herr die Gefangenen Zions erlösen wird, dann werden wir sein wie die Träumenden . . .“ Sprachlich steht fest, daß diese Worte ein Rückblick sind, auch die griechische Übersetzung übersetzt in der Vergangenheitsform. Wenn die futurische Übersetzung den Zusammenhang des Psalms dennoch nicht stört, ist das darin begründet, daß V. 4–6 von der Zukunft reden.

V. 1: Der Psalm ist von der Wendung *šub šebut* (so ist in V. 1 zu verbessern) bestimmt, mit der der Rückblick V. 1 einsetzt und der in dem Flehen um eine Wende der Not in V. 4 wieder aufgenommen wird und auch in V. 5 und 6 noch anklingt. Die Wendung, die häufig begegnet (z. B. Jer 31,23), bedeutet wörtlich „die Wendung wenden“; es ist eine Verstärkung des Verbs durch ein Nomen des gleichen Stammes, also: eine Wendung herbeiführen. Sie hat fast immer das Volk Israel zum Objekt und Gott als gedachtes Subjekt. Und meist ist damit die Wendung nach dem Zusammenbruch um 587 gemeint (so auch Ps 85,2). (Vgl. hierzu THAT II, Artikel *šub,* J. A. Soggin, S. 884–891, besonders S. 886–888, hier auch alle Stellen.) Schon der Gebrauch dieser Wendung macht es wahrscheinlich, wenn nicht sicher, daß V. 1–3 auf die Rückkehr aus dem Exil und den Neuanfang in der alten Heimat zurückblickt. „Da waren wir wie die Träumenden“, diese Wendung war so unerwartet, so überwältigend, daß sie kaum zu fassen war. Das wird durch die Verkündigung Deuterojesajas bestätigt, dessen Ankündigung dieser Wende weithin auf Ablehnung und Unglauben stieß.

V. 2–3: Die beiden Sätze von V. 2 bilden einen synonymen Parallelismus; eigentlich ist es *ein* Satz: die Erinnerung an die Freude, die damals das ganze Volk erfüllte. Der Ruf zur Freude und die in die Zukunft vorblickenden Loblieder bei Deuterojesaja (z. B. 40,9–11; 42,10–13) waren nicht umsonst: die große Freude ist eingetroffen, das sagt Ps 126,2, und die Rückkehr der Israeliten aus dem Exil hat auch in der Umwelt einen tiefen Eindruck gemacht, sie nehmen wahr und erkennen an, was der Gott Israels an seinem Volk getan hat (vgl. Ex 18,9). Und was die anderen wahrnehmen, das bestätigt das Volk Israel im Lob der großen Taten Gottes an ihm und erinnert sich der damaligen Freude.

Zwei Zusammenhänge sind hier zu beachten. Einmal ein zeitlicher: das starke Geschichtsbewußtsein im AT berüht darauf, daß die Erinnerung an vergangene Geschichtsereignisse dort auflebt, wo diese Erinnerung eine Bedeutung für die Gegenwart hat, wo sie an der Gegenwart etwas bewirkt. So ist es hier: in der gegenwärtigen schweren Not (V. 4–6) wacht die Erinnerung an die großen Taten Gottes in der Vergangenheit bzw. die eine große Tat der Rückführung aus dem Exil auf. Sie vermag das Vertrauen auf die Hilfe Gottes in der Gegenwart zu stärken. So entsteht der diesen Psalm bestimmende Dreischritt Rettung aus der Not in der Vergangenheit (1–3) – Flehen aus der Not in der Gegenwart (4) – Ausblick auf die Wende der Not in der Zukunft (5–6). Das hier sich zeigende starke Bewußtsein eines Zusammenhanges in der Geschichte des eigenen Volkes wird aber nur möglich durch den einen Gott, der in der Geschichte des Volkes wirkt, der Zusammenhang hat seinen Ursprung im Planen und Wirken Gottes, und das Volk hat an ihm teil im Reagieren auf dieses Wirken in Flehen und Lob.

Das andere ist ein sachlicher Zusammenhang: Was das Volk auf dem Weg seiner Geschichte erfährt, ist immer ein Geschehen, an dem es selbst, die anderen Völker (2b) und Gott teilhaben. Das entspricht den drei Gliedern der Klage.

V. 4: In der Mitte des Psalms steht das an Gott gerichtete Flehen um Hilfe, ein Gebetsruf, der auch in sich selbständig sein könnte. (Zu der Wendung „Wende unser Geschick" s. zu V. 1.) Wenn der gleiche Ausdruck hier in der Mitte des Psalms wiederkehrt, klingt darin mit: Du hast einmal unser Geschick gewendet!; stillschweigend wird damit auf den Zusammenhang im Wirken Gottes gewiesen. Zu diesem Ruf des Flehens tritt ein Vergleich (wie in Ps 123) „wie die Bäche im Südland (Negeb)". Der Vergleich ist damit nur angedeutet; in der Trockenzeit sind die Bäche verschwunden, „aber im Winter schwellen sie plötzlich an und machen das Land fruchtbar" (R. de Vaux). Verglichen wird damit das wunderbare, überraschende Wiederherstellen. So als sei das ganz selbstverständlich, sieht der Psalm das Wirken des Schöpfers und des Lenkers der Geschichte zusammen: es ist derselbe Gott, der hier wie dort die Erneuerung bewirkt!

V. 5–6: Die zwei Verse 5 und 6 stehen im Parallelismus; V. 6 sagt dasselbe wie V. 5, nur etwas mehr ausgeführt. Ein Abschnitt im Leben eines Menschen wie auch ein Abschnitt in der Geschichte eines Volkes kann in tiefer Not beginnen (mit Tränen säen), aber zu seinem Ziel kann er durch eine wunderbare Wende kommen. Das wird nicht nur als Möglichkeit oder Wunsch formuliert, die Sätze sprechen die Gewißheit aus, daß es so kommen wird (das zeigt besonders der Fortgang von V. 5 zu 6). So wird dieser Schluß des Psalms zu einem Bekenntnis der Zuversicht, rückblickend auf den Anfang V. 1–3. Auch in diesem Schluß bilden Schöpfung und Geschichte eine Einheit.

Dieser Psalm ist eines der schönsten Zeugnisse des Alten Testaments dafür, wie das alte Gottesvolk auf seinem Weg durch die Geschichte in schweren Notzeiten an seinem Gott in festem Vertrauen hielt und so einen Sinn in seiner Geschichte fand, der Abgründe zu überbrücken vermochte.

Psalm 124: Das Netz ist zerrissen!

1 Ein Wallfahrtslied. Von David.
  Wäre der Herr nicht für uns gewesen
  so möge Israel sprechen,
2 Wäre der Herr nicht für uns gewesen
  als Menschen gegen uns aufstanden,
3 dann hätten sie uns lebendig verschlungen
  als ihr Zorn gegen uns entbrannt war,
4 dann hätten die Wasser uns überflutet,
  dann wären Wildbäche über uns (wörtlich: unsere Kehle)
  hinweggegangen;
5 dann hätten uns die brausenden Wasser überflutet.
6 Gelobt sei der Herr, der uns nicht zum Raub ihrer Zähne werden ließ!
7 Unsere Seele ist entkommen
  wie ein Vogel aus der Schlinge des Jägers,
  das Netz ist zerrissen und wir sind frei!
8 Unsere Hilfe steht im Namen des Herrn,
  der Himmel und Erde gemacht hat.

Zum Text

V. 1: wörtlich: Wenn nicht Jahwe (es gewesen wäre), der für uns (war)
V. 3: *'azaj = 'āz* (wie Ps 119,82 aramaisierend wie auch die Relativpartikel šä)
V. 4: *naḥlāh* statt *naḥal; näfäš* hier im Sinn Kehle, Hals, dagegen V. 7 = Leben.

Zum Aufbau

Der strenge Aufbau eines Psalms ist in diesem Text nicht zu finden. Ein eindeutiges Psalmmotiv ist nur V. 6 (vielleicht mit V. 7), ein Lobruf: Gelobt Jahwe! mit der Begründung in dem folgenden Relativsatz 6b, dazu V. 7 die Folge. Dem ist in V. 1–5 ein durch Wiederholung erweiterter Wenn-dann-Satz vorangestellt (das begegnet sonst nie), der die Bedrohung andeutet, in die Gott rettend eingriff. V. 8 ist ein liturgischer Nachtrag. Bei der Frage nach der Entstehung dieses Psalms ist davon auszugehen, daß der Satz in der Mitte des Psalms öfter in erzählenden Texten vorkommt: ein Lobruf, der unmittelbar auf eine entsprechende Situation reagiert, z.B. Ex 18,10. Diese *bārūk*-Sätze („Gelobt sei . . .") gehören zu den Psalmmotiven, die einmal selbständig waren. Der Lobruf ist zu einem Psalm erweitert worden durch die vorangehende Bedrohung (1–5) und die durch die Rettung ermöglichte Befreiung (7). V. 7 könnte auch die ursprüngliche Fortsetzung von V. 6 sein, weil er gedichtet ist; V. 1–5 dagegen ist in seiner Grundstruktur ein Prosasatz, mit der auffälligen Einleitung „so sage Israel". Auf späte Entstehung weisen die Aramaismen.

V. 1–5: Der ganze irreale Folgesatz Wenn (nicht) – dann ist eine Erweiterung, genauer eine reflektierende Weiterführung des Satzes in der Mitte des Psalms, V. 6. Gott ließ uns nicht zum Raub ihrer Zähne werden. Hätte aber Gott uns nicht geholfen, dann ... Ein solches reflektierendes Weiterdenken: „wäre es nicht so gekommen, dann ..." entspricht der Sprache der Psalmen nicht; es ist der Sprache der Psalmen nachträglich angeglichen durch Parallelismus und Rhythmus. Eine nahe Parallele ist Jes 1,9: „Wenn nicht Jahwe Zebaoth uns einen geringen Rest gelassen hätte, wie Sodom wären wir geworden, Gomorrha glichen wir." Da Jes 1,9 wahrscheinlich ein später Zusatz ist (begründet bei F. Crüsemann, S. 162–164), entspricht dieser spätere Zusatz in Form und Inhalt der späten Erweiterung Ps 124,1–5. Auf eine späte Zeit weist auch, daß das Wenn – dann (*lūlēj* – *'āz*) im gleichen Sinn nur noch Ps 119,92 begegnet.

V. 1–2: Der Vordersatz (wenn nicht ...) umfaßt zwei Verse, vier Halbverse; in Wirklichkeit ist es *ein* Satz, und zwar eindeutig ein Prosasatz: „Wenn Jahwe nicht für uns gewesen wäre, als sich Menschen gegen uns erhoben ..." Aus diesem Satz wurden zwei Verse gebildet durch die Wiederholung des ersten Satzteiles (V. 1a und 2b) und das Zusetzen von „so möge Israel sprechen". Diese Wendung begegnet außer 129,1 (129,1–2 ist genauso gebildet wie 124,1–2) nur noch in 118,2–4, wo es etwas wie eine gottesdienstliche Anweisung ist. Hier gleicht die Wendung den Satz der gottesdienstlichen Sprache an. Die Not ist in V. 1–2 nur in sehr allgemeinen Wendungen angedeutet, ebenso Gottes Hilfe (hier „für uns" für das gewöhnliche „mit uns"). Die Bedrohenden werden nur als „Menschen" bezeichnet, so sonst nur in Klage- und Lobpsalmen Einzelner Ps 56,12; 57,5 u. a.

V. 3–5: Der Nachsatz umfaßt drei Verse; was dieser Nachsatz zu sagen hat, ist ausreichend in V. 3a gesagt: „... dann hätten sie uns lebendig verschlungen". Dieser Prosanachsatz ist einmal erweitert in 3b durch die etwas nachklappende Angabe: „... als ihr Zorn gegen uns entbrannt war", der der Sache nach als zweiter Halbvers zu 2b gehört. Die andere Erweiterung ist ein Vergleich: das Überfallenwerden von Feinden wird mit dem Überflutetwerden durch Wasserströme verglichen, wie z. B. auch in Ps 93. Der Vergleich von V. 4 wird in V. 5 mit etwas anderem Ausdruck wiederholt.

V. 6–7: V. 6 bildet den Kern des Psalms: Ein Lobruf (oder Ausruf des Gotteslobes, unserem „Gott sei Dank!" entsprechend) „Gelobt (sei) der Herr" (*bārūk jhwh*), dem ein Relativsatz zugeordnet ist, in dem dieser Lobruf begründet wird: „... der uns nicht zum Raub ihrer Zähne werden ließ", diese Begründung wird in V. 7 in einem Vergleich entfaltet. Der Lobruf *bārūk jhwh* mit folgendem Relativsatz ist eine feste Form, die oft begegnet, s. u. S. 46.

Diese Stellengruppe entspricht aber in zweifacher Hinsicht nicht dem Lobruf in Ps 124,6. Zum Verständnis dieses Psalms ist ein Vergleich mit den anderen Stellen notwendig (vgl. F. Crüsemann, S. 160–168). Einmal begegnen alle diese Stellen (außer drei Psalmstellen, s. u.) in Geschichtsbüchern, und zwar in Erzählungen. Die Situation ist an den meisten Stellen gleich: Es ist der Ausruf eines, der gerade aus einer Gefahr, einer schwierigen Situation gerettet wurde. Der Ausruf drückt das befreite Aufatmen des Geretteten oder Bewahrten aus.

Exkurs: In Gen 24,27 sagt es der Knecht, der an das Ziel seines Auftrags gelangt ist: „Gelobt sei der Herr, der seine Huld und Treue meinem Gebieter nicht entzogen hat"; in 1.Sam 25,32 und 39 bei der Begegnung mit Abigail: „. . . der dich heute mir entgegengesandt hast"; in 2.Sam 18,28 der Siegesbote zu David: „. . . der die Leute preisgegeben hat, die gegen den König . . .", in Ruth 4,14: „. . . der dir heute einen Löser nicht versagt hat", dazu Gen 14,20; Ex 18,10; 2.Sam 22,48; 1.Kön 1,46; 5,21; 8,56; 10,9; Esra 7,27; 2.Chr 6,4.

Alle diese Sätze sind Berichte (oder Erzählungen; man kann hier zwischen beidem nicht unterscheiden), und sie alle berichten von einer helfenden, rettenden Tat Gottes. Da alle diese Relativsätze abhängig sind von dem Lobruf „Gelobt sei Gott!" (hierzu THAT I, S. 353–376, bes. 355–358), ist diese Stellengruppe ein wichtiger Beleg für das „berichtende Lob" (C. Westermann, Lob und Klage in den Psalmen, [5]1977, S. 61–66, 76–84). Von dem, was wir als ,danken' bezeichnen, unterscheidet es sich dadurch, daß zu ihm der Bericht von der Tat Gottes gehört, über der Gott gelobt wird. Zu dem Unterschied ,loben' und ,danken' s. S. 122 f. Nun sind aber alle diese Sätze nicht Psalmteile, sondern sie alle stehen in Erzählungen und sind alle je an ihrem Ort notwendiger Bestandteil der Erzählung, alle sind Reaktion auf etwas, was gerade geschah. Als solche gehören sie zu der vorkultischen Phase des Gebets (s. o. S. 19). In ihr haben die einzelnen Psalmmotive, wie z.B. der Hilferuf, das Gelübde, der Lobruf noch ein selbständiges Leben, sie sind noch außerkultisch und vorkultisch (so begegnen sie in der Umgangssprache, in Erzählungen, Romanen bis auf diesen Tag). Später sind sie zu einem Glied der Psalmen geworden. Der andere Punkt, in dem sich Ps 124,6 von der parallelen Stellengruppe unterscheidet, ist, daß in diesen Sätzen der Redende fast immer ein Einzelner ist. Und zwar ist das auch dort der Fall, wo diese Wendung Bestandteil eines Psalms geworden ist, z.B. Ps 28,6: „Gelobt sei der Herr *(bārūk jhwh)*, denn er hat mein lautes Flehen gehört"; Ps 31,22: „. . . denn wunderbare Gnade hat er mir erwiesen in der Zeit der Not" (dazu 66,20; 72,18; 68,20; 144,1). Diese Stellen zeigen, daß die Wendung „Gelobt sei der Herr . . ., der getan hat" ursprünglich der Lobruf eines Einzelnen ist. Dann liegt die Wendung in Ps 124 in einer abgewandelten Form vor, auf eine Gruppe, eine Mehrheit bezogen. Ps 124 ist dann zwar ein Lobpsalm des Volkes (oder einer Gruppe des Volkes?), aber er ist nicht das Muster, aus dem wir auf eine Gattung schließen könnten (so habe ich es früher angenommen, s. die angegebenen Stellen in „Lob und Klage in den Psalmen"), sondern eine späte Umbildung des Motivs (ähnlich auch Ps 129), das eigentlich der Sprache des Einzelnen eignet (s. F. Crüsemann). Mit Sicherheit hat es in Israel einmal Lobpsalmen des Volkes in Entsprechung zu den Klagepsalmen gegeben, aber sie sind im Psalter nicht erhalten. Ihr Fehlen ist in der nachexilischen Entstehungszeit des Psalters begründet. Über die Entstehungszeit und die Situation des 124. Psalms läßt sich deshalb nichts sagen, es ist eine eher späte Entstehungszeit zu vermuten. Man kann auch nicht erkennen, wer die Feinde sind, V. 1–3 und 6 lassen an einen politischen Krieg denken. Möglich ist aber auch, daß mit den Feinden die Frevler gemeint sind (wie in Ps 83). Eine sichere Antwort ist nicht möglich.

Der Lobruf V. 6 gebraucht den Vergleich von Raubtieren für die Feinde: „. . . zum Raub ihrer Zähne"; es folgt in V. 7 der Ausdruck der Freude der Befreiten, hier ist der Vergleich von der Schlinge und dem Netz des Jägers (Vogelstellers) gebraucht. Beide Vergleiche begegnen oft in Klagen des Einzelnen von dessen Feinden, den Frevlern. Hier ist der Vergleich auf eine Gruppe übertragen. Sie waren aufs höchste von den Feinden bedroht, jetzt sind sie befreit. Der Vergleich mit dem aus dem Netz des Jägers befreiten Vogel an dieser Stelle bringt besonders eindrücklich die Erfahrung einer Befreiung zum Ausdruck; er stellt das Moment des Kreatürlichen in der Erfahrung einer Befreiung heraus. Das spürt jeder, der es hört und mitspricht, was das „wie ein Vogel" sagen will. Was damit gemeint ist, wird noch deutlicher, wenn man hinzunimmt, daß das Hebräische ein Wort für ‚Freiheit' nicht kennt. Freiheit gehört so unbedingt zum Menschsein, daß ein Leben ohne sie kein wirklich menschliches Leben ist, das ist dem Menschen mit aller lebendigen Kreatur gemeinsam.

Der Psalm als ganzer und in ihm besonders die Folge von V. 7 auf V. 6 zeigt, daß für die, unter denen dieser Psalm gehört und gesprochen wurde, zur Erfahrung einer Befreiung der Blick auf den Befreier gehörte: „Wäre der Herr nicht für uns gewesen . . ."

V. 8: V. 8 ist ein liturgischer Nachtrag, der den Satz am Anfang des Psalms noch einmal in gottesdienstlicher Sprache aufnimmt. Er sagt den Hörern des Psalms, daß sie einen Helfer haben und daß dieser Helfer der Schöpfer ist, der alles in seinen Händen, dessen Hilfe keine Grenzen hat.

Die Königspsalmen

In den Königspsalmen reicht eine politische Institution in den Gottesdienst Israels hinein. Das Königtum ist die einzige politische Institution in der Menschheitsgeschichte, die als solche zugleich sakral ist; denn alles Königtum ist ursprünglich sakral. Das Königtum in der Umgebung Israels, Ägyptens, Babylon-Assurs und Kanaans hatte einen verschiedenen Charakter, aber eine Verbindung mit den Göttern hatte es überall (C. Westermann, Das sakrale Königtum . . ., ThB 55, 1974, S. 291–308). Darin ist es begründet, daß wir in den Psalmen eine Gruppe von Königspsalmen antreffen. Sie gehören zwei Phasen der Geschichte des Gottesdienstes Israels an: dem Gottesdienst zur Zeit des Königtums und nach dessen Ende, doch haben sie in diesen beiden Phasen eine verschiedene Funktion: Zur Zeit des Königtums beziehen sie sich auf den jeweils regierenden König; in der Zeit nach dem Ende des Königtums nach dem Exil sind sie Ausdruck der Erwartung eines neuen, anderen Königs, des Messias.

Eine Gattung von Königspsalmen gibt es in den Psalmen nicht, alle sind sie verschieden. Was sie zusammenhält, ist allein, daß sie vom König handeln (Ps 2; 18; 20; 21; 45; 61,7–8; 63,12; 72; 89; 101; 110; 132; 144). Wir können daraus schließen, daß es im Gottesdienst Israels zur Ausbildung und Ausprägung einer selbständigen Gattung der Königspsalmen nicht gekommen ist.

1. Zwei Psalmen, 2 und 110, weisen durch ihren Inhalt auf den Regierungsantritt, sie haben ihren Ort danach im Ritus des Regierungsantrittes oder einem Fest, in dem er jährlich gefeiert wurde. Sie lassen einige Riten der Thronbesteigung erkennen, das Wichtigste ist ein an den König gerichtetes Gotteswort: 2,6–9 Gottesspruch an den König. Ps 110 ist als ganzer als Gottesspruch an den König eingeleitet; Ps 110 ist danach kein Psalm, sondern ein Königsorakel, den Heilsorakeln in der Prophetie entfernt entsprechend.

2. Eindeutig läßt sich ein weiterer gottesdienstlicher Vorgang erkennen: die Fürbitte und das Lob für den König. Sie wird eine wichtige Rolle gespielt haben, weil sie in den Königspsalmen am häufigsten begegnet. Ps 20 und 21 sind einander zugeordnet als Fürbitte und Fürlob für den König. Dabei liegt Ps 20 die Klage des Einzelnen zugrunde, aber abgewandelt: an die Stelle des Flehens um Rettung ist die Bitte um das Stetige getreten. Ps 21 liegt das berichtende Lob (Dankpsalm) des Einzelnen zugrunde; an die Stelle des Berichtes von der Rettung ist der Bericht von Gottes segnendem Handeln am König getreten (V. 4–7), ebenfalls bei den Wünschen für den König in V. 9–13. Eine Fürbitte (Wunsch) für den König ist auch Ps 72; diese Wünsche wollen das Königsein und das Wirken des Königs als ganzes umfassen. Fürbitte für den König ist auch der erste Teil von Ps 132. In Ps 61 ist an eine sonst unveränderte Klage des Einzelnen in V. 7–8 eine Fürbitte für den König angefügt (um langes Leben). Auch Ps 63, ein Vertrauenspsalm, hat in V. 12 einen Zusatz für den König; vgl. auch Ps 28,8; 84,10.

3. Ein berichtender Lobpsalm (Dankpsalm), in dem der König selbst der Redende ist, ist Ps 18 (= 2.Sam 22). V. 1–31 ist ein unveränderter Lobpsalm eines Einzelnen (durch eine Epiphanie erweitert), V. 32–51 Gotteslob (oder Siegeslied) eines Königs: Lob des Gottes, der dem König in den Kämpfen gegen seine Feinde beisteht. Spuren eines ähnlichen Psalms finden sich auch in Ps 144, der aus Fragmenten zusammengesetzt ist.

4. Ps 45 ist das Hochzeitslied für einen König (er könnte auch bei einem Fest der Dynastie gesprochen sein) mit einem Preis der Schönheit des Königs und der Königin.

5. Ps 132 ist ein Psalm zu einem Fest, das für den König und den Zion zugleich begangen wird. Gefeiert wird dabei die Tat Davids, der die Lade auf den Zionberg gebracht hat, und die Nathan-Verheißung.

6. Ps 101 ist das Gelübde eines Königs, wahrscheinlich am Tag der Thronbesteigung, seinen Wandel (V. 1–4) und sein Amt (5–8) betreffend. Aber ein solches Königsgelübde scheint dem Psalm nur zugrunde zu liegen, da er ganz unpolitisch ist und keine Aufgaben des Königs nennt. Man könnte an die

Einkleidung als Königsrede beim Prediger denken. Der Psalm ist beherrscht vom Gegensatz Fromme – Gottlose, er erinnert an die Sprache von Ps 1.

7. Ps 89 ist eine Volksklage aus Anlaß des Zusammenbruchs der davidischen Dynastie 587. Die Volksklage umfaßt V. 39–52; ihr geht in der Funktion des Rückblickes auf Gottes früheres Heilshandeln die Erinnerung an die Nathanverheißung für David und seine Dynastie voraus V. 20–38 (dazu 4–5). Dem vorangestellt ist ein Lobpsalm V. 6–19.

Das Verhältnis der Königspsalmen zu anderen Psalmformen: Nur in Ps 89 ist die *Volksklage* in der Stunde des Zusammenbruches völlig eins mit einem Königspsalm; denn der Zusammenbruch des Staates 587 ist identisch mit dem der Dynastie. Ein bloßer Anklang an die Volksklage läßt sich in Ps 2 erkennen, wo zwar nicht die Not durch einen Sieg der Feinde, wohl aber eine Bedrohung des Volkes angedeutet ist (V. 1–3), die aber durch das Wort Gottes an den König (V. 4–9) abgewendet wird.

Der *Klage des Einzelnen* ist die Fürbitte für den König eingefügt oder angeglichen (Ps 20; 61; 63; 72).

Dem *Lobpsalm des Einzelnen* ist das Siegeslied eines Königs angefügt Ps 18 oder das Fürlob für den König angeglichen Ps 21.

Keine Beziehung zu den Psalmen hat das Hochzeitslied eines Königs Ps 45.

Das *Königsorakel,* ein von einem gottesdienstlichen Sprecher (Kultprophet) an den König gerichtetes Gotteswort, ist der ganze Ps 110, dazu Ps 2,6–9; (20,7). Eine besondere Rolle spielt dabei die Nathanverheißung, die in Ps 132,11–12 und Ps 89,20–38 begegnet.

Der religionsgeschichtliche Hintergrund

Das Königtum wurde in Israel eingeführt, als es in seiner Umwelt schon Jahrhunderte und Jahrtausende bestand. Es ist eine über die ganze Welt verbreitete Herrschaftsform. Daraus ergibt sich von selbst, daß in den Regierungsformen (der Königshof) und in dem dem Königtum zugeordneten Ritual viel Gemeinsamkeit bestand und mit der Übernahme von Formen und Riten auch die Übernahme von Worten, Formeln und Texten verbunden war. Das war im alten Israel nicht anders als bei anderen Völkern auch. Man spricht von einem sehr weitverbreiteten vorderorientalischen Hofstil, von dem her sich manches auch in den Königspsalmen Israels erklärt, z.B. Aussagen über den Herrschaftsbereich des israelitischen Königs, die dessen Möglichkeiten weit übersteigen. Auch sonstige übertreibende Prädikate sind so zu erklären. Eine Fülle von Königsorakeln sind aus der assyrisch-babylonischen Geschichte bekannt; Riten bei der Thronbesteigung (insbesondere Ps 2 und 110) sind wahrscheinlich übernommen. Das typisch Israelitische in den Königspsalmen wird man dort finden, wo die Anlehnung an die sonst im Psalter begegnenden Psalmen am deutlichsten ist.

Die messianische Deutung

Keiner der Königspsalmen ist als Voraussage eines Heilskönigs der Zukunft entstanden, sondern alle bezogen sich ursprünglich auf den jeweils regierenden König. Die messianische Deutung kam erst nach dem Zusammenbruch der davidischen Dynastie auf; sie ist besonders begründet in dem Kontrast zwischen der Nathanverheißung, die dem Davidhaus dauerndes Bestehen verhieß, und der politischen Wirklichkeit des Endes des Königshauses, wie sie im 89. Psalm dargestellt ist.

In die nachexilische Psalmensammlung sind die Königspsalmen in ihrer und wegen ihrer messianischen Deutung aufgenommen worden, das zeigt die Anfügung von Königspsalmen an die Ränder bestehender Sammlungen (C. Westermann, Zur Sammlung des Psalters, ThB 24, 1964, S. 336–343).

Psalm 72 (von Salomo)

1 O Gott, gib dein Gericht dem König
und deine Gerechtigkeit dem Königssohn!

2 Er regiere dein Volk in Gerechtigkeit
und deine Elenden nach dem Recht!

3 Die Berge mögen dem Volk Heil tragen und die Hügel Gerechtigkeit!

4 Er wird Recht schaffen den Elenden des Volkes.
Er wird helfen den Kindern der Armen
aber den Bedrücker zermalmen.

5 Er möge leben, so lange die Sonne scheint
und der Mond, von Geschlecht zu Geschlecht.

6 Er strömt herab wie der Regen auf die Gefilde,
wie Regenströme, die die Erde netzen.

7 In seinen Tagen erblüht das Recht, die Fülle des Friedens,
bis der Mond nicht mehr ist.

8 Er wird herrschen von Meer zu Meer,
vom Strom bis an die Enden der Erde.

9 Vor ihm müssen sich beugen seine Feinde,
und seine Gegner den Staub lecken.

10 Die Könige von Tarsus und den Inseln geben Geschenke,
die Könige von Seba und Saba bringen Gaben dar.

11 Alle Könige fallen vor ihm nieder,
alle Völker müssen ihm dienen.

12 Denn er rettet den Armen, der zu ihm schreit,
und den Elenden, der keine Hilfe hat.

13 Er erbarmt sich der Geringen und Schwachen,
das Leben der Elenden rettet er.

14 Aus Druck und Gewalttat erlöst er ihr Leben,
　　ihr Blut ist kostbar in seinen Augen.

15a [Er möge leben, Gold von Saba gebe man ihm!]
15b Er wird immerdar für ihn beten, allezeit ihn segnen!

16 Es wird [soll] Fülle an Korn sein im Lande,
　　auf den Gipfeln der Berge sei es reich.
　　Wie der Libanon sei seine Frucht,
　　es mögen blühen seine Halme.

17 Sein Name daure in Ewigkeit, solange die Sonne scheint,
　　sprosse sein Name (oder Same?),
　　wie das Kraut des Feldes!
　　Mit seinem Namen sollen sich segnen
　　alle Geschlechter der Erde,
　　alle Völker sollen ihn glücklich preisen!

Zum Text

V. 5: Mit G zu lesen *weja'arīk*
V. 9: Statt *sijjīm* lies *ṣārājw*
V. 16: Statt *jir'aš* lies *ja'asīy*, statt *mē'īr* lies *'amīrājw*

Zum Aufbau

Der Aufbau dieses Psalms ist nicht mehr mit Sicherheit zu erkennen; die Motive gehen durcheinander. Auch von der zugrunde liegenden Psalmgattung sind nur noch geringe Spuren zu erkennen. Nur soviel ist klar: Es ist eine Fürbitte für einen regierenden König, daher in vorexilischer Zeit entstanden; sie hatte ihren Ort beim Fest der Thronbesteigung oder einem anderen Königsfest (wie Ps 132). Der Psalm ist aber wahrscheinlich als messianisch gedeuteter in die Sammlung des Psalters aufgenommen worden, darauf deuten auch spätere Änderungen. Um die Erklärung zu erleichtern, wird der Psalm nicht in der Reihenfolge der Verse, sondern der Motive ausgelegt.

Fürbitte für das gerechte Regiment des Königs V. 1.2.(3).4.(7):

V. 1–4: Der Psalm beginnt mit der Anrede Gottes; er ist eine an Gott gerichtete Fürbitte für den König, bei einem gottesdienstlichen Fest gesprochen. Dabei ist das gerechte Regiment des Königs (V. 1–4.7) an den Anfang gestellt und stark betont; es geht in ihm insbesondere um die Armen und Elenden (V. 2.4.12–14). Nun wird in Königsliedern und Königsritualen des Alten Orients immer wieder das gerechte Regiment des Königs und sein Eintreten für die Schwachen betont (A. Falkenstein–W. v. Soden, Sumerische und akkadische Hymnen und Gebete, 1953); aber die besondere Hervorhebung der Armen und Elenden hier könnte auf nachexilischen Abwandlungen beruhen (vgl. Jes 11,1–11; 32,1 ff.; Jer 23,5 ff.; Sach 9,9), wobei an den König der Heilszeit gedacht wäre. Hierzu könnte gehören, daß V. 3 und 7 ursprünglich von der Segensfülle sprachen (V. 3

Berge und Hügel, V. 7 das Erblühen, die Fülle). Aber auch wenn das der Fall ist, zu den höchsten Aufgaben des Königs gehört in Israel wie im ganzen Vorderen Orient von Anfang an das gerechte Regiment und das Eintreten für die Schwachen. Im Hintergrund der Formulierung V. 1 „Gott, gib deine Gerichte dem König . . .!" steht die sehr alte Vorstellung, daß dem König bei seinem Regierungsantritt die Rechtssatzungen übergeben werden, was in einem kultischen Akt dargestellt wurde (zu den Armen in diesem Zusammenhang vgl. H. J. Kraus, Kommentar, Exkurs zu Ps 9/10).

Fürbitte für die Person des Königs (V. 1.5.15.17): Sie gehört unlösbar mit der für sein Amt zusammen; mit ihr zusammen ist sie auch V. 1 eingeleitet. Überall auf der Welt ist sie in erster Linie eine Bitte um langes Leben für den König, so hier in V. 5 und 15 (vgl. Ps 89,37f.; s. ANET S. 300). „Lang lebe der König!", so klang es bei jeder Königskrönung durch die Jahrtausende. Dahinter steht die uralte Vorstellung des sakralen Königtums, daß das Leben des Königs zugleich das Leben seines Volkes bedeutet. Deshalb ist die lange Erstreckung, „solange Sonne und Mond scheinen", nicht nur überschwängliche Übertreibung: es geht im Weiterleben des Königs um das Weiterleben des Volkes. Wenn hier wie auch sonst zur Bitte um langes Leben nicht die um Gesundheit tritt, ist das in einem anderen Verständnis von ‚Leben' begründet: ‚Leben' im Vollsinn umfaßt auch Gesundheit, Unversehrtheit, Lebensfreude.

V. 15a: „Er möge leben, Gold von Saba gebe man ihm": Zum König und zum Königshof gehört Reichtum, gehört Pracht. Auch das ist beim Königtum auf der ganzen Welt so. Ursprünglich hat Reichtum und Pracht des Königs und Königshofes nur den Sinn, den dem Land verliehenen Segen zu repräsentieren: wo Segen ist, da ist Überfluß. Wie Reichtum des Königs und Pracht des Königshofes zur Gefährdung werden können, zeigt schon die Regierung Salomos; der in der Zukunft erwartete Heilskönig ist darum arm (Sach 9,9).

V. 17: Wichtiger und mit dem Königtum unlösbar verbunden ist, daß der König der von Gott Gesegnete ist, wobei Segen hier unseren Begriff ‚Glück' mit umfaßt: ein König muß glückhaft sein. Das Gesegnetsein des Königs soll eine ausstrahlende Wirkung haben. „Mit seinem Namen sollen sich segnen alle Geschlechter der Erde", d.h. unter Nennung seines Namens sich Segen wünschen; so ist es von Abraham Gen 12,3 gesagt (s. BK I/2 S. 176).

V. 3.6.16: Der dem König verliehene Segen wirkt sich in der Fruchtbarkeit des Landes, der Saaten und der Früchte aus: „Er (der Segen) strömt herab wie der Regen auf die Gefilde, wie Regenströme, die die Erde netzen" V. 6. Das ist die alte Vorstellung des sakralen Königtums, daß der König als Träger des Segens seinem Land Fruchtbarkeit und Gedeihen verleiht: „Es soll Fülle von Korn im Land sein, auf den Gefilden der Berge sei es reich" V. 16. Und in eigentümlicher Weise gehen das Walten des Segens und des gerechten Regimentes ineinander über in V. 3: „Die Berge mögen dem Volk Heil tragen und die Hügel Gerechtigkeit!"

V. 7.12–14: In dem Mittelteil V. 7.12–14 (in den V. 8–11 nachträglich eingefügt ist) mag man fragen, ob er einen regierenden König meint oder auf den
kommenden König der Heilszeit ausschaut. Daß dieser gemeint sei, könnte die
Formulierung in V. 7 andeuten: „In seinen Tagen erblüht das Recht, die Fülle
des Friedens, bis der Mond nicht mehr da ist"; es kann damit aber ein älterer
Text, der den regierenden König meint, nur geringfügig abgewandelt sein.
Ebenso ist auch V. 12–14 am besten zu verstehen, in dem der ganze Nachdruck
auf dem Eintreten des Heilskönigs für die Geringen und Elenden liegt, was an
die nachexilische Sprache erinnert. Auf jeden Fall zeigt der Text, wie unmittelbar die späte Erweiterung eines Friedenskönigs an die alten Königsgebete
anschließen konnte.

V. 8–11: Den Eindruck einer späteren Erweiterung macht V. 8–11, der einzige
Teil des Psalms, der von außenpolitischen Siegen und Herrschaft über andere
Völker und Könige spricht (vgl. Ps 2). Durch diesen Teil wird der Eindruck noch
verstärkt, daß in den alten Königsgebeten Israels der Ton auf dem König als
Segensvermittler, als Bewahrer des Friedens durch Recht und Gerechtigkeit und
als Schützer der Schwachen und Rechtlosen lag.

Zugleich aber spiegelt der Psalm die Erwartungen im Volk Israel nach dem
Exil, in dem der eine Teil des Volkes einen Friedenskönig ohne Glanz und ohne
politische Macht erwartete, ein anderer Teil aber einen König, der Israel die alte
politische Vormachtstellung und den Sieg über die Nachbarvölker bringen
sollte. Dieser Zwiespalt zeigt sich bis ins Neue Testament.

Die Klagepsalmen des Einzelnen

Der Klagepsalm des Einzelnen ist die im Psalter am häufigsten begegnende
Psalmgattung. Mehr als 50 der 150 Psalmen gehören ihr an, Ps 3–17 (außer 8;
9; 15); 22–28 (außer 24); 35–43 (außer 37); 40A; 51–64 (außer 60), dazu viele
einzelne Stellen. Außerhalb des Psalters Klgl 3; Jer 11; 15; 17; 18; 20, viele Teile
des Hiobbuches. Einzelne Motive an vielen anderen Stellen. Das bedeutet aber
nicht, daß der Klagepsalm des Einzelnen die wichtigste Gattung der Psalmen
wäre. Die hohe Zahl ist aus der Entstehungszeit der Sammlung des Psalters zu
erklären, in der die Identität von Volk und gottesdienstlicher Gemeinde zerbrochen war und die Scheidung in Fromme und Gottlose eine bestimmende Rolle
erhielt, wie sie sich immer wieder in diesen Psalmen spiegelt. Diese besondere
Lage muß man sich bei der hohen Zahl der Klagen des Einzelnen im Psalter
immer vor Augen halten, ebenso aber auch beim Inhalt dieser Psalmen. Denn
neben solchen Psalmen, die zu den schönsten und tiefsten im Psalter gehören
und die wir mitbeten können, als seien sie für uns gedichtet, enthalten sie

andere, bei denen wir fragen, ob wir sie überhaupt als Christen mitsprechen und beten können wegen der in ihnen begegnenden Bitten gegen die Feinde des Beters. Manchmal bestimmen sie einen Psalm so, daß man sie „Rachepsalmen" (nicht ganz mit Recht) genannt hat. Zu den Feinden in den Klagepsalmen s. den Exkurs u. S. 208 f.

Ein anderer Gesichtspunkt aber ist noch wichtiger: die Klagepsalmen des Einzelnen im Psalter sind das deutlichste Zeugnis dafür, daß das Alte Testament nicht nur das Gebet des Gottesvolkes auf dem Weg seiner Geschichte, sondern auch das persönliche Gebet des Einzelnen aus seinem alltäglichen Erleben heraus kennt und ihm ein hohes Gewicht gibt.

Es hat in der Psalmenforschung lange Zeit die Meinung vorgeherrscht, der Gottesdienst Israels bestehe im wesentlichen aus den großen am Tempel gefeierten Festen, Kult also sei weithin identisch mit Festkult. Aber das ist schon deswegen nicht möglich, weil dann der Tempeldienst mit den vielen Priestern, Leviten, Tempelsängern und anderen Tempeldienern nur für wenige Wochen im Jahr gebraucht worden wären, was schon aus wirtschaftlichen Gründen ausgeschlossen ist. Vielmehr war der Tempel so sehr Mitte des Volkslebens, daß dort immer etwas geschah, das ganze Jahr hindurch, dem Eindruck entsprechend, den wir im Neuen Testament in der Erzählung vom zwölfjährigen Jesus im Tempel und dem Gleichnis vom Pharisäer und Zöllner erhalten. Zu dem, was im Tempel geschah, gehört auch, daß er fortwährend von Familien und Einzelnen aufgesucht wurde, so wie es in 1.Sam 1 von der Familie der Hanna, in Jes 38 von König Hiskia erzählt wird. Weil auch die Familien und die Einzelnen in ihrem privaten Bereich von dem im Tempel erteilten, vom Tempel ausstrahlenden Segen leben und auf ihn angewiesen sind, hat auch das Gebet des Einzelnen im Psalter einen bedeutsamen Ort. Dabei muß eine große Vielfalt dieses Gebetes Einzelner vorausgesetzt werden, die im Psalter nur noch in Spuren erhalten ist: das Gebet eines Kranken, eines zu Unrecht Angeklagten, eines Asylsuchenden, einer kinderlosen Frau (1.Sam 1) und vieler anderer. Ein solches Gebet aber konnte genauso im Haus (z.B. auf dem Krankenlager, in der Verbannung usw.) wie im Tempel gesprochen werden. Dabei konnte bisweilen unter bestimmten Umständen, die wir nicht kennen, der zu Gott Flehende von einem Priester die Zusage erhalten, daß sein Gebet erhört wurde (bei Hanna), er konnte ein ‚Heilsorakel' erteilen. Wir dürfen darin aber nicht eine feste Institution sehen, so daß eine solche Erhörungszusage immer gewissermaßen automatisch erteilt wurde; das blieb ganz offen, nur die Möglichkeit dazu bestand, und diese spiegelt sich in vielen Psalmen, auch bei Hiskias Krankheit Jes 38, wo diese Erhörungszusage durch den Propheten Jesaja deutlich als etwas Besonderes geschildert ist. Allen Klagepsalmen gemeinsam aber ist die Bewegung, von der sie erfüllt sind: von der Klage zur Wendung des Leides. (Zum ganzen R. Albertz, Persönliche Frömmigkeit und offizielle Religion, CThM 9, 1978).

Eine Vorbemerkung zur Klage

Die Klage ist im Verlauf der Geschichte der Christenheit aus dem christlichen Gebet weitgehend oder vollständig ausgeschieden. Klage wird als eine negative, dem Gebet zu Gott nicht gemäße Redeweise angesehen. In der Gebetspraxis und Liturgie werden aus den Klagepsalmen einzig die Bußpsalmen (6; 32; 51; 38; 102; 130; 143) als für das christliche Gebet bedeutsam herausgehoben, die Klagepsalmen also, die ausdrücklich und betont von Sünde und Sündenvergebung sprechen.

Das hat außer der theologischen auch eine allgemeinere Begründung. Im Mittelalter und weit bis in die Neuzeit hinein wurde von der Allgemeinheit weitgehend Leid als Folge von Sünde und Strafe für Sünde angesehen. Durch die Weltkriege und die weltumspannende Kommunikation ist das unschuldige, nicht unmittelbar verschuldete Leiden derart in den Vordergrund des Bewußtseins getreten, daß es heute zu den die ganze Menschheit bewegenden Motiven gehört. Damit aber erhält die Klage als die Sprache des Leides eine neue Bedeutung für uns. Das Leid kommt auf vielerlei Weise zur Sprache im öffentlichen Leben, in den Medien, in vielen Institutionen, in Demonstrationen, daß die Klagepsalmen der Bibel ganz von selbst wieder Verständnis und Aufmerksamkeit finden.

Aber die Klagepsalmen machen uns das nicht leicht. Die Sprache ist uns in vielem fremd, sie ist durch jahrhundertelangen Gebrauch abgeschliffen. Manches darin können wir nicht mehr verstehen, manches nur schwer. Erstaunlich ist, daß dennoch vieles in ihnen uns unmittelbar anspricht. Eine Vorbedingung für das Verstehen dieser Psalmen ist, daß man sie zunächst als ganze hören und vom Ganzen her das Einzelne zu erfassen suchen muß.

Psalm 13: Wie lange!

1   Für den Chormeister. Ein Psalm Davids
2   Wie lange, o Herr, vergißt du mich dauernd?
     Wie lange verbirgst du dein Antlitz vor mir?
3   Wie lange soll ich Schmerzen in meiner Seele tragen,
     Kummer in meinem Herzen Tag und Nacht?
     Wie lange soll sich mein Feind gegen mich erheben . . .?

4   Schau her! Antworte mir, Herr mein Gott!
     Laß meine Augen hell werden,
     daß ich nicht in den Tod entschlafe,
5   daß nicht mein Feind sage: Ich habe ihn übermocht,
     meine Widersacher jubeln, daß ich gleite!

6   Ich aber: auf deine Güte traue ich;
     es juble mein Herz über deine Hilfe!

     Ich will dem Herrn singen,
     denn er hat an mir gehandelt.

Zum Text

V. 3: *'ēsōt* = Schmerzen nach JesSir 30,21? Lies wahrscheinlich *'asābōt* = Schmerzen. Am Ende des Verses wegen des Rhythmus lies „Tag und Nacht" oder *jōm jōm* „Tag für Tag".

V. 4: „des Todes entschlafen" oder „in den Tod entschlafen" nach Ges-K § 117s. Todes Schlaf auch Jer 51,39; Hi 3,13; 14,12.

V. 5: Besser *jākōlti lō*.

Zum Aufbau

V. 2–3:   Klage
      2: du   3a: ich   3b: die Feinde
   4:   Bitte
      4a: Zuwendung Gottes   4b: Eingreifen Gottes
4c.5:   Motive bei der Bitte
      4c: ich   5: die Feinde
  6a: Zuversicht
  6b: Lobversprechen

Liest man den Psalm mehrmals vom ersten bis zum letzten Satz, wird deutlich: in diesem Psalm vollzieht sich eine Wandlung. Am Schluß ist etwas anders geworden; der Beter steht bei den letzten Worten nicht mehr da, wo er bei den ersten Worten stand. Der Psalm beginnt als Klage; aber die letzten Worte sind aus der Klage herausgetreten, der Psalm schließt mit zuversichtlichen, der Zukunft gewissen Worten. Dies ist bezeichnend für alle Klagepsalmen, auch wenn das nicht immer deutlich ist wie hier. Der sein Leid vor Gott Klagende bleibt nicht bei seiner Klage. Damit es aber dazu komme, muß das Leid erst zu Wort kommen, sich aussprechen können, und eben dieses geschieht in der Klage, in der der Leidende vor Gott „sein Herz ausschüttet". Das aber geschieht in einer Kürze und Konzentration, die kaum zu übertreffen ist; die Sprache dieses Psalms ist von äußerster Dichte, besonders im Teil der Klage V. 2–3. Er läßt eine Dreigliederung erkennen, wie sie in den Klagen der Psalmen durchgehend charakteristisch ist.

Exkurs: Die Dreigliederung der Klage. Sie tritt in Ps 13 besonders deutlich heraus. Was in den Psalmen geschieht, ist immer ein Geschehen zwischen drei Instanzen: außer Gott und dem Betenden gehören „die anderen" dazu. Das Beten der Psalmen hat immer auch einen Gemeinschafts- oder gesellschaftlichen Aspekt. Hier ist der Mensch nicht allein mit Gott („das Gespräch der Seele mit Gott"), die anderen, die Mitmenschen sind dabei. Im schroffen Gegensatz zu einer individualistisch-innerlichen Frömmigkeit ist hier die soziale Relation, das Mitsein mit den anderen nicht aus dem Sein gegenüber Gott herausgelöst, es gehört dazu. Die Dreigliederung der Klage spiegelt ein Menschenverständnis, in dem das, wovon Theologie, Soziologie und Psychologie handeln, noch nicht zu eigenen Bereichen geworden, sondern noch Aspekte der gleichen Wirklichkeit sind. Der Mensch kann nur Mensch mit diesen drei Aspekten sein. In der Klage kommt die Bedrohung des Menschen durch den Tod zur Sprache. Bedroht ist hier nicht nur die „nackte Existenz", das isolierte Ich, bedroht ist zugleich der Mensch als Glied einer Gemeinschaft, das, was er anderen bedeutet und was andere ihm bedeuten. Bedroht ist zugleich der Sinn seines Daseins überhaupt, den es nur als ganzes in seinem ganzen Ablauf und daher von außen erhalten kann, was die Frage ‚Warum?' des Leidenden zum Ausdruck bringt. Deswegen ist die Gott-Klage (Anklage Gottes) ein Aspekt der Klage, der Sprache der vom Tod bedrohten Existenz. Fehlte dieser Aspekt, wäre es nicht wirklich die Klage eines Menschen, im Gegensatz zu Hölderlin: Hyperions Schicksalslied.

Diese Dreigliederung der Klage ist auf dem Weg von der Klage eines beliebigen einzelnen Menschen aus einem Leid, das ihn betroffen hat, entstanden. Auf diesem Weg traf es mit den Klagen vieler, sehr verschiedener anderer zusammen, bis zu der sie alle zusammenfassenden Sprachform, die sich daraus im Gottesdienst bildete. Bei diesem Werdeprozeß wurde ein allen gemeinsamer Ausdruck gefunden, in dem sich doch jeder einzelne mit seinem Leid wiederfinden konnte. Darin ist es begründet, daß hier Erscheinungsformen des Leidens gar nicht oder fast nicht genannt werden; der ihnen gemeinsame Nenner sind die drei Aspekte, die zu jedem menschlichen Leid gehören.

V. 2: Die vierfache Frage „Wie lange?" (zweimal bei der Gottesklage, um diese zu betonen) verbindet in Ps 13 die drei Aspekte der Klage miteinander. Sie ist der spezifische Ausdruck der Klage in der Erfahrung des nicht enden wollenden Anhaltens des Leidens. Die Zeit selbst wird hier zur zerstörenden Kraft, sie zermürbt die Fähigkeit des Durchaltens und steigert so das Leid ins Unmenschliche. Diese so menschliche und natürliche Frage „Wie lange?" ist weder spezifisch biblisch noch spezifisch israelitisch. Sie begegnet häufig auch in babylonischen Klagegebeten, aber auch in Gebeten primitiver Religionen und reicht bis in das christliche Kirchenlied: „Ach wie lange, wie lange ist dem Herzen bange ..."

Aus solchem Anhalten des Leidens ist der 13. Psalm gesprochen. Aber indem die Frage „Wie lange?" Gott zugerufen wird, ändert sich schon etwas. Die Frage verhallt nicht im Unendlichen; es ist einer da, der sie hört.

In der an Gott gerichteten Klage kommt die Beziehung Gottes zum Leid des Leidenden in zwei Verben zum Ausdruck, die sehr menschlich von Gott reden. Die Verben „vergessen" und „verlassen" passen nicht zu Gott, in einer Rühmung Gottes könnte nur das Gegenteil gesagt werden, in der prophetischen Anklage wird beides anklagend von Menschen gesagt, die Gott vergessen oder verlassen haben. Aber die Frage „Wie lange vergißt du mich?", „Wie lange verbirgst du dich vor mir?" können nicht in Aussagen über Gott verwandelt werden. Hier ist weder etwas über die Vergeßlichkeit Gottes noch seine Verborgenheit gesagt. Vielmehr geben die Sätze die harte Realität der Erfahrung leidender Menschen wieder, die in ihrem Leid das Vergessensein von Gott, sein Sich-Verbergen vor ihnen erfahren. Das Verbergen des Gesichtes Gottes ist nicht auf sein Sein, sondern sein Handeln bezogen. An diesen Fragen zeigt sich, daß es für Menschen, die so reden, einen Gott als vorhandenes Wesen, als ein ruhendes Sein, Gott als ‚Gottesbegriff‘ nicht gab. Sie konnten von ihm nicht anders reden als von einem wirkenden Gott, dessen Wirken sie in ihrem Dasein begegneten.

V. 3a: Die Ich-Klage. Die Frage „Wie lange?“ richtet sich noch an Gott; aber es ist dennoch eine Ich-Klage, in der der Klagende Subjekt ist. Die Phänomene des Leidens sind auch hier nicht genannt, auch nicht, ob ein ‚äußeres‘ oder ‚inneres‘ Leiden gemeint ist. Denn die nähere Bestimmung „in meiner Seele . . . – meinem Herzen“ meint, daß der ganze Mensch von den Schmerzen und dem Kummer erfaßt ist (vgl. die Artikel in THAT). Die Worte sind jedem Leidenden vertraut, jeder versteht sie.

V. 3b: Die Feind-Klage: „Wie lange soll sich mein Feind gegen mich erheben?“; hier ist vielleicht ein Halbvers ausgefallen. In der Dreigliederung der Klage begegnen „die anderen“ als Feinde oder zu Feinden gewordene Vertraute. Das ist zunächst in der allen Menschen gemeinsamen Tatsache begründet, daß Leiden isoliert. Sie beruht auf frühesten Erfahrungen in der Menschheitsgeschichte; aber trotz aller Veränderungen ist ein Rest oder ein Schatten dieser Urerfahrung bis in die Gegenwart geblieben: der Kranke fühlt sich isoliert, der Angeklagte, der Einsame, aber auch der schuldig Gewordene fühlt sich isoliert. Diese Erfahrung steht dahinter, wenn in der Klage die anderen die Feinde sind.

Hier in Ps 13 ist das Sich-Erheben des Feindes gegen den Betenden darin begründet, daß dessen Leid als verschuldet angesehen wurde, es ist Strafe. Aber der Leidende kann das nicht anerkennen; er kann es – wie Hiob – nicht als verdientes Schicksal hinnehmen, nur Gott kann den Makel von ihm nehmen. Eine Bitte gegen die Feinde enthält dieser Psalm nicht (s. S. 208 f).

V. 4–5: Die Bitte. (Wenn ich hier und im folgenden „Bitte“ sage, schließe ich mich dem allgemeinen Sprachgebrauch an; eigentlich ist das „Flehen“ gemeint, das Flehen aus einer Not, das intransitiv ist im Unterschied zur transitiven Bitte um etwas.)

Das Flehen aus einer Not ist in den Psalmen im Unterschied zu der transitiven Bitte immer ein zweigliedriger Vorgang, in zwei Verben dargestellt, dessen erstes die Zuwendung Gottes zu dem Flehenden, dessen zweites das helfende, rettende Eingreifen Gottes bezeichnet (das gilt auch für Stellen, an denen das nicht so direkt zu erkennen ist). Die Not des Leidenden kann nur gewendet werden, wenn sich Gott ihm wieder gnädig zuwendet; das ergibt sich aus V. 2. Alles kommt hierauf an: „Schaue (gemeint: zu mir in meiner Tiefe), antworte mir!“, damit die Klage nicht im Leeren verhallt. Wenn Gott wieder hersieht und wieder herhört, dann kann alles gut werden. Das ist hier ausgedrückt: „Laß meine Augen hell werden!“, d.h. laß mich wieder froh werden! Damit ist eigentlich nicht das helfende Eingreifen Gottes bezeichnet, sondern dessen Folge. Das findet man oft in den Psalmen; ein Zeichen dafür, wie hier das eine aus dem anderen folgt: wenn Gott eingreift, kehrt die Freude wieder (genauso Ps 30,12). In V. 4b und 5 sind der Bitte Motive zugefügt, Beweggründe, die Gott bewegen sollen, einzugreifen für den Leidenden. Während die Bitte selbst ganz der Anklage Gottes entspricht, entsprechen die beiden Motive 4b und 5 der Ich-Klage und der Feind-Klage. „Daß ich nicht in den Tod hinein entschlafe", sein Kummer und die Schmerzen sind Schritte auf den Tod zu; in dem nicht enden wollenden Leiden schreitet die Macht des Todes voran. Sein Tod aber würde auch den Triumph der Feinde bedeuten, und das müßte Gott verhindern.

Diese hier und an vielen anderen Stellen begegnenden Motive, die das Bitten verstärken sollen, erscheinen uns naiv oder primitiv oder gar als Mangel an Ehrfurcht. Gemeint sind sie anders; sie sind ein Ausdruck der Bewegung, die den ganzen Psalm bestimmt: aus der Klage heraus sich zum Blick nach vorn, zum Vertrauen durchzuringen. So muß man sie auch hören, das zeigt die Fortsetzung.

V. 6a: Denn nun folgt das „aber" (das hebräische *wāw*-Adversativum, s. dazu Lob und Klage . . ., 1977, S. 52), das irgendwo und irgendwie jeden Klagepsalm bestimmt, „Ich aber, auf deine Güte traue ich . . .,". Es ist dieser durch das „aber" gekennzeichnete Schritt, der dem Satz seinen Sinn gibt. Mit „Gottvertrauen" ist hier nicht das gemeint, was wir gewöhnlich darunter verstehen, eine Haltung, Einstellung, etwas, was man hat oder nicht hat. In Ps 13 ist es dies gerade nicht, sondern es bezeichnet den Schritt in das Vertrauen hinein, den ein zu Gott Rufender angesichts seines Leides und trotz der andauernden Mächtigkeit seines Leides tut. Nur mit dem „aber" zusammen kann es richtig gehört werden; nur in dieser Bewegtheit, als dieses Sich-Klammern an Gottes Güte trotz der Wirklichkeit ist es echt.

V. 6b: Allein in diesem Sich-Klammern an Gott gibt es für den zu Gott Rufenden Zukunft. Und damit ist er wirklich aus der Klage herausgetreten, er sieht voraus auf die Möglichkeit, daß sich seine Klage in Lob wendet: „es juble mein Herz über deine Hilfe!" Aber das ist mehr als ein Voraussehen. Der Betende verspricht, daß die Hilfe, die er jetzt erfleht, seine Zukunft bestimmen wird: sie soll nachhallen in dem Lob, das er Gott darbringen wird (gleichlautend mit Ps 30,2). Die erfahrene Rettung wird in der Geschichte des aus seinem Leid Befreiten bewahrt werden.

Psalm 6: O Herr, errette mein Leben!

1 Dem Chormeister. Mit Saitenspiel, achtsaitig.
   Ein Psalm Davids
2 Herr! Strafe mich nicht in deinem Zorn,
   und züchtige mich nicht in deinem Grimm!
3 Erbarme dich, Herr, denn ich verschmachte!
   Halte mich, Herr, denn meine Gebeine sind erschrocken,
4 tief erschrocken ist mein Herz;
   Du aber, o Herr, wie lange?
5 Kehre wieder, o Herr, errette mein Leben!
   Hilf mir um deiner Güte willen!

6   Denn im Tode gedenkt man deiner nicht,
     im Totenreich, wer lobt dich dort?

7   Ich bin müde geworden von meinem Seufzen.
     Die ganze Nacht tränke ich mein Lager,
     befeuchte ich mein Bett mit meinen Tränen.

8   Meine Augen werden trübe vor Gram,
     sie werden wund von allem, was mich bedrängt.

9   Weicht von mir, all ihr Übeltäter,
     denn der Herr hat die Stimme meines Weinens gehört!

10   Gehört hat der Herr meine Flehen, mein Gebet nimmt er an.

11   Alle meine Feinde werden zuschanden und erschrecken sehr,
     sie kehren um, werden zuschanden in einem Nu.

Zum Text

V. 8:   Der zweite Halbvers könnte auch gelesen werden: „Ich werde alt
(ʿātakti) vor allen meinen Bedrängern.“

Zum Aufbau

Vorbemerkung: Gegenüber der auf den ersten Blick erkennbaren Gliederung von Ps 13 macht die Folge der Verse in Ps 6 einen ungeordneten, unorganischen Eindruck. Gerade das aber ist für die Klagepsalmen charakteristisch. Sie gehen nicht nach einem Schema, vielmehr ist die Folge und Anordnung der Motive ganz frei und äußerst variabel. Das Gemeinsame liegt allein darin, daß die leitenden Motive die gleichen sind und daß sie – wenn auch auf verschiedene Weise – eine Bewegung darstellen, die aus der Klage herausführt.

    Der Hauptteil von Ps 6 besteht aus der Bitte (dem Flehen zu Gott) V. 2–6. Der Bitte folgt in V. 7–8 die Klage, die Verse 9–11 deuten eine Wendung an, sie sind von der Gewißheit der Erhörung bestimmt.

V. 2–6: Die Bitte, in V. 2 negativ, in 3–5 positiv formuliert, gefolgt von einem Motiv der Bitte in V. 6 und mehrfach verbunden mit anderen Motiven.

V. 2: Am Anfang fleht der Beter, Gott möge seinen Zorn von ihm abwenden, V. 2; es könnte sein, daß er Gottes Zorn durch eine Verfehlung erregt hat, den Zorn Gottes, den er in seinem Leiden erfährt. Aber dieses Motiv klingt nur an (obwohl Ps 6 zu den Bußpsalmen gerechnet wird); eine Bitte um Vergebung enthält er nicht.

V. 3–5: Die positiv formulierte Bitte reicht von V. 3 bis V. 5, ist aber von anderen Motiven begleitet. Sie ist in die Bitte um Zuwendung (V. 3) und um helfendes Eingreifen (3.5) gegliedert, wobei die Bitte um Zuwendung (Erbarme dich, Herr . . . V. 3, . . . um deiner Güte willen . . . V. 5) die Bitte zum Eingreifen rahmt. Die Bitte ist begründet mit dem Hinweis auf das Leiden des Beters in den beiden Begründungssätzen in 3a.3b.4a. Der Sinn der Bitte zeigt sich in den

Verben, in denen sie sich vollzieht. Bestimmend ist dabei die Bitte um Gottes Erbarmen (sie rahmt die anderen) in dem Verb ḥānan am Anfang, das Ende der Bitte in dem Nomen ḥesed wieder aufgenommen wird. Beide Worte (vgl. die Lexikonartikel) werden auch zwischen Menschen gebraucht, so bangt Jakob Gen 32 darum, daß er „Gnade" in den Augen Esaus finde, Ps 103 der Vater erbarmt sich über sein Kind. Es sind menschliche Erfahrungen, die in der erbarmenden Zuwendung Gottes gemeint sind, und alles Gebet lebt davon, daß Gott so ist. Das zweite Verb ist „heile mich", das, auf Gott angewandt, nicht ein „Bildwort" ist, sondern es gehört zum Gottsein Gottes, daß er ein Heilender (Heiland) ist. Die Heilung, die hier von Gott erfleht wird, bezieht sich auf den ganzen Menschen, das bringen die beiden im Parallelismus stehenden Nomina „Gebein" und „Seele" deutlich zum Ausdruck. Aus der Bitte „Heile mich, Herr!" geht nicht notwendig hervor, daß der Beter ein Kranker ist; darauf könnte auch V. 7–8 weisen, aber sicher ist das nicht. Auf jeden Fall wurde der 6. Psalm von vielen verschiedenen Leidenden gebetet.

Die Bitte „Kehre wieder!" V. 5 setzt voraus, daß Gott sich von dem Leidenden abgewandt hat; in V. 5 wie in V. 3 folgt auf die Bitte um Zuwendung die Bitte um ein helfendes Eingreifen, hier in V. 5: „. . . errette mein Leben!" und „hilf mir!", also in den Psalmen besonders häufige Verben des Flehens zu Gott. Die Bitte wird in V. 3a.3b.4a mit dem hilfsbedürftigen Zustand des Beters begründet: er verschmachtet, sein Körper und seine Seele sind „tief erschrocken", ein Ausdruck für Todesangst. Diese Begründung der Bitte ist inhaltlich Ich-Klage. Diese Todesangst wird in V. 4b abrupt und logisch kaum verständlich entgegengehalten: „Du aber, Jahwe, wie lange?" Der Satz gehört zu den in den Klagepsalmen begegnenden abgeschliffenen Sätzen, die man nur aus ihrer Vorgeschichte verstehen kann (solche abgeschliffenen Sätze begegnen häufig auch in den babylonischen Psalmen). Der Satz kann leicht nach Ps 13,2 ergänzt werden: „Wie lange, o Gott, läßt du mich in meinen Leiden allein?" oder ähnlich. Vielleicht ist auch eine ausführlichere Anklage Gottes mit beiden Fragen: Warum? und Wie lange? zu ergänzen. Aus der Geschichte der Klage wissen wir, daß man in späterer Zeit die Anklage Gottes vermied oder zurückdrängte, deshalb ist nur ein Rest von ihr hier erhalten. Aber auch dieser Rest zeigt noch, daß die Gott-Klage zur Klage gehörte.

V. 6: V. 6 ist ein der Bitte zugeordnetes Motiv, das Gott zum Helfen bewegen soll (vgl. dazu Lob und Klage . . . [5]1977, S. 120–123, dort alle Stellen). Mit dem Satz, daß die Toten Gott nicht loben, ist einerseits ausgesprochen, daß für die Beter der Psalmen die Gottesbeziehung mit dem Tod zu Ende war. Es zeigt, wie tief die Wandlung ist, die mit dem Tod Jesu eintrat, der mit seinem Tod Gott „verherrlichte". Andererseits aber sagt dieser Satz zugleich, daß für das Alte Testament das Gotteslob etwas zum Leben Gehörendes ist, echtes Leben kann es ohne das Gotteslob nicht geben. Denn Gotteslob ist zu Gott hin gewandte Daseinsfreude.

V. 7–8: Jetzt erst folgt die Klage, sie begründet (wie V. 3a.3b.4a) die vorangehende Bitte. Es ist Ich-Klage außer dem letzten Satz. Als solche zeigt sie ein-

drucksvoll, wie auch in den Aspekten der Klage, die doch das Leid vieler in
vielerlei Gestalt zusammenfassen wollen, das persönliche Leid eines Menschen
damals über den weiten Abstand unmittelbar zu uns sprechen kann. Wer kennt
nicht diese vom Leid zerstörten schlaflosen Nächte!

Nur im letzten Satz von V. 8 (den man auch übersetzen kann „vor allen
meinen Bedrängern") ist von den Feinden des Beters die Rede und dann noch
einmal in V. 11. Wieder erfahren wir nicht, welche Beziehung zwischen dem
Leid des Klagenden und seinen Feinden besteht. Für die den Psalm Mitbetenden
genügt es, daß das Leiden isoliert und Vertraute zu Feinden machen kann.

V. 9–11: Ganz unmotiviert und aus dem Zusammenhang des Psalms heraus
unverständlich deuten die Verse 9–11 eine Wende an, verursacht durch die
Gewißheit, daß Gott gehört, daß er die Bitte angenommen hat. Erklären können
wir uns diese Wende nicht. Wie ist die plötzliche, im Vorangehenden nicht
begründete Gewißheit der Erhörung in diesen letzten Versen zu verstehen? Die
gewöhnliche Erklärung durch ein inzwischen ergangenes Heilsorakel (wahrscheinlich durch einen Priester) ist zwar als möglich durch die Erzählung von
Hanna 1 Sam 1–2 gestützt; sie hat aber hier keinen Anhalt im Text. Auch ist ein
solches priesterliches Heilsorakel kaum als eine Institution denkbar, die zu jeder
Klagebegehung gehörte, es muß auf besondere Fälle beschränkt gewesen sein.
Aber auch wenn wir die plötzliche Wende hier in Ps 6,9–11 nicht erklären
können, wird sie begrenzt verständlich durch die Eigenart aller Klagepsalmen,
in irgendeiner Weise über die Klage hinauszukommen in Richtung auf die
Erhörung.

Auffällig ist in V. 9–11 außerdem, daß die Erhörungsgewißheit 9b–10 nur
auf die Feindklage bezogen ist V. 9a.11. Auch das können wir nicht mehr
erklären; nur so viel sagen uns diese Sätze am Schluß, daß die Bedrängnis des
Beters durch feindliche Mächte (?) übermächtig gewesen sein muß. Hier bedeutet die Erhörung seiner Klage Befreiung von diesen Mächten.

Psalm 22: Mein Gott, warum hast du mich verlassen?

Für den Chormeister. Nach der Weise der Hinde der Morgenröte
1   Ein Psalm Davids
2   Mein Gott, mein Gott, warum hast du mich verlassen?
     Fern von meinem Flehen, den Worten meines Schreiens!
3   Mein Gott! Ich rufe am Tag und du antwortest nicht,
     in der Nacht und ich bekomme keine Ruhe!
4   Du aber bist heilig,
     der du thronst auf dem Lobe Israels!

5   Auf dich haben unsere Väter vertraut,
     sie haben vertraut und du hast sie errettet,
6   zu dir schrien sie und sie wurden befreit,
     auf dich trauten sie und wurden nicht zuschanden.

7 Ich aber – ein Wurm und kein Mensch!
  Ein Hohn der Leute, verachtet von der Sippe.
8 Alle, die mich sehen, verspotten mich,
  sperren den Mund auf, schütteln den Kopf:
9 Er wälze es auf den Herrn, der rette ihn, der reiße ihn heraus,
  wenn er ihm wohl will!

10 Ja, du bist's, der mich aus dem Mutterschoß zog,
   der mich sicher hielt an meiner Mutter Brust.
11 Auf dich bin ich geworfen von der Geburt an,
   vom Leib meiner Mutter an bist du mein Gott!
12 Sei nicht fern von mir, denn Not ist nahe,
   denn kein Helfer ist da!

13 Es umringen mich mächtige Stiere,
   die Starken Basans umgeben mich,
14 Ihren Rachen haben gegen mich aufgesperrt
   brüllende und reißende Löwen.
15 Wie Wasser bin ich hingegossen,
   gelöst haben sich all meine Gebeine,
   mein Herz ward mir wie Wachs,
   geschmolzen in meinem Innern.
16 Trocken wie eine Scherbe ist mein Gaumen,
   daß meine Zunge an meinen Kiefern klebt.
   In den Staub des Todes läßt du mich sinken.
17 Denn es umringen mich viele Hunde,
   die Rotte der Übertäter umkreist mich,
   wie ein Löwe (?) meine Hände und meine Füße.
18 Sie schauen, sehen auf mich, zählen auf all meine Gebeine.
19 Sie teilen meine Kleider unter sich
   und über mein Gewand werfen sie das Los.

20 Du aber, o Herr, sei nicht ferne!
   meine Kraft (?), eile mir zu Hilfe!
21 Rette vom Schwert mein Leben
   mein einziges vor dem Zupacken der Hunde!
22 Hilf mir vor dem Rachen des Löwen,
   vor den Hörnern der Büffel mein elendes (?).

23 Ich will deinen Namen meinen Brüdern erzählen,
   inmitten der Gemeinde dich preisen!
24 Die ihr den Herrn fürchtet, preiset ihn,
   alle Nachkommen Jakobs, ehret ihn
   und zittert vor ihm, alle Nachkommen Israels!
25 Denn er hat nicht verworfen
   und hat nicht verachtet das Elend des Elenden.

Hat sein Angesicht nicht vor ihm verborgen
und auf sein Seufzen zu ihm gehört.

26 Deine Treue ist mein Lob in großer Versammlung,
mein Gelübde will ich auslösen vor seinen Frommen.

27 Die Armen sollen essen und satt werden
den Herrn sollen preisen, die ihn suchen,
euer Herz lebe auf für immer!

28 Es sollen gedenken und zum Herrn umkehren alle Enden der Erde.
Huldigen sollen vor ihm alle Sippen der Völker.

29 Denn des Herrn ist das Königtum, er herrscht unter den Völkern.

30 Nur ihm sollen huldigen alle, die in der Erde schlafen,
vor ihm sich beugen alle, die in den Staub hinabfahren.

30b/31a . . .

31b Es werde erzählt vom Herrn dem kommenden Geschlecht,

32 seine Gerechtigkeit soll man künden dem Volk,
das geboren wird.
Denn er hat es getan.

Zum Text

V. 2: Statt „fern von meiner Hilfe" lies „von meinem Flehen"

V. 9: Statt des ursprünglichen wälze! lies „er wälze"

V. 10: *gōḥī* von *gaḥaḥ* herausziehen (Ps 71,6), unsicher

V. 16: Statt *kōḥī* „meine Kraft" lies *ḥikki* = „mein Gaumen"

V. 17a: Wegen des Rhythmus ist „viele" zu ergänzen

V. 17b: Unsicher, statt „wie ein Löwe" *kā'aru* = sie haben durchgraben?

V. 18: MT: „Ich zähle . . ." sehr fraglich. Wahrscheinlich ist die dritte Pers.
zu lesen und 18b vor 18a.

V. 22: das letzte Wort ist unsicher.

V. 26: Statt *mē'itteka* (= von dir) lies *'amitteka* (= deine Treue)

V. 28: Lies „vor ihm" statt „vor dir"

V. 30 ff.: ist im Text verderbt und unsicher

V. 30a: Statt *'ākelŭ* (= sie haben gegessen) lies *'ak lō* (= nur ihm); statt *dišnēj*
(= die Fetten) lies *ješenēj* (= die Schlafenden)

Der Sinn von 30b.31a ist nicht mehr zu erkennen.

Zum Aufbau

Der Aufbau des 22. Psalms ist so bis ins kleinste durchdacht, daß man die späte
literarische Überarbeitung eines älteren Psalms annehmen kann. Die Besonderheit zeigt sich auch darin, daß der Psalm nicht nur am Ende auf das Gotteslob
ausblickt, sondern der Schlußteil V. 23–32 zu einem berichtenden Lobpsalm
ausgeweitet ist, was so sonst nicht vorkommt. Der ganze Ps 22 also ist eine
„Gewendete Klage", die das Gotteslob auf die Klage folgen läßt.

Der Teil V. 1–22 ist in sich in großen Linien gegliedert in die Klage „Warum

bist du ferne?" V. 2 und die den Teil V. 13–19 rahmende Bitte „Sei nicht ferne!"
V. 12 und 20. In dieser Rahmung entspricht sie der Gliederung des Klagepsalms: Nach dem Anruf Gottes die an Gott gerichtete Klage (Anklage Gottes)
V. 2–3 (dazu 4), die Ich-Klage 7–9.15–16 und die Feind-Klage 8–9.13–14.17–
19, die Bitte in 12.20–22.

Eine Besonderheit, die Ps 22 von den sonstigen Klagen des Einzelnen unterscheidet, liegt in der Einfügung eines Rückblickes auf Gottes früheres Heilshandeln (sonst nur bei Volksklagen) in zwei Teilen: 5–6 Gottes Handeln an seinem
Volk, 10–11 an dem Klagenden, beides bewußt voneinander unterschieden.

Der zweite Teil V. 23–32, setzt mit dem Lobversprechen ein, das noch zum
Klagepsalm gehört, hier aber als Überleitung dient. Es ist begründet in V. 25 mit
der befreienden Tat Gottes an dem Klagenden; diese Begründung gehört mit V.
23 zusammen (wie in Ps 13). Dieser Abschluß der Klage aber ist in V. 24
erweitert durch eine imperativische Aufforderung zum Lob, wie sie dem beschreibenden Gotteslob eignet (beides ist auch in Ps 107 miteinander verbunden), das in V. 28–32 weitergeführt wird.

Außerdem tritt in V. 26–27 ein Element hinzu, das weder zu V. 23.25 noch zu
24.28–32 gehört: die Auslösung des Versprechens oder Gelübdes, das die Klage
abschloß V. 26–27. An diesen beiden Versen ist die spätere Gestaltung zu
erkennen, zu dem in der Stunde der Not gesprochenen Versprechen tritt die
Auslösung des Versprechens oder Gelübdes hinzu, das sonst seine eigene Psalmform hat (z.B. Ps. 30). Der Ps 22 umschließt also die Elemente von Klage,
berichtendem und beschreibendem Lob (Klage – Dankpsalm – Hymnos). Darin
bestätigt er deren Zusammengehören: allen dreien liegt Gottes barmherziges
Tun (V. 32b) an einem Leidenden zugrunde. Schon von dieser umgreifenden
Bedeutung des Ps 22 her, die sich in seinem Aufbau zeigt, wird verständlich,
warum er eine besondere Bedeutung für die Darstellung des Todes Jesu in den
Evangelien erhalten hat.

V. 2–3: Der Psalm setzt abrupt mit der Anklage ein. Der hier zu Gott Rufende
hält ihm in leidenschaftlicher Anklage entgegen, daß er ihn verlassen habe, er
fragt ihn, warum er ihn verlassen habe, V. 2a; er schließt das daraus, daß sein
unablässiges Rufen zu Gott V. 2b.3 keine Antwort erhält. Daß Gott ihn nicht
hört, zeigt sich ihm daran, daß sich an seinem Leiden nichts ändert. Eine
Antwort von Gott würde die Wende des Leides bedeuten; eine andere Möglichkeit, daß sich sein Leid wende, ist hier gar nicht denkbar. Dieser Psalmeingang
enthält darin eine scharfe Paradoxie, daß die sogar verdoppelte, andringende
Anrede in einem Kontrast zu der dann folgenden Anklage steht. Der Gott so
schroff Anklagende kann nicht aufhören, ihn als „seinen" Gott anzurufen; in
der Anrede bleibt – trotz der Anklage – eine Beziehung zu „seinem" Gott
bestehen. Er kann Gott Vorwürfe machen, aber er kann sich nicht von ihm
lossagen. Die Anklage kann nicht zur Aussage, nicht zum Konstatieren werden.
Darin, daß er ihn noch anredet, ist er noch sein Gott. Er kann nicht aufhören, zu
ihm zu rufen.

Anmerkung: In diesem Anfang des 22. Psalms zeigt sich ein grundlegender

Unterschied zum Gottesverhältnis des Menschen nach den Aufklärungen. Wir bezeichnen das Gottesverhältnis als „Glauben", wobei dieses Wort gleichbedeutend mit Religion ist. In dem als Glauben bezeichneten Gottesverhältnis aber ist der Mensch Subjekt. Ein Mensch glaubt an Gott oder er glaubt nicht an Gott. Eben dies ist im Gottesverhältnis der Psalmen grundlegend anders. In ihm ist Gott das Subjekt, d.h. das Gottesverhältnis geht von Gott aus. Deswegen kann sich ein Mensch, auch wenn er an Gott verzweifelt, nicht von ihm lösen (Ps 139).

V. 4: Eben dies ist der Sinn von V. 4 an dieser Stelle: Der Gott Anklagende kommt von Gott nicht los. Seiner eigenen Anklage setzt er das „Aber du . . ." entgegen (vgl. Ps 13,6). Gott ist selbst als der in unerreichbarer Ferne Schweigende noch da, es gibt kein Außerhalb Gottes. Aber die Heiligkeit Gottes empfindet der Tag und Nacht vergeblich zu ihm Rufende als Ferne, als Fremdheit; er sieht in ihr das tremendum, das Erschreckende. Zu dieser Ferne Gottes gehört auch sein Thronen in Erhabenheit, in Majestät. Aber nun folgt in V. 4 eine eigenartige Ergänzung, die so sonst nie begegnet: „. . . der du thronst auf dem Lob (plur.; oder ‚Lobgesängen') Israels" und die zu V. 5–6 überleitet. Der Satz setzt voraus, daß zum Loben oder Preisen immer das Erhöhen gehört, daß also Gott in den Lobgesängen Israels erhöht wird.

V. 5–6: Zu der Ferne Gottes gehört, daß er – früher einmal – das Volk aus seinen Nöten gerettet hat V. 5–6; das entspricht dem Kontrastmotiv in den Klagen des Volkes im Rückblick auf Gottes früheres Heilshandeln. Aber wenn dies für den in der Gegenwart zu Gott Rufenden auch fern liegt, so erinnert dieses Kontrastmotiv doch an Erfahrungen des Helfens Gottes: „Auf dich trauten sie und wurden nicht zuschanden". Damit ist ein erster Schritt aus der Klage heraus getan.

V. 7–9: Aber in seinem persönlichen Leid ist ihm damit noch nicht geholfen, das er nun: „Ich aber . . ." vor Gott ausbreitet. V. 7–9 gehören zum Motiv der Ich-Klage; aber es wird in ihnen nur der soziale Aspekt des Leidens entfaltet, was es für den Leidenden vor den anderen bedeutet: die Schande des Leides. Sie ist dadurch verursacht, daß die anderen ihn auf seine Gottverlassenheit stoßen, sie verhöhnen ihn damit, daß Gott ihm nicht hilft, sich nicht um ihn kümmert, weil ihn nach ihrer Meinung („wenn er ihm wohl will" deutet das an) Gottes gerechte Strafe trifft.

V. 10–12: Diesem Spott entgegen klammert sich nun der Beter an das, was ihm bleibt, an das, was ihm ganz gewiß ist, und setzt damit den Rückblick von V. 5–6 fort: an die eigene Erfahrung des behütenden, bewahrenden Wirkens Gottes an ihm von seiner Geburt an. Hier erhält die Anrede „Mein Gott" am Anfang des Psalms ihre Begründung. Das Wirken Gottes an seinem Volk in der Vergangenheit V. 5–6 rückt ihm damit näher auf den Leib, es war für ihn, für sein persönliches Leben schon mit seiner Geburt da, das wird in V. 11–12 viermal unterstrichen. Darin gründet sein Vertrauen, nicht einen Augenblick gab es in seinem Dasein, in dem nicht Gott für ihn dagewesen wäre. Hier ist einmal ausgesprochen, was die Menschenschöpfung, das Erschaffensein durch

Gott bedeuten konnte. In der Erinnerung an das, was Gott seit seiner Geburt an ihm getan hat, findet er in seiner verzweifelten Klage einen festen Halt, der ihm nun den Schritt von der Klage zur Bitte ermöglicht: „Sei nicht ferne vor mir!" (vgl. V. 2b). Der ganze erste Teil des Psalms hat auf diese Bitte in V. 12 hin geführt, die dann in V. 20 wieder aufgenommen wird.

V. 13–19: Vorher aber wird in V. 13–19 die Klage weitergeführt; zur Gott-Klage V. 2–3 und der Ich-Klage V. 7–9 (Schande des Leids) tritt nun die Feind-Klage V. 13–14.17–19, aber verbunden mit dem anderen Teil der Ich-Klage V. 15–16, das Leid selber. In diesem Teil V. 13–19 stößt unsere Möglichkeit des Erklärens auf eine Grenze. Wir können wohl erkennen, daß Feind- und Ich-Klage hier miteinander verbunden sind; aber weder, wer die Feinde sind und was sie tun (bzw. womit sie drohen), noch worin das Leid des hier Klagenden besteht. Hier hat sich eine Formel-Sprache der Klage herausgebildet, wahrscheinlich in einer langen Entwicklung, eine verschlüsselte Sprache, die uns verschlossen bleibt. Etwas ähnliches zeigt sich in den babylonischen Psalmen, wo auch die Feinde als wilde Tiere bezeichnet werden. Es ist auch möglich, daß mit diesen Feinden keine Menschen, sondern dämonische Mächte bezeichnet werden sollen oder einmal bezeichnet wurden; Krankheit verursachende Dämonen kennt auch das Neue Testament. Aber eine ausreichende Lösung ist das auch nicht.

V. 13–14.17: In diesen Sätzen V. 13–14 ist ein Bedrängtsein durch feindliche Mächte dargestellt, was immer mit diesen Mächten gemeint war, ebenso in V. 17 (und 18?). Es fällt dabei auf, daß in allen Sätzen nur von Bedrohung die Rede ist. Dieselben ‚Feinde‘ wie in V. 8–9 können kaum gemeint sein, die Sprache ist zu verschieden.

V. 15–16: Während der Klagende in V. 7–9 die Schande seines Leides klagte, kommt in 15–16 das Leiden selbst zur Sprache, das den ganzen Menschen erfaßt hat (Gebeine, Herz, Mund). Was für ein Leiden es ist, lassen die Sätze nicht erkennen; sie lassen an eine Krankheit denken, aber das ist nicht sicher. Auch ist keinerlei Zusammenhang erkennbar zwischen der Bedrohung durch feindliche Mächte V. 13.14.17 und den Leiden in 15–16. V. 15a scheint sagen zu wollen, daß die den Körper betreffende Kraft verloren ist, 15b dazu dasselbe für die Mitte des Körpers, den Sitz der Lebenskraft. Aber wodurch diese Erschlaffung der Kräfte herbeigeführt ist, wird nicht gesagt. V. 16a deutet wahrscheinlich ein Fieber an, das Mund und Hals austrocknen läßt und 16b sagt abschließend, daß der Klagende vom Tod bedroht ist.

V. 17–19: V. 17a setzt die Bedrohung durch feindliche Mächte (Tiere) in V. 13–14 fort, 17b ist im Text unsicher. Das erste Wort „wie ein Löwe . . ." paßt gut als Fortsetzung von 17a, aber es findet in den nächsten Worten keine Fortsetzung. Die Septuaginta las statt des „wie ein Löwe" ein Verb kā'aru = „sie haben durchgraben" mit dem dann folgenden „meine Hände und meine Füße", was dann im Neuen Testament auf die Kreuzigung gedeutet wurde; aber dieser Text ist ganz unsicher.

Die Verse 18–19 reden nicht mehr von bedrohenden Mächten (Tieren),

sondern von Menschen, die auf das Leiden des Klagenden sehen, sie setzen
deutlich V. 8–9 fort. Sie haben kein Mitleid mit ihm, ihnen wird sein Leiden zum
Schauspiel (V. 18) und sie erklären ihn jetzt schon für tot, anscheinend werden
die Sätze von V. 19 für das Sterben eines Ausgestoßenen gebraucht. Die beiden
Sätze von V. 19 stehen im Parallelismus zueinander, wobei der zweite den ersten
näher erklärt: „. . . indem sie über mein Gewand das Los werfen".

V. 20–22: Nach dem Abschluß der Klage V. 13–19 wird nun in 20–22 die Bitte
von V. 12 (vgl. 2b) wieder aufgenommen, wobei die durchdachte Gliederung
sich daran zeigt, daß V. 12 um Rettung aus der Not bittet (auf V. 7–9 bezogen),
V. 20 um Errettung vor den Feinden (auf 13–14.17 bezogen), die in V. 21–22
wieder als wilde Tiere bezeichnet werden. Für uns bleibt auch hier verborgen, in
welcher Beziehung die Bedrohung durch feindliche Mächte (21–22) zu den in
15–16 geschilderten Leiden steht. Es ist eine stereotype, in Metaphern gefaßte
Sprache, die uns nicht mehr verständlich ist.

V. 23–32: Im zweiten Teil des Psalms wandelt sich die Klage zum Gotteslob, zu
dem der Schluß der Klage V. 23.25 ausgeweitet wird. Da dies nur bei diesem
einen Psalm im ganzen Psalter geschieht, kann man hierin die Absicht eines späten Verfassers sehen, der bewußt diese Wandlung einer Klage zum Lobpsalm
und darin das Zusammengehören beider zeigen wollte. Er verstärkt damit eine
Bewegung zum Gotteslob hin, die schon in der Struktur des Klagepsalms
vorgegeben ist, sofern sein Schluß in einem Lobversprechen oder Lobgelübde
besteht.

V. 23–25: So bilden V. 23 und 25 das Gelenk zwischen beiden Teilen des
Psalms, sie gehören zu beiden (vgl. hierzu das Schema in „Lob und Klage . . .",
[5]1977, S. 49 f. und S. 56–59).

Das Lobversprechen am Ende eines Klagepsalms ist nicht nur in den Psalmen
des Alten Testaments, sondern auch in ägyptischen und babylonischen Psalmen
vielfach bezeugt. Es ist dann nicht möglich zu behaupten, Ps 22 sei aus zwei
Psalmen zusammengesetzt und der zweite beginne mit V. 23. Als Schluß des
Klagepsalms hat das Lobversprechen den Sinn zu sagen, daß das im Klagepsalm
dargestellte Geschehen weitergehen soll. Weil zu ihm der Klagende, Gott und
die anderen gehören, geht die Rettung, auf die am Ende ausgeblickt wird, auch
die anderen an, den Kreis, zu denen der Klagende gehört. Darum muß dieser
Kreis davon erfahren: „Ich will deinen Namen meinen Brüdern erzählen!"
(Name steht hier für das, was Gott getan hat). Gemeint ist die einfache Reaktion
der Freude, die sich mitteilen muß wie bei der Frau im Gleichnis vom verlorenen
Groschen im Neuen Testament: „Freut euch mit mir, denn . . .!" Wenn nun der
parallele Halbvers lautet: „. . . inmitten der Gemeinde dich preisen", ist damit
gesagt, daß sich das Loben Gottes in diesem Erzählen vollzieht. Das Loben
Gottes ist hier als ein Erzählen von dem, was Gott getan hat, verstanden (s. dazu
den Exkurs zum berichtenden Lob u. S. 122). Das führt V. 25 aus, indem er die
Erzählung dessen, der Gottes Hilfe erfuhr, kurz skizziert, ganz auf die Erhörung
des Flehens konzentriert. Dabei beziehen sich alle Sätze von V. 25 offenkundig
auf den Anfang des Psalms V. 2 und 3. Hatte der Klagende dort Gott vorgewor-

fen, er habe ihn verlassen, sich von ihm abgewandt und höre nicht auf sein Rufen, bezeugt er hier vor seinen Zuhörern: Er hat nicht verworfen, nicht verachtet, sich nicht abgewandt, er hat auf mein Rufen zu ihm gehört! In diesen so betonten Sätzen spürt man wieder eine Absicht des Verfassers des 22. Psalms. Er will sagen: die Anklage Gottes darf dem Verzweifelten möglich sein, wenn es sein Gegengewicht erhält in solchen Bekenntnissen.

Zwischen die beiden zum Schluß des Klagepsalms gehörenden Verse 23 und 25 ist in V. 24 eine imperativische Aufforderung zum Lob gefügt, die eigentlich ein Bestandteil des beschreibenden Lobpsalms (Hymnos) ist und oft an deren Anfang steht. Dieser imperativische Lobruf wird oft in jussiven Sätzen („es sollen . . .") fortgeführt; das ist auch hier der Fall, V. 24 (Imperativ) wird in V. 28 ff. (Jussiv) fortgesetzt. Doch der Verfasser hat mit Bedacht V. 24 schon zwischen 23 und 25 gefügt: er erreicht damit, daß die Aufforderung zum Lob an die gottesdienstliche Gemeinde (V. 24) begründet wird mit dem Bericht von Gottes Tun in V. 25: „Denn er hat nicht . . ." Diese Gottes Tat berichtende Begründung wird dann in V. 29–30 ergänzt durch die Gott in seiner Majestät beschreibende Begründung: der Verfasser hat bewußt das berichtende mit dem beschreibenden Gotteslob zusammengefügt.

V. 26–27: Dem Lobversprechen V. 23 folgt in 26–27 die Ausführung (sonst ist beides immer getrennt). In V. 26–27 ist das Auslösen eines Gelübdes als eine gottesdienstliche Feier, stark abkürzend, skizziert. V. 26a leitet über. „Deine Treue" faßt das in V. 25 Erzählte zusammen; jetzt soll sie vor einem großen Kreis laut werden, vor dem der sie erfuhr, sein Versprechen auslösen will V. 26b. Zu der Feier gehört ein Mahl, ein Opfermahl im Sinn des Gemeinschaftsmahles, zu dem auch Bedürftige eingeladen werden V. 27a; und so soll das Gotteslob, das der eine vor den Kreis bringt, durch diesen weitergehen V. 27b.

V. 28–32: Damit aber ist ein Motiv der gottesdienstlichen Lobpsalmen aufgenommen, das im Schluß des Psalms entfaltet wird. Es setzte schon in V. 24 ein mit dem imperativischen Ruf zum Lob. Über den kleinen Kreis, zu dem der sein Gelübde Auslösende spricht, hinaus soll das Lob weitergehen im ganzen Volk Israel (der Same Jakobs und der Same Israels). Aber nun wird der Kreis immer weiter: zu „allen Enden der Erde" und „allen Sippen der Völker" V. 28. Das wird in V. 29 begründet mit der Königsherrschaft Gottes über die Völker, deutlich erinnernd an die Psalmen von der Königsherrschaft Gottes Ps 93; 95–99. Alle diese Psalmen und damit das Preisen Gottes als des Königs der Völker und damit seiner Königsherrschaft stehen im Zusammenhang eines universalistischen Denkens, das vom Exil ab und der Verkündigung Deuterojesajas an Bedeutung gewinnt. Eine bestimmte Vorstellung über die Königsherrschaft Gottes, die alle Völker umgreift, und die Huldigung, die ihm die Völker darbringen, ist hier nicht im Blick. Die Absicht ist vielmehr, die Ausweitung des Gotteslobes in immer weitere Kreise darzustellen. Es fängt da an, wo ein leidender Mensch in der Tiefe von Gott in seinem Flehen erhört wird. Es geht damit weiter, daß er verspricht, von dem, was er erfuhr, anderen zu erzählen, und aus dem kleinen Kreis geht der Widerhall in immer weitere Kreise durch eine Kraft, die das Gotteslob in sich birgt.

V. 30–32: Aber zu der räumlichen Erstreckung bis zu den Völkern der Erde tritt nun am Ende noch eine zeitliche: der Ruf zum Lob muß vordringen in das Vergangene und in das Zukünftige. Die Grenze des Gotteslobes ist der Tod, so sagt es Ps 6,6 und viele andere Stellen. Allein hier, in Ps 22,30, wird in großer Kühnheit gewagt, darüber hinauszusehen: auch „die in der Erde schlafen" muß einmal der Ruf zum Lob erreichen. Nur in den Apokalypsen begegnen ähnliche Sätze. Aber auch mit V. 30 ist nicht eine fixierbare Vorstellung verbunden; dieser gewagte Ausblick will nur zum Ausdruck bringen, daß es für das Vordringen des Gotteslobes in Raum und Zeit keine Grenzen geben kann. Und das gilt, wie die letzten Sätze V. 31b.32 sagen, auch für die Zukunft. Die kommenden Geschlechter sollen erfahren von Gottes wunderbarem Tun, es muß dann von den Alten zu den Jungen weitergesagt werden „dem Volk, das geboren wird". Es wird damit auf die Kette der Tradition gewiesen, zu der auch dieser 22. Psalm gehört, der im Gottesdienst weitergegeben wird von einer Generation zur anderen.

Die Begründung solchen Weitergehens des Gotteslobes in die Weite des Raumes und die Tiefe der Zeit gibt der letzte, kurze Satz des Psalms: $k\bar{\imath}$ *'āsāh* = „denn er hat getan". Das ist der Motor des den Psalm bewegenden Geschehens: Gott hat gehandelt. Dieser Satz am Ende des Psalms kann zeigen, was im Alten Testament Theologie ist, wie im Alten Testament von Gott geredet wird. Die Mitte allen theologischen Redens im Alten Testament bildet ein Verbalsatz: Gott hat gehandelt. Das kann nur der sagen, der es erfahren hat, hier ist es der Beter des 22. Psalms. Er hat es erfahren aus dem Kontrast heraus, der das Gefälle des Psalms vom ersten zum letzten Satz bestimmt. Nur, weil er erfahren hat, daß Gott nicht handelte, nicht hörte, konnte er die Wende erfahren. Weil er die Wende erfuhr, mußte er davon erzählen. Was er zu erzählen hatte, mußte immer weiterdringen, denn Gott hat gehandelt. Von diesem Handeln Gottes redet im AT die Theologie und deshalb von dem, was zwischen Gott und Mensch geschehen ist, geschieht und geschehen wird. (Zu den Zitaten des 22. Psalms im Neuen Testament in der Leidensgeschichte Jesu s. u. S. 207.)

Psalm 51: Gott, sei mir gnädig!

1   Für den Chormeister.
    Ein Psalm Davids,
2   als der Prophet Nathan zu ihm kam, nachdem er sich mit Batseba vergangen hatte.
3   Gott, sei mir gnädig nach deiner Güte,
    nach deinem reichen Erbarmen tilge meine Verfehlung!
4   Wasche mich rein von meiner Schuld,

reinige mich von meiner Sünde!

5 Denn mein Vergehen ist mir bewußt,
und meine Sünde steht mir immer vor Augen.

6 An dir allein habe ich gesündigt,
getan, was in deinen Augen böse ist,
damit du recht behältst in deinem Wort,
makellos bist in deinem Urteil.

7 Siehe: in Sünde bin ich geboren,
in Schuld hat mich meine Mutter empfangen.

8 [Siehe: in Wahrheit hast du Gefallen an Zuversicht (?),
im Verborgenen tust du mir Weisheit kund!]

9 Entsündige mich mit Ysop, daß ich rein werde,
wasche mich, so werde ich weißer als Schnee.

10 Sättige mich mit Freude und Wonne,
daß die Gebeine jubeln, die du zerschlagen.

11 Verbirg dein Angesicht vor meinen Sünden,
und tilge alle meine Missetaten!

12 Schaffe in mir, Gott, ein reines Herz,
und gib mir einen neuen, gewissen Geist.
Verwirf mich nicht von deinem Angesicht

13 und nimm deinen heiligen Geist nicht von mir!

14 Gib mir die Freude deiner Hilfe,
mit einem willigen Geist rüste mich aus!

15 Ich will die Frevler deine Wege lehren,
daß sich die Sünder zu dir bekehren.

16 O Gott, rette mich von der Blutschuld, Gott meines Heils,
daß meine Zunge über deine Treue juble.

17 Herr, tue meine Lippen auf,
daß mein Mund dein Lob verkünde.

18 Denn Schlachtopfer begehrst du nicht,
und gäbe ich Brandopfer, du hättest kein Gefallen daran.

19 Opfer für Gott ist ein zerbrochener Geist,

ein zerschlagenes Herz wirst du, Gott, nicht verachten.

20 [Handle an Zion nach deiner Gnade,
baue die Mauern Jerusalems wieder auf!

21 Dann hast du Gefallen an rechten Opfern,
an Brandopfern und Ganzopfern,
dann opfert man Stiere auf deinem Altar.]

Zum Text

V. 8: ist fraglich. Andere Übersetzung des ersten Halbverses: „An Wahrheit hast du Gefallen im Innersten".

V. 10:   Nach S. (= syrische Übersetzung) „sättige mich".
V. 15:   ist besser hinter V. 17 zu lesen.

Zum Aufbau

Ps 51 gehört zu den Psalmen, in denen ein Psalmmotiv zu einem Psalm verselb-
ständigt worden ist, hier ist es das Sündenbekenntnis. In diesem Fall ist die
Sonderung des Motivs wahrscheinlich so zu verstehen, daß unter bestimmten
Umständen das Sündenbekenntnis (V. 5–7) zusammen mit der Bitte um Sün-
denvergebung (3–4.9–14) zu einer besonderen gottesdienstlichen Handlung,
einer Beichte wurde, zu der dieser Psalm gehörte, sodaß man in ihm ein
Beichtgebet zu sehen hat, ähnlich wie bei der christlichen Beichte. So ist der
Psalm auch, wie V. 2 zeigt, in der Überschrift verstanden worden.

Die Gliederung im einzelnen:

```
  V. 3–4    Bitte um Vergebung
  5–6 (7)   Sündenbekenntnis
        7   In Sünde geboren: ein Motiv, das Gott zum Vergeben bewegen soll
        8   Ein Zusatz zu V. 18?
   9–14     Bitte um Sündenvergebung
        9–10    Bitte um Entsündigung und neue Lebensfreude
        11–14   Bitte um Tilgung der Sünde und innere Wandlung
           12 Neues Herz und neuer Geist
           13 Verbindung mit Gott
           14 Freude an Gottes Hilfe und williger Geist
  15–19     Lobversprechen
        16–17   Bitte um Befreiung und Zusage des Lobes
           15 Weitergabe der eigenen Erfahrung
        18–19   Opfer und Lob
  20–21     Nachträglicher Anhang: Bitte um Wiederaufbau der Mauern Jeru-
            salems
```

V. 1–2: Die Einleitung enthält außer dem liturgischen Hinweis „Für den Chormeister" die Verfasserangabe „Ein Psalm Davids" (s. dazu Exkurs zu Ps 23) und
die Angabe der Situation, aus der dieser Psalm entstanden bzw. in der er zuerst
gebetet worden ist. Diese Angabe ist von den Sammlern des Psalters hinzugefügt
worden. Gerade dieser 51. Psalm kann nicht zur Zeit Davids entstanden sein,
weil seine späte Entstehung in der nachexilischen Zeit sicher ist (s. u. zu V.
9–14). Die Situationsangabe, die auf 1.Sam 12 weist, ist aber für das Verständnis des Psalms wichtig, weil sie zeigt, daß die Sammler den Psalm verstanden als
Reaktion auf ein bestimmtes, schweres Vergehen, um dessen Vergebung der
Beter des Psalms fleht. Darin ist der ursprüngliche Sinn des Psalms richtig
verstanden.

V. 3–4: Der erste Satz ist ein Ruf, der das Erbarmen Gottes erfleht: „Erbarme
dich, Gott!", und als Motiv des Erbarmens Gottes *(ḥānan)* nennt er nichts

anderes als dieses selbst, seine Güte *(ḥesed)* und sein Erbarmen *(raḥamim)* (zu den Begriffen vgl. die Artikel in THAT und besonders Ps 103). Vom Anrufen des Erbarmens Gottes ist der ganze Psalm beherrscht. Hinter dem Ruf „Erbarme dich!" im ersten Wort des Psalms steht die Erfahrung, die des Betenden und seiner Väter: so ist Gott. Darum kann man ihn aus schwerer Schuld anrufen. Für die Schuld des Betenden werden verschiedene Begriffe gebraucht: *päša'* (Empörung, Frevel), *'āwōn* (Verkehrtheit), *ḥaṭṭā't* (Verfehlung). Sie bezeichnen ursprünglich ganz bestimmte, klar definierbare Handlungen, die deutlich voneinander unterschieden wurden. Sie sind daher auch ursprünglich ganz verschieden zu beurteilen und haben entsprechend ein verschiedenes Gewicht. Sie alle sind ursprünglich profane Begriffe, bezeichnen also Vorgänge zwischen Menschen und sind dann erst auf ein Verhalten gegenüber Gott übertragen worden. Einen allgemeinen, umfassenden Begriff für Sünde gegen Gott (also ein theologischer Sündenbegriff) kennt das Alte Testament nicht. Aber am 51. Psalm können wir erkennen, wie er allmählich entstanden ist: In dieser Bitte um Vergebung haben die einzelnen vorher genannten Begriffe ihre je besondere konkrete Bedeutung verloren und sind mehr oder weniger synonym gebraucht. Es sind jetzt verschiedene Ausdrücke, die alle eine Sünde gegen Gott meinen; so entsteht ein allgemeiner Sündenbegriff.

Ähnlich ist es mit den Verben, die das Tilgen der Sünden bezeichnen: in V. 3 *māḥāh* = abwischen, tilgen (ebenso V. 11), in V. 4 *kibbēs* = waschen und dazu parallel *ṭāhār* = reinigen (auch V. 9). In allen diesen Verben ist Sünde als etwas den Menschen Beschmutzendes, Verunreinigendes verstanden; das Vergeben hat dann die Wirkung des Reinigens. Dahinter steht die sehr alte Vorstellung der kultischen Unreinheit, die beseitigt werden muß, damit ein Mensch vor Gott treten kann (die Reinheits- und Reinigungsgesetze). Noch deutlicher klingt diese Vorstellung in V. 9 an: „Entsündige mich mit Ysop (ein Kraut, dem reinigende Wirkung zugeschrieben wird), daß ich rein werde", ein Satz, der auf einen kultischen Reinigungsritus anspielt. Aber in all diesen Ausdrücken ist die ursprüngliche Bedeutung physischer Unreinheit verblaßt; all diese Verben meinen nur die Beseitigung von Sünde. Auch sie weisen auf einen allgemeinen Sündenbegriff; sie alle sind einem personalen Begriff der Vergebung untergeordnet, wie der Parallelismus von V. 3 zeigt.

V. 5–6: Die Bitte um Vergebung setzt das Zugeständnis der Verfehlung voraus; ein Sündenbekenntnis braucht durchaus nicht jedesmal bei einer Bitte um Vergebung ausgesprochen zu werden (es fehlt auch meist); wo das geschieht, will es etwas Besonderes hervorheben, wie auch hier, wo V. 5 und 6 einander bewußt zugeordnet sind: V. 5 sagt, was es für ihn selbst, V. 6 was es für sein Gottesverhältnis bedeutet. V. 5 sagt, daß seine Verfehlung ihm bewußt ist, ihm dauernd vor Augen steht, d. h., daß sie sein Leben bestimmt, daß er so nicht weiterleben kann; und dazu V. 6, daß sein Verhältnis zu Gott zentral davon betroffen ist. Beide Sätze zusammen sagen, daß der Beter die begangene Verfehlung todernst nimmt. Der Satz 6a „An dir allein habe ich gesündigt" meint nicht, die Verfehlung hat sich allein gegen Gott, nicht aber gegen Menschen gerichtet (so H. Gunkel), sondern: was jetzt allein Gewicht hat, ist, daß ich gegen dich gesündigt habe. Dieses Verständnis ergibt sich aus dem parallelen Halbvers „. . . und das in deinen Augen Böse getan", ein Ausdruck, der Verfehlungen gegen Menschen einschließt, ja, sonst immer auf Verfehlungen gegen Menschen bezogen ist, wie z. B. Gen 39,9. Denn Verschuldungen gegen Menschen werden im Alten Testament von Anfang an als Verschuldungen gegen Gott angesehen (so H. J. Kraus, Kommentar, unter Hinweis auf 2.Sam 12,13; vgl. V. 2). Das Eingeständnis V. 5–6 bezieht sich dann auf eine bestimmte, von dem um Vergebung Bittenden begangene Verfehlung, eine Tat, die er begangen hat („das in deinen Augen Böse getan"), wie auch in den beiden Parallelstellen Gen 39,9 und 2.Sam 12,13. Diese sündige Tat steht ihm vor Augen (V. 5), sie hat ihn dazu bestimmt, die Vergebung von Gott zu erbitten. V. 6b ist dann so zu verstehen: (Ich gestehe es ein,) damit du, Gott, recht behältst in deinem Urteil; das Strafurteil Gottes, das sein Eingeständnis bestätigt, kann in einer Krankheit bestehen, es kann aber auch in dem Bewußtsein der Schuld bestehen, das ihn plagt und mit dem er nicht weiterleben kann. Beides wird im Alten Testament als nicht weit voneinander entfernt gesehen. Auf jeden Fall gesteht er ein, daß Gott ihn straft, ist berechtigt.

V. 7: Dieser Vers 7 ist ein zur Bitte gehörendes Motiv, das Gott zum Eingreifen (hier zum Vergeben) bewegen soll. Der Beter will sagen: Du weißt ja, wie sehr ein Mensch zu Verfehlungen geneigt, zum Sündigen versucht ist! Als ein solches Motiv ist dies bewußt in einer verstärkenden, übertreibenden Sprache gesagt. Man muß den Satz aus seiner Funktion verstehen; er ist keine Aussage, die man aus diesem Zusammenhang lösen und dann absolut setzen kann. Es könnte auch eine Anspielung auf die gesetzliche Unreinheit von Zeugung und Geburt sein; aber das ist nicht das Wesentliche. Der Satz will Gott geneigt machen zu vergeben; er will keinesfalls eine Aussage über ein statisches, seinsmäßiges Verderbtsein des Menschen von seiner Geburt an sein. Das stünde im Widerspruch zum Menschenverständnis im ganzen Alten Testament; auch in diesem Psalm ist ja vorausgesetzt, daß die Sünde von Gott in seiner Barmherzigkeit vergeben werden kann, und damit ist sie wirklich getilgt. Vor allem aber ist ‚Sünde' im Alten Testament, das gilt für alle oben genannten Begriffe, immer ein Geschehen, niemals ein Sein, Sünde als Seinsbegriff ist dem Alten Testament fremd.

V. 8: V. 8 ist im Text schwierig, darüber hinaus auch in seiner Funktion im Zusammenhang. Er wirkt hier als Fremdkörper; wahrscheinlich folgte V. 9 unmittelbar auf V. 7. V. 8 ist dann eine nachträglich in den Text aufgenommene Randbemerkung; darauf weist auch das einleitende „Siehe!" *(hēn)*, das nach dem „Siehe!" am Anfang von V. 7 hart und unorganisch wirkt. Diese Randbemerkung paßt nach V. 7 nicht, wohl aber würde sie gut nach V. 18 passen: „Denn du hast kein Gefallen an (V. 18a), . . . wohl aber hast du Gefallen an . . ." (V. 8a). Der Anfang von V. 8 wäre dann zu übersetzen: „Siehe, in Wahrheit hast du Gefallen an . . ." Aber das folgende Wort *battūḥōt* ist unerklärt (KBL). Mit Änderung des letzten Radikals kann man vermuten *bittāḥōn* =

Zuversicht; aber der zweite Halbvers paßt nicht dazu „und im Verborgenen tust du mir Weisheit kund". So muß V. 8 unerklärt bleiben; sicher ist nur, daß er hier seinen ursprünglichen Ort nicht hatte.

V. 9–14: Die Bitte um Sündenvergebung, mit der der Psalm begann (V. 3–4), wird nun entfaltet (V. 9–14). Über V. 3–4 hinaus aber bitten V. 9–14 nicht nur um ein Entfernen der Sünden, sondern um eine Wandlung des ganzen Menschen. V. 9 wiederholt die Bitte um Reinigung (s. zu V. 3–4), fügt aber hinzu, was dadurch bewirkt werden soll: „. . . so werde ich rein". Und V. 10 entfaltet diese positive Seite, es ist eine Bitte um erneuerte Lebensfreude, daß der von Gott Geschlagene (s. zu V. 6) wieder froh werden kann. Bei dieser Bitte V. 10 ist, wie in den Psalmen häufig, das helfende, heilende Eingreifen Gottes in seinen Folgen dargestellt. Vorausgesetzt ist dabei, daß zum heilen Leben die Lebensfreude gehört (ebenso V. 14 „die Freude deiner Hilfe"). In V. 11–14 findet sich die gleiche Aufeinanderfolge von negativer und positiver Bitte noch einmal: V. 11 entspricht 9 und V. 12–14 entspricht 10. In 11 entspricht der Bitte um Tilgung der Sünde der Wunsch, Gott möge seine Sünden nicht ansehen, damit sie keine schädigende Wirkung ausüben. Während aber V. 11 im wesentlichen wiederholt, liegt das ganze Gewicht auf der positiven Bitte V. 12–14, der Bitte, Gott möge ihm mit der Vergebung ein neues, gewandeltes Leben ermöglichen. Es ist dies *eine* Bitte, welche die drei Verse 12–14 mit verschiedenen Worten aussprechen; diese Bitte bildet die Mitte des Psalms. Mit dieser Bitte meint der Beter mehr als nur die Tilgung seiner Sünde. Das zeigt der Parallelismus der beiden Verben in V. 12 „Schaffe – erneuere". Er bittet um eine Erneuerung des ganzen Menschen (‚Herz' und ‚Geist' als Mitte der Existenz), und diese Erneuerung versteht er als Neuschöpfung. Der Gebrauch des Wortes „schaffen" in diesem Zusammenhang ist besonders kühn und begegnet nur hier. Das Verb *bārā'* = schaffen wird nur von Gott gebraucht (Gen 1) und an einen Schöpfungsakt Gottes ist auch gedacht: eine Wandlung von Grund auf. Er bittet um ein „reines Herz" (vgl. die vorangehenden Verben des Reinigens) und einen „gewissen Geist", einen fest gegründeten Geist. Wie das gemeint ist, zeigt der nächste Vers 13: Das reine Herz und der gewisse Geist sind gefährdet, wenn die Gemeinschaft mit Gott gestört ist (vgl. V. 6); so bittet er um die bleibende Verbundenheit mit Gott. Die beiden Halbverse stehen in einer durchdachten Entsprechung zueinander, das „Verwerfen von deinem Angesicht" denkt an den gottesdienstlichen Segen: „der Herr lasse sein Angesicht über dir hell sein". Das leuchtende Angesicht Gottes bedeutet das freundliche, behütende Geleit; und der „Geist deiner Heiligkeit" weist auf die Gefahr der Verletzung dieser Heiligkeit. Der Beter weiß, daß eine wirkliche Erneuerung nur möglich ist im ungestörten Gegenüber zum heiligen und zum gütigen Gott. V. 14 deutet das so gewandelte Leben an: ein Leben in Freude an den Erfahrungen der Hilfe Gottes und in williger Bereitschaft, mit der ihn diese Erfahrungen „ausrüsten".

Diese Entfaltung der Bitte um Vergebung V. 12–14, die die Mitte des Psalms bildet, zeigt deutlich die Einwirkung der Propheten aus der Exilzeit. Das Wort „schaffen" gebraucht der Beter des Psalms so wie Deuterojesaja die Neuschöpfung des Volkes Israel im Exil verheißt Jes 43,19; so wie Ezechiel mit der Verheißung des Reinigens die Gabe eines neuen Herzens und eines neuen Geistes verbindet Ez 36,25–27; vgl. Jer 31,31–33; 24,7; 32,39. Die Anklänge an diese Verheißungen sind offenkundig, sie begegnen in solcher Häufung in keinem anderen Psalm.

V. 15–19: An die Bitte anschließend beschließt das Lobversprechen den Psalm. Die Folge der Verse 15–19 wird deutlicher, wenn man V. 15 nach V. 17 liest. Den Übergang von V. 12–14 zu 15–19 bildet dann mit der einen Neueinsatz kennzeichnenden Anrede „O Gott!" eine nochmalige, zusammenfassende und überleitende Bitte um Vergebung: „Rette mich von der Blutschuld!" (im Hebräischen „von dem Blut", Plur.). Gemeint ist wie in Ps 30,10 die Rettung vor dem Tod, der die Folge der Schuld des Betenden sein könnte. An diese flehende Bitte schließt das Versprechen, das in V. 16b als eine ganz natürliche Reaktion auf die Erhörung formuliert ist: die Freude darüber muß sich in Jubel äußern! Wenn nun in V. 17 die Bitte weitergeführt ist: „Herr, öffne meine Lippen!", ist damit nichts anderes gemeint, es ist die Befreiung von der Schuld, die seine Lippen öffnen wird zum Loben Gottes, „daß mein Mund dein Lob verkünde". An diesem Satz Ps 51,17 wird besonders deutlich, daß das Loben Gottes in den Psalmen eine ganz menschliche, natürliche Reaktion auf Erfahrungen der Befreiung ist, die zu jedem Menschendasein gehören.

In V. 15 wird das Versprechen noch einen Schritt weitergeführt: der Beter will nicht nur von dem erzählen, was er erfahren hat; er will darüber hinaus den Sündern wieder auf den rechten Weg helfen. Eine solche Erweiterung, in dieser Form nur hier, ist bei einem Beichtgebet sehr angebracht; denn er ist ja selber einer der Sünder, die um Vergebung flehen. Als einer, der die Vergebung erfuhr, kann er anderen helfen, den Weg der Umkehr zu finden. Dem entspricht, daß sich in einigen Lobpsalmen des Einzelnen der Übergang vom Gotteslob zu solchem Unterweisen zeigt, insbesondere in Ps 32 und 34.

V. 18–19: Die noch folgenden Sätze V. 18–19 sind nicht mehr eigentlich Worte des Gebetes, sondern eine an das Lobversprechen V. 15–17 gefügte Reflexion. Sie ist darin begründet, daß in früher Zeit im Gelübde Opfer und Lob zusammengehörten. Das zeigt noch Ps 66,13–20, wo die Auslösung eines Gelübdes V. 13–14 in Darbringung von Opfer (V. 15) und im Gotteslob (V. 16–20) besteht; vgl. auch Ps 54,8. Da seit der Zerstörung des Tempels der Opferdienst für eine lange Zeit fortfiel, wurde das auch unter dem Einfluß der prophetischen Kritik am Opferdienst damit begründet, daß Gott keinen Gefallen an den Opfern hat (so auch Ps 50,14f.; 69,31f., wie 51,18f.; 40,7–11). Während aber an diesen Stellen Opfer und Lob einander gegenübergestellt werden, wird als das „Opfer", in metaphorischem Sinn, das Gott gefällt „ein zerbrochener Geist, ein zerschlagenes Herz" bezeichnet, dem Beichtgebet entsprechend (vgl. Jes 57,15; 66,2). Das ist hier nicht in dem Sinn zu verstehen, daß ein Mensch erst gebrochen werden muß, um Gott zu gefallen. Der „Bruch" ist hier vielmehr streng auf das bezogen, wovon der Psalm handelt, gebrochen werden muß die gegen Gottes Willen gerichtete Haltung. Das Opfer besteht in der Aufgabe der Einstellung, die sich im Frevel gegen Gott durchsetzen will. Es ist das Eingeständnis der Schuld, das Gott hoch achtet.

V. 20–21: Die Verse 20–21 sind ein Nachtrag, darin sind sich alle Ausleger einig. In diesem Nachtrag kommt eine andere Einstellung zu den Opfern zu Wort, eine das Tieropfer bejahende Einstellung, die es für einen traurigen Mangel hält, daß sie gegenwärtig nicht dargebracht werden können. So wird hier, V. 20, die Bitte an Gott gerichtet, er möge Jerusalems Mauern wieder aufbauen, damit im Schutz dieser Mauern der Opferdienst wieder eingerichtet werden kann, wie es früher war.

Die Bedeutung des 51. Psalms liegt einmal darin, daß er die Annahme der prophetischen Verheißungen aus der Exilszeit und ihre Übernahme in die persönliche Frömmigkeit, in das Gebet des Einzelnen bezeugt und damit das Weiterleben dieser Verheißungen in der nachexilischen Zeit, in der sie ein wichtiges Glied zwischen dem Alten und dem Neuen Testament bilden. Die Erkenntnis der Propheten, daß ein Neuanfang von Grund auf, eine Erneuerung des ganzen nur auf der Vergebung der Schuld beruhen kann, wird in diesem Psalm auf den Einzelnen und sein Gottesverhältnis bezogen.

Die Bedeutung liegt weiter darin, daß die durch die Vergebung bewirkte Wandlung im 51. Psalm als Wandlung zu neuer Lebensfreude, in Gewißheit und willigem Geist durch die erneuerte Verbundenheit mit Gott verstanden wird, nicht aber in bleibendem Sündenbewußtsein und gebeugter Bußhaltung gesehen wird.

Psalm 77: Ich denke an Gott

1   Für den Chormeister. Nach Jedūtūn. Ein Psalm Asaphs
2   Laut will ich rufen zu Gott, laut zu Gott,
    daß er auf mich höre!
3   Am Tag meiner Not suche ich den Herrn,
    des Nachts ist meine Hand unermüdlich ausgestreckt,
    meine Seele will sich nicht trösten lassen.
4   Ich denke an Gott und seufze,
    ich sinne nach, und mein Geist will verzagen.
5   Du hältst die Lider meiner Augen,
    ich bin beunruhigt und kann nicht denken.
6   Ich gedenke vergangener Zeiten,
    sinne nach über Jahre vor langer Zeit.
7   Ich grüble in der Nacht im Herzen,

    ich sinne nach, es forscht mein Geist.
8   Wird denn der Herr auf ewig verstoßen,
    wird er nie mehr gnädig sein?
9   Hat seine Güte für immer ein Ende?
    Ist es aus mit seiner Treue für alle Zeiten?

10 Hat Gott seine Gnade vergessen,
im Zorn sein Erbarmen verschlossen?

11 Und ich dachte: Ist sie matt geworden?
Hat sich das Wirken des Höchsten gewandelt?

12 Ich denke an die Taten des Herrn,
will gedenken an deine früheren Wunder.

13 Ich will nachsinnen über all dein Tun,
mir Gedanken machen über deine Werke.

14 O Gott, dein Weg ist heilig!
Wo ist ein Gott so groß wie der Herr?

15 Du bist ein Gott, der Wunder tut,
du hast deine Macht den Völkern kundgetan.

16 Du hast dein Volk mit starkem Arm erlöst,
die Söhne Jakobs und Josephs.

17 Die Wasser sahen dich, Gott, die Wasser sahen dich und erbebten,
die Tiefen des Meeres erzitterten.

18 Die Wolken gossen Wasser, es donnerten die Wolken des Himmels,
und deine Pfeile fuhren hernieder.

19 Dröhnend rollte dein Donner, Blitze erhellten den Erdkreis,
die Erde erbebte, zitterte.

20 Dein Weg ging durch das Meer,
dein Pfad durch gewaltige Wasser,
doch deine Spuren waren nicht zu erkennen.

21 Du führtest wie eine Herde dein Volk,
durch Moses und Aarons Hand.

Zum Text

V. 6/7: Das erste Wort in V. 7 „ich gedenke" ist zu V. 6 zu ziehen
V. 9b: ist mit App. zu lesen *gemōrāh 'amittō*
V. 11: mit App. *šānetāh* und *ḥāletāh* (H. Gunkel)
V. 16: vielleicht mit den Übersetzungen „mit deinem Arm"
V. 19: statt *bagalgal* vielleicht *kagalgal* zu lesen

Zum Aufbau

Dieser Psalm weicht so stark von den Klagen des Einzelnen ab, daß er kaum zu der Gattung gerechnet werden kann. Doch ist er als solcher eingeleitet in V. 1–5 und zeigt, welche Möglichkeiten der Abwandlung bei ihm begegnen können. V. 1–5 ist die ungeänderte Einleitung einer Klage des Einzelnen. Es folgt dann auch in V. 8–11 eine Klage; aber sie ist dadurch abgewandelt, daß sie in V. 6–7 als ein Nachdenken, ein Reflektieren eingeleitet ist. Diesem klagenden Nachdenken ist in V. 12–16 (mit 21) ein anderes „Nachdenken", ein Gedenken an Gottes frühere Taten gegenübergestellt, das in etwa der Funktion des Bekenntnisses der

Zuversicht in der Klage entspricht. Dieses Gedenken aber bezieht sich nicht mehr auf das Schicksal des in V. 1–5 Klagenden, sondern auf das seines Volkes. Dieses Gedenken an Gottes Handeln an seinem Volk in der Vergangenheit ist in V. 17–20 erweitert durch eine „Epiphanie" (= Gott kommt herbei, um seinem Volk zu helfen). Durch den Übergang vom Gebet in das Nachdenken oder Reflektieren weist der Psalm auf eine späte Zeit, in der Gebet und fromme Reflexion vielfach miteinander verbunden wurden (vgl. etwa Ps 32; 34; 39, aber auch 73).

V. 1–5: In den ersten Versen dieses Psalms stellt sich der Beter mit Worten, die ihm überkommen sind, in die lange Reihe der Leidenden, die Gott in den Generationen vor ihm ihr Leid klagten. V. 2–3 machen die Intensität dieses Klagegebetes deutlich: mit lauter Stimme, Tag und Nacht, mit Leib und Seele, ohne daß er Trost findet (der gleiche Ausdruck Gen 37,35; Jer 31,15; Hi 6,7), bis Gott ihn hört (V. 2b).

In V. 4 geht die Klage in ein Nachdenken über: „Ich denke an Gott . . ."; in beiden Vershälften verbindet sich das Seufzen, das Verzagen mit dem Nachdenken. Es ist ein von Unruhe und Schlaflosigkeit überschattetes Nachdenken, V. 5.

V. 6–11: Dieses Miteinander von Klage (V. 8–11) und Nachdenken (V. 6–7) wird im folgenden entfaltet. Aus den Versen 1–5 mußte man entnehmen, daß es sich dabei um ein persönliches Leid handelt wie sonst auch in den Einzelklagen. Aber die V. 6–7 (die V. 4 weiterführen) leiten ein leidvolles Nachdenken ein, das sich in V. 8–11 auf Gottes Handeln an seinem Volk bezieht. Es richtet sich in die ferne Vergangenheit, aus der sich der für ihn unbegreifliche Kontrast ergibt. Damit wird hier schon klar: Für den Beter dieses Psalms ist das Leid seines Volkes an die Stelle seines persönlichen Leides getreten, ihm gilt sein Kummer, sein aus dem Schmerz und dem Unverständnis erwachsendes Fragen und Nachgrübeln.

V. 8–11: Denn ganz deutlich steht hinter den V. 8–10 der Teil „Anklage Gottes" aus den Volksklagen, also Sätze wie Ps 74,1.11; 60,3; 44,12f.24.25; 80,5; 89,47; Jes 64,6; 40,27; Klgl 5,20. Immer steht hinter dieser Anklage Gottes die bange Frage: Hat unser Gott uns, sein Volk verlassen? Diese Frage ist es, die den Beter des 77. Psalms bewegt, über die er nachgrübelt, die ihm keine Ruhe läßt. Auf diese Frage läuft der Abschnitt in V. 11 hinaus: „Ist sie mattgeworden (lies *ḥāletāh*), hat sich die Rechte (das Wirken) des Höchsten ganz gewandelt?" (Text unsicher). Diese Frage wird ihm durch den Kontrast zwischen der trostlosen Gegenwart und den großen Taten Gottes an seinem Volk in der Vergangenheit aufgedrängt.

V. 12–16: Damit hat er sich diese Taten Gottes in der Vergangenheit ins Gedächtnis gerufen, sie leben nun vor ihm auf, er vergegenwärtigt sie sich. Die V. 12–13 zeichnen die Wendung nach, die sein Nachsinnen nimmt. Die Gedanken des Klagenden hatten unablässig (V. 2–3) um das gegenwärtige Elend gekreist und damit um die Frage, ob Gott noch der Gott seines Volkes ist (V. 8–11); nun aber entschließt er sich, daran zurückzudenken, wie Gott sich einmal wunderbar als Israels Helfer erwiesen hatte: „Ich will gedenken an deine früheren Wunder". Dabei ist der Wechsel von der 3. zur 2. Pers. zu beachten: Das Nachdenken über Gott kann unmittelbar in die Anrede, das Gebet, übergehen. Der V. 13, der die Verben von V. 4.6.7 wiederholt, deutet an, wie sich seine Gedanken jetzt wandeln: während er über Gottes frühere Taten nachsinnt, wandelt sich sein Nachdenken zu staunendem Lob.

V. 14–16: Diese Verse 15–16 bilden die Mitte des Psalms. Sie sprechen eindeutig die Sprache des Lobpsalms, und zwar des beschreibenden, V. 14.15a, und des berichtenden, 15b.16.21, „du bist . . . du hast getan".

Es ist bezeichnend und für das Verständnis des Psalms wesentlich, daß der Dichter dieses Psalms die Rückwendung seiner Gedanken an Gott nicht vom Kontrast bestimmt sein läßt (damals hast du uns Güte erwiesen), sondern von dem Gegenwart und Vergangenheit Überbrückenden: Gott ist geblieben, der er war! Die Sätze V. 14a.14b.15a sind ein Preis der Majestät Gottes, ein regelmäßiger Bestandteil des beschreibenden Lobpsalms (Hymnos), z.B. Ps 113,3–5. An Gottes Majestät hat sich nichts geändert. Zur Majestät gehört die Heiligkeit Gottes (Jes 6). Mit der eigenartigen Formulierung „Gott, im Heiligen (oder in Heiligkeit) ist dein Weg" (so wörtlich) deutet der Dichter an, daß das Wirken Gottes („dein Weg") für uns nicht durchschaubar ist. Aber eben in der Majestät Gottes ist es begründet, daß er der Gott ist, der Wunder (15a) tut; er hat Wunder getan und kann auch heute Wunder tun (vgl. Ex 15,11), das sagen nun die Sätze V. 15b.16.21. Genannt aber wird nur die eine wunderbare Tat Gottes am Anfang, mit der er in seiner unbegrenzten Macht („sein Arm") sein Volk aus schwerster Not erlöste (V. 16) und dies im Angesicht der Weltmacht Ägypten (V. 15b). Diese Stelle in Ps 77 zeigt, daß das „geschichtliche Credo" (G. v. Rad) tatsächlich im Volk Israel lebte. Einer aus dem Volk erinnert viele Jahrhunderte später daran, es wurde nie vergessen. Und auch in diesem Psalm eines Einzelnen hat diese Erinnerung die Funktion, in einer dunklen Gegenwart Gott großzumachen (hierzu C. Westermann, Vergegenwärtigung der Geschichte in den Psalmen, ThB 24, 1964, S. 306–335). Diese Erinnerung, die an sehr vielen Stellen begegnet, kann eine ganz verschiedene sprachliche Gestalt haben. Wenn das Volk Israel hier „die Söhne Jakobs und Josephs" heißen, ist das nur eine von dessen vielen Bezeichnungen; vgl. Ps 78,67; Am 5,6.15; Ez 37,16.19; Sach 10,6. Bei dieser Geschichtserinnerung wird oft zusammen mit der Rettung am Schilfmeer die Wüstenwanderung genannt (vgl. Ps 74,1; 78,52.70); das geschieht auch hier in V. 21, der ursprünglich auf V. 16 folgte. Jetzt ist V. 17–20 dazwischen eingefügt und erweist sich damit als eine einmal selbständige Einheit.

V. 17–20: Der relativ selbständige Teil V. 17–20, er hebt sich vom Vorangehenden deutlich durch den anderen Rhythmus 3:3 ab, entfaltet das Kommen Gottes zur Rettung seines Volkes. Er gehört zu einer Gruppe nahe verwandter Texte, den Epiphanien oder Epiphanieschilderungen, denen allen gemeinsam ist, daß das Herankommen Gottes, um seinem Volk zu helfen, geschildert wird. Sie alle haben die Funktion, das Wunderbare, Gewaltige und Überwältigende dieses Kommens Gottes darzustellen: Ri 5,4–5–; Ps 18,8–16; Hab 3,3–15; Ps

68,8–9.34; 97,2–5; 114; Jes 63,1–6; Abwandlungen Ps 29; 50,2–4; Dtn 33; Jes 30,27–33; 59,15b–20; Mi 1,3–4; Nah 1,3b–6. Allen diesen Stellen sind drei Züge gemeinsam: das Herauskommen von und/oder das Daherfahren Gottes, kosmische Erschütterungen, die dieses Kommen begleiten, Gottes Eingreifen für oder gegen als Ziel seines Kommens (dieser dritte Zug geht oft nur aus dem Zusammenhang hervor). Dieser Epiphanieschilderung liegt ein mythisches Motiv zugrunde, wie es eine Reihe ägyptischer und babylonischer Texte zeigen (hierzu C. Westermann, Lob und Klage . . ., [5]1977, S. 69–75, ausführlich). Von dieser Epiphanie ist die Theophanie zu unterscheiden, der klassische Text Ex. 19. Die Theophanie steht immer in kultischem, die Epiphanie immer in geschichtlichem Zusammenhang.

Die Verse 17 und 20 zeigen, daß das Schilfmeerereignis gemeint ist; aber die Schilderung weicht stark von der in Ex 14–15 ab, sie ist an die traditionellen Motive der Epiphanie gebunden. „Die Wasser sahen dich . . .“ (wie Ps 114,3–5 im gleichen Zusammenhang), nämlich bei seinem Herankommen, um den zu ihm Flehenden (Ps 18,7) in ihrer Not zu helfen. Es ist ein Herankommen in Macht und Majestät, ein Erzittern und Erbeben des Meeres bewirkend. Hier wird diese Macht Gottes in ihrer Wirkung dargestellt: sie reicht in den Kosmos hinein. In V. 18 f. kommt zu den kosmischen Auswirkungen die sich in Sturm und Gewitter erweisende Kraft Gottes, ein häufiges und in vielen Religionen begegnendes Motiv (Beispiele bei H. Gunkel), dem menschlichen Empfinden entsprechend, das in Sturm, Unwetter und Gewitter eine in ihnen wirkende übermenschliche Kraft wahrnimmt. Dazu ist in 19b der Erweis dieser Macht im Erdbeben angedeutet.

In dem abschließenden Satz V. 20 wird der Anfang V. 17 wieder aufgenommen; hier ist das Herankommen Gottes ausdrücklich genannt: „dein Weg“, wobei zugleich V. 14a wieder aufgenommen wird, es ist das Ereignis beim Auszug aus Ägypten gemeint. Doch nun fügt der Dichter des Psalms in V. 20b einen Satz hinzu, der nicht mehr zur Epiphanieschilderung gehört, sondern den Gott preisenden Eingang V. 14.15a weiterführt und abschließt: „. . . doch deine Spuren (wörtlich Fußspuren, auf den Weg Gottes sich beziehend) waren nicht zu erkennen“. Es gehört zur Heiligkeit, zur Undurchschaubarkeit der Wege Gottes, daß sie keine erkennbaren Spuren hinterlassen. Bei diesem erstaunlichen Satz ist der Zusammenhang des ganzen Psalms zu beachten, er ist aus dem Nachdenken über Gottes Tun entstanden. Auch dieser Satz ist ein Ergebnis des Nachdenkens, der Reflexion, und zwar über die Wunder Gottes. Zweimal begegnet der Begriff vorher im Psalm, V. 12: „Ich will denken an deine früheren Wunder“ und V. 15: „Du bist ein Gott, der Wunder tut“. So kann dieser Psalm insbesondere zeigen, was das Alte Testament unter „Wunder“ versteht. Als Wunder werden hier Gottes wunderbare Taten an seinem Volk verstanden, besonders seine Rettungstaten, die eine Wende herbeiführten. Zu einem „Wunder“ werden diese Taten Gottes in dem staunenden Betroffensein derer, die sie erfahren. Wunder können nur erfahren, sie können aber nicht objektiv festgestellt werden, das zeigt V. 20 ausdrücklich. Wunder geschehen im Gegenüber von Gott und Mensch, und zum Erfahren eines Wunders gehört das staunende

Stillwerden vor dem Tun des majestätischen Gottes, V. 14f. Dieses Staunen hat immer ein Moment des Nichtbegreifens in sich; das erklärte Wunder ist kein Wunder mehr. Deshalb ist ein Wunder niemals von den Phänomenen her erfaßbar, die man dabei konstatieren kann, V. 20. Wo dies versucht wird, ist das biblische Verständnis des Wunders verkannt. Die Einfügung an dieser Stelle zeigt gerade, daß die dabei begegnenden Phänomene ganz verschiedener Art sein können. Von einem Wunder kann nur da geredet werden, wo es als ein Wirken Gottes erfahren wird, das eine ‚wunderbare‘ Wende herbeiführt, so wie es Ps 111,23 sagt: „Vom Herrn ist dies gewirkt; es ist ein Wunder in unseren Augen." Deshalb ist das Loben Gottes der angemessene Ort, von Wundern zu reden.

Zum Abschluß: Ich habe den Ps 77 überschrieben „Ich denke an Gott". In diesem Psalm spricht ein Beter des Alten Testaments aus, was für Gedanken ihn bewegen, wenn er an Gott denkt. „Ich denke an Gott und seufze" V. 4, das Denken an Gott erwächst aus der Klage: er denkt in tiefem Kummer an das elende Schicksal seines Volkes. Er fragt, ob Gott sein Volk verlassen habe. Dann gehen seine Gedanken in die Vergangenheit zurück, er denkt an die wunderbaren Rettungstaten, die sein Volk einmal von Gott erfuhr. An die Stelle der Klage tritt ein verhaltenes Gotteslob (V. 14–15). An Gottes majestätischem Wirken hat sich nichts geändert; aber seine Wege bleiben verborgen (20). Das ‚Denken an Gott‘ kann sehr verschieden sein; im AT ist es immer wie hier in Ps 77, wo es einmal ausgesprochen wird, ein Denken an den wirkenden Gott und deshalb ein Denken an die Wirklichkeit. Das hat sich in der Geschichte der christlichen Kirchen damit grundlegend gewandelt, daß das Denken an Gott zum Nachdenken über ein zeitloses Sein Gottes wurde. Es wurde damit spekulativ, es wandte sich von der Wirklichkeit ab. Die Frage ist neu zu beantworten, ob dieses spekulative Denken über Gott oder das auf die Wirklichkeit und das Wirken Gottes bezogene Denken der Bibel mehr entspricht.

Psalm 102: Gebet eines Elenden, wenn er verzagt ist

1   Gebet eines Elenden, wenn er verzagt ist
und vor dem Herrn seine Klage ausschüttet.
2   Herr, höre auf mein Flehen,
mein Hilferuf komme vor dich!
3   Verbirg dein Angesicht nicht vor mir zur Zeit, wo ich in Not bin!
Neige mir dein Ohr zu, zur Zeit, da ich dich rufe,
antworte mir eilend!

4   Denn meine Tage vergehen wie Rauch,
meine Gebeine brennen wie in Glut,
5   versengt wie Gras – es verdorrt mein Herz,
ich bin zu schwach, um mein Brot zu essen.

6 Ich bin matt von meinem lauten Klagen,
    meine Haut klebt an meinem Gebein.

7 Ich gleiche der Dohle in der Wüste,
    bin wie eine Eule in den Trümmern.

8 Ich liege wach und seufze wie ein einsamer Vogel auf dem Dach.

9 Den ganzen Tag schmähen mich meine Feinde,
    die mich verhöhnen, brauchen meinen Namen zum Fluchen.

10 Denn ich esse Asche wie Brot,
    mit Tränen mische ich meinen Trank

11 vor deinem Zorn und deinem Grimm,
    denn du hast mich aufgehoben und weggeschleudert.

12 Meine Tage neigen sich wie Schatten,
    ich verdorre wie Gras.

13 Du aber, Herr, thronst ewig,
    dein Name bleibt von Geschlecht zu Geschlecht.

14 Du wirst dich erheben, wirst dich Zions erbarmen.
    Es ist Zeit, es zu begnadigen, die Stunde ist da.

15 Denn deine Knechte haben lieb seine Steine,
    und um seine Trümmer tragen sie Leid.

(16 nach 23 zu lesen)

17 Ja, der Herr baut Zion auf, er zeigt sich in seiner Herrlichkeit.

18 Er wendet sich dem Gebet der Verlassenen zu,
    ihr Flehen verschmäht er nicht.

19 Dies sei aufgeschrieben für das kommende Geschlecht,
    daß ein Volk, das noch geschaffen wird,
    den Herrn preise!

20 Denn er blickt herab von seiner heiligen Höhe,
    er schaut vom Himmel hernieder auf die Erde,

21 zu hören das Seufzen der Gefangenen
    und die Todgeweihten zu befreien,

22 damit sie vom Namen des Herrn in Zion erzählen,
    damit sie ihn preisen in Jerusalem,

23 wenn sich Völker dort versammeln zuhauf
    und Reiche, dem Herrn zu dienen.

16 Dann werden die Völker den Namen des Herrn fürchten
    und alle Könige der Erde deine Hoheit.

24 Er hat meine Kraft auf dem Weg gebrochen, meine Tage verkürzt.

25 Ich sage: Mein Gott, raffe mich nicht fort
    in der Mitte meiner Tage!
    Deine Jahre währen von Geschlecht zu Geschlecht.

26 Vorzeiten hast du der Erde Grund gelegt,
    und die Himmel sind deiner Hände Werk.

27 Sie vergehen, du aber bleibst,
    wenn sie alle zerfallen wie ein Gewand.

Du wechselst sie wie ein Gewand und sie gehen dahin.
28 Du aber bleibst derselbe,
und deine Jahre sind nie zu Ende.

29 Die Söhne deiner Knechte werden sicher wohnen,
ihre Nachkommen werden vor dir Bestand haben.

Zum Text

V. 3:   Vielleicht ist in V. 3b ein Verb „merke auf" ausgefallen
V. 5:   Statt *šākaḥti* (= ich vergesse) lies *kāšaḥti*
V. 6:   Vielleicht ist nach den beiden ersten Worten ausgefallen: *jāba'ti* (=
         ich bin matt)
V. 8:   *wā'ehjah* lies stattdessen *wā'enheh*
V. 16:   V. 16 muß hinter V. 23 gelesen werden

Zum Aufbau

Ps 102 ist eine Klage des Einzelnen (so sagt es auch die Überschrift V. 1), die aber
mehrere Erweiterungen erhalten hat. Eindeutig zur Klage des Einzelnen gehören V. 1–13 und 24–25, dazu innerhalb der Erweiterungen V. 18 (und 19–21).
Eine Erweiterung V. 14–23 handelt von Zions künftigem Geschick, eine zweite
V. 26–28 von der Ewigkeit des Schöpfers. Wie diese Teile zueinander gehören,
kann erst die Auslegung zeigen.

Gliederung
V. 1   Überschrift, die den Text als Klageplan eines Einzelnen bestimmt.
2–3   Einleitender Hilferuf, Bitte um Gottes Zuwendung; die Bitte um
        Gottes Eingreifen folgt erst V. 25
4–12   Klage
        4–8   Ich-Klage, dazu V. 10. 12. 24
          9   Feind-Klage
         11   Anklage Gottes (dazu V. 13 Du aber, Gott …)
13   Du aber, Gott …
14–18   Gott wird sich Zions erbarmen (Gewißheit der Erhörung)
         14   Die Stunde des Erbarmens ist gekommen
         15   Begründung: Trauer über Zion
        (16   muß nach V. 23 gelesen werden)
         17   Gott erscheint, um Zion wieder aufzubauen
         18   Er hört das Flehen der Verlassenen
19–23   Versprechen des Gotteslobes
   16
         19   Die Tat Gottes für kommende Geschlechter aufzuschreiben
      20–21   Gott sieht von seiner Höhe erbarmend in die Tiefe
         22   In Jerusalem soll man vom Namen des Herrn erzählen
      23.16   vor den Völkern, die zum Zion wallfahren

V. 1: Ps 102 ist der einzige Klagepsalm, der in der Überschrift so bezeichnet wird: tephillāh ist eigentlich das Flehen (wie in V. 2), das später die allgemeinere Bedeutung „Gebet" erhält. Er ist das „Flehen eines Elenden" (das le bezeichnet hier den Genitiv). Zur Gattungsbezeichnung tritt der ‚Sitz im Leben': „wenn er verzagt ist . . .". Hier ist deutlich ausgesprochen, daß die Klagepsalmen ursprünglich nicht zu regelmäßigen gottesdienstlichen Begehungen gehören, sondern das Betroffensein von einem schweren Leid voraussetzen. Diese Psalmen gehören dem wirklichen Leben an.

V. 2–3: Der Psalm setzt mit einem Hilferuf ein, einer Bitte um Gottes Zuwendung. Alle Sätze in V. 2–3 drücken auf verschiedene Weise diese Bitte um Zuwendung aus. Wenn in vielen Klagepsalmen eine einleitende Bitte vor der Klage steht, obwohl die Bitte normalerweise der Klage erst folgt, ist das darin begründet, daß dieser Hilferuf einmal selbständig war und sich so in Erzählungen auch findet. Man kann den Klagepsalm als eine Entfaltung dieses Hilferufes ansehen.

V. 4–12: Nun erst folgt die Klage, gegliedert in Ich-Klage V. 4–8.10–12, Feindklage V. 9 und Anklage Gottes V. 11, wobei das Hauptgewicht auf der Ich-Klage liegt. Sie schildert ein Leiden des Leibes, man kann auf eine Krankheit schließen. Aber eine Diagnose der Krankheit läßt sich daraus nicht entnehmen. Diese Schilderung weicht stark ab von der Art, wie wir von unseren Krankheiten sprechen. Sie beabsichtigt nicht ein realistisches Aufzählen und Darstellen der Symptome, sie will vielmehr ausdrücken, was das Kranksein für das Menschsein bedeutet und wie sehr sie das Menschsein einschränkt und herabmindert. Das zeigen die Vergleiche: sie sollen nicht anschaulich machen, sie sind keine Bilder, sie sollen intensivieren, sie wollen verstärken, was die Krankheit für das Leben bedeutet. Das ist gemeint mit dem Brennen wie in Glut, dem Verdorren, Versengen wie Gras, dasselbe, was ohne Vergleich als Abnehmen der Kraft bezeichnet ist (V. 5b.6). Die Klage „meine Tage vergehen wie Rauch" V. 4 und „meine Tage neigen sich wie Schatten" V. 12 (die Vergänglichkeitsklage in V. 4 und V. 12 rahmt den Klage-Teil) bringt zum Ausdruck, daß der Klagende den Tod auf sich zukommen spürt, in seiner Krankheit ist die Kraft des Todes wirkend.

Ein häufig begegnender Zug der Klage ist die Störung oder Zerstörung des das Leben erhaltenden Rhythmus: Essen und Trinken V. 5b.10 und Schlafen V. 8; vgl. Ps 80,6. Eigenartig ist der Vergleich mit den Vögeln: „Dohle in der Wüste", „Eule in den Trümmern", „einsamer Vogel auf dem Dach" V. 7.8. Das Leid bringt Einsamkeit, der mit schwerer Krankheit Geschlagene fühlt sich als Ausgestoßener.

Während auf der Ich-Klage das ganze Gewicht liegt, klingt die Feindklage V. 9 eher formelhaft. Auch die Anklage Gottes V. 11 besteht nur in einem Satz, der aber eine große Schärfe hat: Hinter seinem schweren Leid kann der Klagende als Verursacher nur Gott in seinem Zorn sehen, der ihn verstoßen hat (zu „aufgehoben und weggeschleudert" vgl. Hi 27,21; 30,22). Aber auch diese Gottes-Klage wirkt gegenüber der Ich-Klage eher formelhaft.

V. 13: Es ist möglich, daß die Reihenfolge der Verse hier gestört ist, sie wirkt abrupt. V. 12 gehört zur Ich-Klage und würde besser auf V. 8 folgen. V. 13 wäre verständlicher im Kontrast zu V. 11; wenn es diesem direkt folgte. V. 13 beginnt mit dem „du aber . . .", dem waw adversativum, das hier den Gegensatz zwischen Gottes Thronen in seiner Majestät und dem Bewußtsein des Klagenden, von ihm verstoßen zu sein, bezeichnet. Ähnlich wie der fast gleiche Satz in Ps 22,4 steht es der Anklage Gottes nahe, bedeutet aber dennoch eine Wendung. Denn es ist ein Wort des Gotteslobes,˙ das der Klagende hier spricht; das Thronen Gottes in ewiger Majestät kann ja nicht nur zornige Abwendung, es muß auch die Möglichkeit der Zuwendung zu ihm bedeuten.

V. 14–23: V. 14–23 folgt die erste Erweiterung. Bis hierher, in V. 2–13, fällt kein einziger Satz aus der Klage des Einzelnen heraus, als der er in V. 1 in der Überschrift auch bezeichnet ist (so schon mit Recht F. Delitzsch gegen die Versuche, V. 2–13 als Klage des Volkes zu deuten).

Anders als in Ps 77, wo der Gedanke an das Schicksal seines Volkes dem Psalm organisch eingefügt war, handelt es sich hier um einen nachträglichen, mechanischen Zusatz, dessen Autor aber die gleiche Absicht hatte: die Klage eines einzelnen Leidenden mit dem brennenden Schmerz um Zion zu verbinden. Auch dieses nachträgliche Anfügen ist Zeichen einer Einstellung nach der Zerstörung Jerusalems, der das Leid um die zerstörte Stadt so gewichtig ist, daß es zusammen mit dem persönlichen Leid zu Wort kommen muß. Die gleiche Verbindung dieses Motivs vom Wiederaufbau Zions mit einer Klage des Einzelnen findet sich noch einmal in Ps 69, wo die Verse 36–37, eine Anhang, mit Ps 102,17 und 29 sachlich übereinstimmen. Die Verbindungsstelle ist in V. 18 deutlich zu erkennen. Der diesen Teil Anfügende hat dabei den Aufbau des Klagepsalms im Blick; der erste Teil von V. 14–23, V. 14–18, entspricht dem Teil „Gewißheit der Erhörung", der zweite, V. 19–23, dem Lobgelübde, auch wenn beide stark abgewandelt sind.

V. 14–18: Dieser Teil ist nicht als prophetische Ankündigung (so manche Ausleger), sondern als zum Psalm gehörende „Gewißheit der Erhörung" formuliert, nur daß an die Stelle der Wendung der persönlichen Not die Wendung des Geschickes Jerusalems getreten ist. Daß Gott sich der zerstörten Stadt erbarmt, entspricht der Trauer und der sehnsüchtigen Erwartung der Wiederherstellung in der eindrücklichen Formulierung von V. 15. Solche Sätze: „. . . haben lieb seine Steine" und „. . . tragen Leid um ihre Trümmer" verstehen alle, die die Zerstörung ihrer Stadt erfuhren; an den Trümmern haftet der Akt der Zerstörung. V. 16 ergibt an dieser Stelle keinen Sinn; er ist nach V. 23 zu lesen. V. 17 und 18 wiederholen die Gewißheit der Erhörung in der Weise, daß V. 17 den V.

14a weiterführt: Gott wird sich Zions erbarmen und es wieder aufbauen. V. 18 kann sich auf die Trauer um die zerstörte Stadt V. 15 beziehen; der Satz ist aber so formuliert, daß er Wort für Wort die „Gewißheit der Erhörung" der Einzelklage sein könnte, also die Fortsetzung von V. 1–13. Durch V. 18 ist der Zusatz 14–18 mit ihr verbunden.

V. 19–23.16: Dieser Teil steht an der Stelle des Lobgelübdes. Dabei schließen V. 19–21 so an V. 18, daß auch sie den Schluß einer Einzelklage sein könnten, das zeigt ihre Nähe zu Ps 22,23–32 (V. 19 fast gleich 22,31). Statt des Weitererzählens soll hier das im Psalm bezeugte Geschehen aufgeschrieben werden (so auch Ps 139,16), das zeigt, wie in späterer Zeit die schriftliche an die Stelle der mündlichen Tradition tritt. Das Ziel aber bleibt das gleiche: daß das Lob Gottes in den kommenden Geschlechtern weitergehe. Hier folgt in V. 20–21 eines der typischsten Worte des Gotteslobes (vgl. z. B. Ps 113): Gott wird gelobt in seiner Majestät, aus der er in die Tiefe blickt, um das Flehen der Gefangenen und Todgeweihten zu erhören und sie zu befreien. Erst in V. 22–23 (mit V. 16) wird der auf Zions Wiederaufbau bezogene Nachtrag fortgesetzt, V. 22 f. könnte unmittelbar an V. 14.15.17 anschließen. Hier ist dies Gotteslob auf den Wiederaufbau Jerusalems bezogen, in Jerusalem soll von Gottes Tat an seiner Stadt erzählt werden. Dies aber soll vor den in Jerusalem versammelten Völkern geschehen, in V. 23 bezieht sich der Ergänzer auf die in Jes 2 und Mi 4 verheißene Völkerwallfahrt zum Zion. Sie ist aber dem Psalm so angepaßt, daß sich hier zeigt, wie eine prophetische Verheißung in den Gottesdiensten der späten Zeit aufgenommen worden ist.

V. 24–29: V. 23 mit 16 klingt wie ein Abschluß. Die Verse 24–29 sind in ihrem Zusammenhang schwer zu bestimmen. V. 24 setzt ganz unvermittelt die Ich-Klage fort mit der auf sie folgenden Bitte in V. 25a. Da es in beiden Versen um die Furcht vor einem baldigen, vorzeitigen Tod geht, könnten V. 24.25a an V. 12 anschließen und V. 25b gehört nahe mit V. 13 zusammen: dem eigenen vorzeitigen Tod wird Gottes Ewigkeit gegenübergestellt, V. 13 und 25a. Das Motiv der Ewigkeit Gottes wird in V. 26–28 erweitert, eine zweite Erweiterung, daran kenntlich, daß V. 28 zu 25b zurückkehrt. Diese zweite Erweiterung ist wahrscheinlich so zu verstehen, daß zum Wirken Gottes in der Geschichte V. 14–17.22–23 hier das Wirken des Schöpfers tritt V. 26; beides ist im Lobpsalm Entfaltung des Lobes der Majestät Gottes (z. B. Ps 33). Hier hebt das Schöpfungsmotiv (26) die Ewigkeit Gottes hervor (27–28). Wenn nun der Klage der Vergänglichkeit des Menschen V. 24–25 die Ewigkeit Gottes in 25b–28 so entgegengehalten wird, daß Erde und Himmel zusammen mit einem einzelnen Menschen dem ewigen Gott gegenüber auf die Seite des Vergänglichen gestellt werden: „. . . sie alle zerfallen wie ein Gewand", dann ist damit der einzelne Mensch in seinem Leid und der Angst vor einem baldigen Tod aus seiner Isolierung (V. 7–8) herausgenommen und sein Dasein erhält, auch wenn es auf den Tod zugeht, einen Sinn im großen ganzen der Schöpfung, die in ihrer Vergänglichkeit ihrem Schöpfer gegenüber bleibt. „Du aber bleibst", darin kann sich auch der seinem Ende Entgegengehende geborgen wissen.

V. 29: Dieser den Psalm jetzt abschließende Satz V. 29 gehört eigentlich zu der ersten, der Zion-Erweiterung, wie der gleiche Satz nach einem V. 17 entsprechenden Satz in Ps 69,35–36 zeigt. Wenn dieser Satz vom sicheren Wohnen der Nachkommen an den Schluß, auf V. 26–28 folgend gestellt ist, so soll zum Bleiben Gottes das Weitergehen des Lebens in den kommenden Geschlechtern gefügt werden. Auch für den vergänglichen Menschen bleibt in den Grenzen seiner Vergänglichkeit die Möglichkeit des „sicheren Wohnens", des „Bestand-habens".

Psalm 130: Aus der Tiefe

1　Ein Wallfahrtslied
　　Aus der Tiefe rufe ich, Herr, zu dir,
2　höre auf meine Stimme,
　　laß deine Ohren merken auf mein lautes Flehen!
3　Wenn du die Sünden anrechnest, Herr,
　　wer könnte vor dir bestehen!

4　Doch bei dir ist Vergebung, daß man dich fürchte.
5　Ich hoffe von Herzen auf dich, o Herr,
　　und auf sein Wort warte ich.
6　Es hofft meine Seele auf den Herrn,
　　mehr als die Wächter auf den Morgen.

7　Es harre Israel auf den Herrn.
　　Denn bei dem Herrn ist die Gnade,
　　bei ihm ist Erlösung in Fülle.

8　Ja, er wird Israel erlösen von allen seinen Sünden.

V. 5:　Das dritte Wort *qiwwetāh* ist an den Anfang von V. 6 zu setzen.
V. 6:　Das zweite „Wächter am Morgen" ist fortzulassen, Doppelschrei-bung.

Zum Aufbau

Gliederung:
　V. 1–2:　Bitte um Erhörung
　V. 3–4:　Zur Bitte gehörendes Motiv
　V. 5–7:　Bekenntnis der Zuversicht
　　　　　　5–6　　Hoffnung auf Vergebung
　　　　　　7b　　Gewißheit der Erhörung
　V.7a–8:　Zusatz: Vergebung für Israel

Psalm 130 gehört zu den Psalmen, in denen ein Motiv des Klagepsalms zu einem eigenen Psalm verselbständigt ist: die Bitte um Vergebung (vgl. Ps 51 bei dem aber der Ton auf dem Sündenbekenntnis liegt). Der Psalm als ganzer ist eine Bitte um Vergebung, die Klage ist nur noch in der Bitte angedeutet V. 1–2. Da auch V. 3–4 zur Bitte gehören, besteht der ganze Psalm nur aus der Bitte um Vergebung 1–4 und dem Ausdruck der Hoffnung, daß sie gewährt werde 5–7). Auch bei diesem Psalm ist wie bei Ps 51 anzunehmen, daß er zu einer gottesdienstlichen Handlung im Zusammenhang der Sündenvergebung gehört. Dabei handelt es sich eindeutig um das Gebet eines Einzelnen. Die beiden Sätze V. 7a und 8, die die Sündenvergebung auf Israel beziehen, sind nachträglich hinzugefügt.

V. 1–2: „Aus der Tiefe": das Wort bedeutet „Wassertiefe" und ist ein Ausdruck für Not, wie z. B. in Ps 69,3 (15) „Ich bin versunken in tiefem Schlamm, wo kein Grund ist; ich bin in Wassertiefen geraten . . .", so auch Jes 51,10; Ez 27,34; vergleiche M. Luther: „Aus tiefer Not schrei ich zu dir . . ." Es ist damit eine wirkliche Not gemeint, die den ganzen Menschen betroffen hat, nicht nur eine ‚Sündennot'. Das Rufen zu Gott aus dieser Not ist ein Ruf aus Todesnot, das bange Hoffen V. 5–6 ist ein Hoffen angesichts der Drohung des Todes.

Das ist in Psalm 130 nicht anders als in allen Klagepsalmen des Einzelnen. Man muß es aber hier betonen, weil der Psalm vielfach so ausgelegt wird, als sei hier nur die Sündennot gemeint, als rufe in V. 1–2 ein von seinem Sündenbewußtsein gequälter Mensch zu Gott. Aber ein so abstraktes Sündenbewußtsein kennt das Alte Testament nicht, wie es auch keinen allgemeinen, abstrakten Sündenbegriff kennt (s. zu Ps 51). Vielmehr betrifft ein Vergehen gegen Gott immer den ganzen Menschen in seiner Gottesbeziehung, mit Leib und Seele und in seinem Zusammenleben mit anderen Menschen. Die Verfehlung gegen Gott wirkt sich auf das ganze Menschsein aus. Der in Ps 130 zu Gott Rufende ruft aus seiner Tiefe, in die er mit seiner ganzen Existenz gesunken ist. Er weiß aber, daß diese Not von ihm selbst verschuldet ist; deshalb hängt für ihn alles daran, daß Gott ihm vergibt. Deshalb fehlt hier auch (anders als in Ps 51) ein ausdrückliches Sündenbekenntnis. Für den hier zu Gott Rufenden ist es keine Frage, daß er schuldig ist, er hat das längst zugegeben. Für ihn geht es allein darum, daß Gott ihm vergibt. Deshalb die so stark betonte Bitte um Gottes Zuwendung in V. 2.

V. 3–4: Von daher sind auch die beiden Motive in V. 3 und 4 zu verstehen, die Gott bewegen sollen, sich ihm zuzuwenden, das eine (V. 3) auf den Menschen, das andere (V. 4) auf Gott blickend. Kein Mensch könnte vor Gott bestehen, würde Gott alle seine Verfehlungen „festhalten" und ihn dementsprechend bestrafen; denn der Mensch ist fehlbar und zu Verfehlungen geneigt. Gott aber ist barmherzig: „. . . bei dir ist die Vergebung"; das Wort in den Psalmen nur hier; sonst noch Sir 5,5, im Plur. Neh 9,12: „Aber du bist ein Gott der Vergebung, gnädig und barmherzig . . .", Dan 9,9: „Bei dem Herrn, unserem Gott, ist Erbarmen und Vergebung." Diese beiden sehr ähnlichen Stellen zeigen, daß Ps 130 ein später Psalm ist. Der Satz ist ein Lob des sich erbarmenden Gottes, wie Ps 103. Hier ist mit aller Deutlichkeit ausgesagt, daß dieses Erbarmen Gottes das einzige ist, woran sich der halten kann, den seine Verfehlung mit ihren Folgen tödlich bedroht.

Dieser Satz V. 4a ist fortgesetzt „damit (daß) man dich fürchte". Dieser Zusammenhang ist nicht ohne weiteres klar, weil für uns das Wort „fürchten" eo ipso negativ klingt. Das ist hier anders. Mit „Gottesfurcht" ist eine positive Gottesbeziehung gemeint; einer, der Gott fürchtet, ist bei Gott geborgen. Gemeint ist hier dann: Gerade die Gewißheit, daß Gott barmherzig ist, daß zu seinem Gottsein die Vergebung gehört, kann eine Gottesbeziehung (die Gottesfurcht) begründen, die Geborgenheit in Gott bedeutet. Ehrfurcht vor Gott ist Ehrfurcht vor dem gnädigen Gott.

V. 5–6: Der Bitte V. 1–2 folgt das Bekenntnis der Zuversicht, dem Aufbau des Klagepsalms entsprechend. Diese beiden Verse 5–6 sind ein locus classicus für das Verständnis von hoffen, Hoffnung in der Bibel. Das Wort Hoffnung bedeutet in der Bibel nicht, wie es meist falsch ausgelegt wird, sich ein Bild von der Zukunft machen; Hoffnung bedeutet auch nicht ‚das was man sich erhofft‘ (was man sich vorstellt oder erträumt), sondern Hoffen, Hoffnung ist ein Vorgang, ein gespanntes Aussein auf etwas (C. Westermann, Das Hoffen im AT, ThB 24, 1964, S. 219–265), wobei sich das, was man erhofft, aus der Situation ergibt, aus der einer hofft. Wenn nun hier an die Stelle des Erhofften Gott selbst getreten ist „Ich hoffe auf dich", eine Sonderbildung der Psalmensprache, so kommt darin zum Ausdruck, daß das Erhoffte ganz und gar beschlossen ist in dem, der allein aus der Not helfen kann. Die Hilfe ist im Helfer beschlossen. Dabei ist ein Vergleich gebraucht: „. . . mehr als die Wächter auf den Morgen." Er soll das „Hoffen auf Gott" nicht anschaulich machen, das kann er nicht, weil er kein Bild, sondern ein Vorgang ist und weil das Hoffen auf Gott sich nicht im Bild darstellen läßt. Der Vergleich soll vielmehr das Verglichene intensivieren, das Hoffen auf Gott soll durch den Vergleich stärker, eindrücklicher sprechen, was in diesem Fall besonders gut gelungen ist. Denn die Hörer des Psalms kennen solche Nachtwache in Gefährdung und Verantwortung für andere, bei der man den Morgen herbeisehnt, aus eigener Erfahrung. In synonymem Parallelismus folgt auf V. 5a der Satz: „. . . und auf sein Wort warte ich". Damit kann nur das vergebende, das Vergebung schenkende Wort Gottes gemeint sein. Wenn dieser Psalm zu einer gottesdienstlichen Begehung gehört, ist damit der Zuspruch der Vergebung durch einen Priester gemeint. Auf jeden Fall aber ist damit gesagt, daß eine Hilfe Gottes aus der Tiefe heraus allein aufgrund des Vergebungswortes Gottes möglich ist.

V. 7b: An V. 6 schloß ursprünglich 7b (7a fehlt in der Septuaginta); er gibt den Grund für das Hoffen an und führt damit das Lob des erbarmenden Gottes von V. 4 weiter („bei dir ist" in 7b wie in 4). „Gnade" und „Erlösung", nur noch Ps 111,9; Ex 8,19 (?); Jes 50,2, stehen hier parallel, seine Güte (Gnade, häsäd) bewirkt die „Erlösung in Fülle"; vgl. Ps 103.

Liest man den Psalm zunächst ohne V. 7a und 8, wird die Geschlossenheit seines Aufbaues deutlicher. Er beginnt mit dem Wort „aus der Tiefe" und endet mit dem Wort „Erlösung"; dem letzten Satz V. 7b entspricht der Satz in der Mitte V. 4, beide sind ein Lob der Barmherzigkeit Gottes.

V. 7a.8: Dies sind zwei Anhänge (oder auch ein Anhang), die der Psalm später erhalten hat. Denn es kann keine Frage sein, daß Ps 130 das Gebet eines Einzelnen ist, und das Lobwort V. 7b ist der ursprüngliche Abschluß des Psalms. Abgesehen davon, daß V. 7a in der Septuaginta fehlt, ist es als Anhang (V. 3) auch an Ps 131 gefügt, auch dieser Psalm ist der eines Einzelnen. Der Satz V. 8 spricht die Gewißheit aus, daß Gott Israel von seinen Sünden erlösen wird. Derselbe Satz (fast wörtlich) ist als Anhang an Ps 25 gefügt (V. 22), auch dies der Psalm eines Einzelnen. Da es ein alphabetischer Psalm ist, dessen letzter Vers (21) mit tāw anfängt, ist in diesem Fall ganz sicher, daß er nachträglich angefügt ist. Der Grund für die Anfügung von 7a und 8 an Ps 130 (ebenso Ps 131) ist zu erkennen. Die Psalmen 120–134 sind eine Sammlung, die einmal selbständig war. Alle Psalmen haben die gleiche Überschrift „Wallfahrtslied". Da Wallfahrtslieder eigentlich Lieder einer Gruppe, einer Gemeinschaft sind, haben Psalmen des Einzelnen, die in diese Sammlung aufgenommen wurden, einen solchen Anhang erhalten, der den Bezug zur Gemeinschaft herstellt.

Zu diesem formalen kann man einen theologischen Grund fügen: Wie wir das schon bei Ps 77 und 102 fanden, hat in der Zeit vom Exil ab das Schicksal Israels, das die Propheten als ein Gericht über Israels Schuld gedeutet hatten, eine hohe Bedeutung für die Frömmigkeit auch des Einzelnen bekommen, so daß es auf vielfache Weise mit den Gebeten des Einzelnen verbunden wurde. Das ist auch bei den Anfügungen in Ps 130 geschehen.

Luthers Lied „Aus tiefer Not schrei ich zu dir . . ." zeigt, daß die Reformatoren in diesem Psalm ihr Verständnis von Sünde und Gnade in besonderer Weise wiederfanden. Wenn er den V. 4 und 7b so wiedergibt: „Ob bei uns ist der Sünde viel, bei Gott ist viel mehr Gnade . . .", hat er damit dem Lob der Gnade Gottes das gleiche Gewicht gegeben, das es im Psalm hat. Der 130. Psalm ist einer von denen, die von dem Erbarmen Gottes, seiner Güte, seinem Willen zu vergeben so reden, daß sie uns einen unmittelbaren Eindruck davon geben, was sie für die Beter der Psalmen bedeutete. Es ist deshalb eine grobe Entstellung, wenn auch heute noch Altes Testament und Neues Testament so einander gegenübergestellt werden, daß das Alte vom zornigen, das Neue vom gnädigen Gott rede. Die Bitte um die gnädige Zuwendung Gottes, hier im 130. Psalm wie in einer Fülle weiterer Psalmen, bringt eindeutig zum Ausdruck, daß den Betern der Psalmen der wichtigste Zug an der Gottheit Gottes die unerschöpfliche Fülle seines Erbarmens war. Dazu sagt der 130. Psalm etwas zum Verständnis der Sünde im Alten Testament. Die besondere Wirkung dieses Psalms beruht nicht zuletzt auf der Bewegung, die ihn von seinem Anfang bis zu seinem Ende hin bestimmt. Mit dem Wort „Aus der Tiefe . . ." setzt er ein, und den Worten „bei ihm ist Erlösung in Fülle" endet er; in der Mitte steht der Satz, der die gespannte Bewegtheit zwischen Anfang und Ende zum Ausdruck bringt: „Es hofft meine Seele auf den Herrn, mehr als die Wächter auf den Morgen." Seine Sünde hat den Beter in die Tiefe gebracht, aus der sein Flehen dringt. Aber in seinem

Hoffen setzt eine Bewegung ein, die aus der Tiefe führt. Sie gründet sich auf die Gewißheit, daß Gottes Erbarmen das Stärkere ist. Sünde ist hier nicht etwas das Sein des Menschen immer gleich Bestimmendes, auch wenn er weiß, daß der Mensch fehlbar und zur Sünde geneigt ist. Sünde vielmehr ist etwas die Geschichte des Menschen, die von Höhen in Tiefen und wieder auf Höhen führt, Bestimmendes, die Geschichte eines Menschen mit seinem Gott.

Vertrauenspsalmen des Einzelnen

Psalm 4: Ich liege und schlafe ganz in Frieden

1 Dem Musikmeister. Auf der Harfe. Ein Psalm Davids.
2 Wenn ich rufe, antworte mir, Gott meines Heils!
   In der Bedrängnis hast du mir Raum geschafft;
   erbarme dich meiner und höre auf mein Flehen!
3 Ihr Männer, wie lange noch wird meine Ehre zur Schande,
   liebet ihr Eitles und trachtet nach Lüge?
4 Doch wisset, daß der Herr mir wunderbare Gnade erwies,
   der Herr hört, wenn ich zu ihm rufe.
5 Erregt euch, aber verfehlt euch nicht!
   Erbittert euch im Herzen auf eurem Lager, aber bleibt still!
6 Bringt rechte Opfer dar und traut auf den Herrn!
7 Viele sagen: Wer läßt uns Gutes erfahren?
   Erhebe über uns, Herr, das Licht deines Angesichtes!
8 Du hast mir größere Freude ins Herz gegeben
   als andere Korn und Wein in Fülle haben.
9 Ich liege und schlafe ganz in Frieden;
   denn du allein, Herr, läßt mich sicher ruhen.

Zum Text

V. 5: Wegen des Parallelismus ist statt *'imrū* (saget) zu lesen *hāmērū* (von *mrr*).

Zum Aufbau

Der Psalm beginnt als Klage des Einzelnen und geht in einen Vertrauenspsalm über, d.h. das Motiv des Vertrauens wird in ihm beherrschend.

Der Aufbau ist sehr frei; die Motive klingen zum Teil nur an. V. 2 ist einleitende Bitte. Die Klage ist in V. 3–6 angedeutet, aber stark abgewandelt in der Anrede an die Feinde des Beters. V. 7–9 sind bestimmt vom Bekenntnis der Zuversicht, aber in ganz freier, reflektierender Form. An diesem Psalm als ganzem ist das Reflektieren, das Nachdenken stark beteiligt. Die Auslegung muß versuchen, diesem Nachdenken zu folgen. Das ist aber nur begrenzt möglich. Es braucht ihn deshalb auch nicht jeder gleich zu verstehen. Hier gilt besonders, daß ein einmaliges Lesen uns den Psalm keinesfalls erschließen kann. Man muß ihn wieder und wieder lesen und die Beziehung der Teile und Motive zueinander immer neu durchdenken.

V. 2: Der Psalm beginnt in V. 2 wie ein Klagepsalm mit der einleitenden Bitte um Erhörung. Dieses Flehen um eine Antwort in der ersten und dritten Zeile von V. 2 läßt die Angst erkennen, daß Gott verstummen könnte, die oft in den Klagen begegnet (Ps 22), die Angst, den Kontakt mit Gott zu verlieren. In dieser Angst hält sich der Beter an seine Erfahrung; von den beiden Bitten ist in der zweiten Zeile das Sich-Halten an diese Erfahrung eingefaßt. Er denkt daran, daß Gott ihm einmal aus der Bedrängnis geholfen, ihm „Raum geschafft" hat, Raum zum freien Atmen.

V. 3–6: Nun müßte die Klage folgen, sie folgt auch, beschränkt auf die Feind-klage (die Ich-Klage klingt in V. 7a an), aber stark abgewandelt zur Anrede an die ihn bedrängenden Feinde. Dabei bleibt im Stil des Klagepsalms nur V. 3; hier verklagt der Beter seine Feinde: Es ist bewußte Lüge, wenn sie ihm Handlungen oder Worte nachsagen, die ihm in der Gemeinschaft Schande einbringen. Zu dem Satz: „Wie lange noch wird meine Ehre zur Schande" ist erklärend zu sagen: bei „Ehre" und „Schande" geht es im Alten Testament nicht um Extreme, Ehre bedeutet nicht Auszeichnung, die einige über andere erhebt, aus den anderen heraushebt (etwa durch Verdienstabzeichen oder als Ehrenbürger), sondern die normale Geltung und Anerkennung in einer Gemeinschaft.

V. 4–6: In den folgenden Versen 4–6 klagt der Beter die Feinde nicht mehr an; er versucht vielmehr, sie von ihrer Haltung abzubringen, sie zum Umdenken zu bewegen. Das geschieht in den Klagepsalmen sehr selten, fast nie. Wir haben darin eine Folge der Wendung von der Klage zum Vertrauen zu sehen, von der dieser Psalm bestimmt ist. Die Zuversicht zu Gott, von der er erfüllt ist, wirkt sich auch in der Einstellung zu seinen Gegnern aus. Mit drei Hinweisen will er sie zum Umdenken bewegen: Er hält ihnen seine Verbundenheit mit Gott vor (V. 4), Gott hat ihn erhört (s. V. 2b) und ihm damit wunderbare Gnade erwiesen; hat es Sinn, daß sie sich Gott entgegenstellen? Die Erfahrung mit Gott wird dem, der seinen Gegnern unterlegen ist, zu einem Halt, sie kann auch seinen Gegnern etwas bedeuten.

V. 5: Dieser Satz V. 5 fällt völlig aus dem Stil des Klagepsalms heraus; er erhält seinen Sinn allein aus der Anrede an die Gegner. Er kommt ihnen entgegen, versetzt sich in ihre Lage und gesteht ihnen zu, daß ihre Erregung, ihre Verbitterung verständlich ist. Leider können wir aus dem Psalm nicht entnehmen, welches der Grund dafür ist, wohl aber kennen wir das Phänomen, wie die

Erbitterung über ein erfahrenes Unrecht des Nachts „im Herzen auf unserem Lager" anwachsen und immer bitterer werden kann. Da hinein warnt der Beter seine Gegner: Laßt sie nicht zum Ausbruch kommen!

V. 6: Dieser Warnung fügt er nun einen helfenden Hinweis hinzu: „Bringt rechte Opfer dar", damit meint er nicht etwa kultisch korrekte Opfer, sondern entsprechend Ps 51,19 „das Opfer, das Gott gefällt . . .", das Aufgeben ihres Anspruchsdenkens, ihres Willens, sich selbst ohne Rücksicht auf andere durchzusetzen. Dieses Aufgeben einer ichbezogenen Selbstsucht ist für ihn gleichbedeutend mit dem Vertrauen auf Gott: „. . .und traut auf den Herrn".

V. 7: Die Anrede an die Gegner ist mit V. 6 abgeschlossen. Während die Verse 4–6 in sich einen festen Zusammenhang haben, erscheinen nun V. 7a und 7b abrupt. Man erkennt zunächst weder einen Zusammenhang, der von V. 4–6 zu 7 führt noch einen Zusammenhang zwischen 7a und 7b. Bei der Frage nach dem Zusammenhang ist von der Struktur des Klagepsalms auszugehen. Auf die Feindklage (V. 3, erweitert in 4–6) folgt oft die Ich-Klage. Sie ist auch in V. 7 vorausgesetzt in dem, was „viele sagen"; aber das ist dem reflektierenden Zusammenhang von V. 4–6 angeglichen.

Mit der Einführung „viele sagen . . ." schließt sich der Beter mit seinen Gegnern zusammen: sie begegnen einander in der Klage des Unglücklichen: „Wer läßt uns Gutes erfahren?", die in den Klagepsalmen in mancherlei Form (in den Sätzen der Ich-Klage) erhoben wird und die heute zum Menschsein gehört wie damals. Dieser Klage aber setzt der Beter seine Erfahrung entgegen und redet auch damit noch seine Gegner an: in der Hinwendung zu Gott (vgl. V. 2) fand er die Wendung seines Unglücks „Erhebe über uns, Herr, das Licht deines Angesichtes!" dem gottesdienstlichen Segen entsprechend: „Der Herr lasse sein Angesicht über dir leuchten!".

V. 8–9: Inwiefern diese Hinwendung zu Gott tatsächlich die Wendung seines Unglücks bedeutet, sagen die beiden abschließenden Verse. Sie bringen klar und nüchtern zum Ausdruck, was ihm das Vertrauen zu Gott bedeutet, zu dem er seine Gegner rief (V. 6), das er vor ihnen als seine Erfahrung bekennt (V. 4). Es geht dabei um die Versorgung (V. 8) und um die Sicherheit (V. 9), damals wie heute, wie immer und überall. Das bekennt der Beter: Essen und Trinken hat aufgehört, seine größte Sorge zu sein: „Du hast mir größere Freude ins Herz gegeben . . ." Die Sorge um „Korn und Wein" wird ihn nicht mehr umwerfen. Er braucht das wie jeder andere und ist gewiß, daß ihn Gott mit dem Nötigen versorgt; aber die „größere Freude" ist für ihn, daß er den Kontakt mit Gott hat und die Gaben aus seinen Händen empfängt. Es geht dabei auch um die Sicherheit. Denn das Vertrauen zu Gott ist nicht etwas, was sich gewissermaßen in einem Nebenraum des Lebens, einem religiösen Bereich abspielt; dieses Vertrauen gibt es nur mitten im Leben oder gar nicht. Es kann darum seinen Ausdruck finden in einem so nüchternen und alltäglichen Satz: „Ich liege und schlafe ganz im Frieden . . ." Der Mann, der das sagt, kann ruhig und friedlich schlafen angesichts aller möglichen Gefährdungen. Er denkt dabei an tödliche

Gefährdungen, in denen er diesen Satz sagte und dann ruhig einschlief, „denn du allein, Herr, läßt mich sicher ruhen".

Die beiden Sätze V. 8 und 9, in denen am Ende des 4. Psalms das Vertrauen zu Gott ausgedrückt wird, entsprechen zwei Vergleichen, die in einer Fülle von Psalmworten dasselbe tun: Gott ist mein Fels, meine Burg, meine Zuflucht, das ist der eine, und der andere: Gott ist mein Teil, mein Los. Diese beiden Vergleiche, die auch die beiden Verse 8 und 9 verbinden, sind, das zeigen diese Stellen, aus einer tausendfachen Erfahrung vieler Generationen erwachsen. Sie zeigen, was den Betern der Psalmen Gott bedeutet.

Psalm 23: Der Herr ist mein Hirt

1 Ein Davidpsalm
   Der Herr ist mein Hirt, mir wird nichts mangeln.
2 Auf grünen Auen läßt er mich lagern,
   zum Ruheplatz am Wasser führt er mich,
3 stillt mein Verlangen.
   Er leitet mich auf den richtigen Wegen um seines Namens willen.
4 Auch wenn ich durch eine finstere Schlucht gehen muß,
   ich fürchte kein Unheil, denn du bist mir mir,
   dein Stecken und Stab geben mir Zuversicht.
5 Du deckst vor mir einen Tisch im Angesicht meiner Feinde.
   Du salbst mein Haupt mit Öl, schenkst mir den Becher voll ein.
6 Nur Gutes und Gnade werden mir folgen mein Leben lang,
   und ich werde im Haus des Herrn weilen solange ich lebe.

Zum Text

V. 2: Wörtlich: zu Wassern der Ruhe (Plur.); das Versabschluß-Zeichen ist hinter das zweite Wort von V. 3 zu versetzen.
V. 4: G fügt hinzu ‚mitten'. „Stecken und Stab" nach L. Köhler: Keule und Stütze.
V. 6: Statt *wešabti* (ich kehre zurück) ist *wejāšabti* zu lesen.

Zum Aufbau

Ps 23 hat nicht die Gliederung einer der Psalmgattungen, in ihm ist vielmehr ein Motiv der Klage des Einzelnen, das Vertrauensbekenntnis, zu einem Psalm erweitert. Zum Motiv des Vertrauensbekenntnisses gehören alle sechs Verse des Psalms.

Die V. 1–3 sind vom Vergleich Gottes mit dem Hirten bestimmt, in ihnen ist das Vertrauensbekenntnis „Du bist mein Hirt" entfaltet nach den beiden Funktionen des Hirten: er führt (V. 3) und versorgt (V. 1–2 mit Weide und Wasser) seine Herde. Die Mitte des Psalms V. 4 gibt der Gewißheit Ausdruck, daß Jahwe mit ihm ist und ihn in Gefährdungen behütet; dabei klingt in der dritten Zeile von V. 4 der Vergleich mit dem Hirten noch einmal an. V. 5 verbindet den ersten (1–3) mit dem zweiten (4) Teil in der Weise, daß der Psalmist auch in der Bedrohung von Feinden der Versorgung durch Gott gewiß ist, wobei die Versorgung mit dem Lebensnotwendigen zur Festfreude gesteigert ist. V. 6 schließt mit der Gewißheit ab, daß diese Verbundenheit mit Gott sein Leben lang dauern wird.

Zur Vorgeschichte des Satzes „Jahwe (der Herr) ist mein Hirt". Der Satz hat eine beachtenswerte Vorgeschichte in zwei Stadien:

1. Der Vergleich mit dem Hirten begegnet schon im Sumerischen, angewandt auf Könige und auf Götter:

> „König der Stadt, die wie eine Kuh gediehen ist,
> guter Hirte bist du!"
> „Hirte, die Schwarzköpfigen (= Menschen) zu hüten verstehst du.
> Mutterschaf und Lamm, um (Nahrung) zu suchen,
> kommen sie dazu zu dir;
> über Ziege und Zicklein den Stab auf ferne Tage zu führen,
> verstehst du,
> Ningizzida, den Stab auf ferne Tage zu führen verstehst du."
> (Falkenstein, Sumerische Götterlieder, II. Teil, 1960, S. 58 f.82).

Diese Parallelen zeigen, daß Ps 23 ein sehr alter Vergleich zugrunde liegt. In der Zeit, als er entstand, hing die Existenz der Gruppe am Führenden wie die der Herde am Hirten. So war es bei der wandernden Gruppe, so wurde es in der seßhaften Kultur der Sumerer übernommen.

2. Das zweite Stadium ist die Übertragung des Vergleiches auf das Verhältnis des Einzelnen zu seinem Gott, wie es hier in Ps 23 vorliegt. Auch im Alten Testament ist im älteren Gebrauch der Vergleich auf das Verhältnis Gottes zu seinem Volk bezogen (Ps 80; Jes 64), das ist das Natürliche und nur so kann der Vergleich entstanden sein. Wenn er auf das Verhältnis zum Einzelnen übertragen wird, zeigt das einen Wandel an: ein stärkeres Hervortreten des Individuums im Gottesverhältnis, das sich auch sonst im Alten Testament in späteren Schriften, besonders bei Ezechiel, zeigt. Es ergibt sich daraus auch mit Sicherheit, daß der 23. Psalm erst ein später Psalm ist.

V. 1–3: Das Bekenntnis der Zuversicht wäre ausreichend in einem Satz ausgesprochen: „Jahwe ist mein Hirt – auf ihn traue ich" oder 2. Pers. Der Dichter des Psalms verweilt bei diesem Vergleich und entfaltet ihn: was der Hirt für die Herde bedeutet, das bedeutet Gott für mich. Er versorgt mich mit Nahrung und Trank, er führt mich den richtigen Weg. Dies alles im Vergleich mit dem Hirten gesagt, ist die reflektierende Erweiterung eines Psalmmotives; es soll eindringlich und zugleich einladend weitersagen, was Gott für den bedeutet, der hier redet. Man kann das nur verstehen vor dem Hintergrund der Struktur der Einzelklage. Wie der Beter im Bekenntnis angesichts seiner Not und Bedrängnis sein Vertrauen auf die Hilfe Gottes setzt, so will der Psalmist hier dieses Bekenntnis in der reflektierenden Erweiterung in helles Licht setzen, will es verstärken und unterstreichen. Er will seine Gewißheit und die seiner Mitmenschen stärken: „. . . mir wird nichts mangeln."

V. 4: In diesem V. 4 in der Mitte des Psalms tritt der Hintergrund des Klagepsalms deutlicher hervor. Hier zeigt sich, daß der Psalm kein Idyll meint; das Vertrauen bewährt sich in Todesgefahr: „Ich fürchte kein Unheil, denn du bist mit mir". Der Vergleich ist in V. 4a verlassen, der Psalmist berichtet von realen Erfahrungen. Nur im letzten Satz „. . . dein Stecken und Stab geben mir Zuversicht" klingt der Vergleich noch einmal an. „Stecken und Stab" können zwei Bezeichnungen für den Hirtenstab sein; besser würde die Deutung L. Köhlers passen: „Keule und Stütze". Die Begründung „. . . denn du bist bei mir" *(ki 'attāh 'immādi)* kann auf die Formel des Mitseins Gottes in den Vätergeschichten bezogen sein (z. B. in der Verheißung des Mitseins Gen 26,3 u. ö.).

V. 5: Dieser V. 5 fügt nicht zu dem Bild des guten Hirten das des guten Wirtes (Überschrift in einem Kommentar: „Jahwe der gute Hirt und Wirt"), sondern ist, wie zum Teil schon V. 4, direktes Reden. Dieser Satz verbindet das Beschützen (V. 4) mit dem Versorgen (V. 1–2) und überhöht dieses dabei: du läßt mich ein Fest feiern, ohne daß es meine Feinde hindern können! So gewiß ist dem Psalmisten der Beistand Gottes, der ihm festliche Freude gewährt trotz aller Bedrängnis. Dabei macht der Hinweis „gegenüber meinen Feinden" wieder den Hintergrund des Klagepsalms deutlich, um die drei Subjekte der Klage des Einzelnen Gott – der Beter – die Feinde geht es auch hier.

V. 6: Der Psalm schließt ab mit der Gewißheit, daß die im Vertrauen gewonnene Verbindung mit Gott bestehen bleiben wird, solange er lebt. Dies ist nicht im Sinn eines bleibenden Optimismus zu verstehen. Der hier redet, weiß, daß er noch oft durch eine finstere Schlucht gehen muß, aber er weiß auch, daß diese Gefährdungen ihn nicht von Gott trennen können. Der letzte Satz bedeutet nicht, daß er von nun ab immer im Tempel wohnen wird; er klingt an ein ähnlich formuliertes Lobgelübde an wie Ps 17,15 oder Jer 38,20 (Psalm des Hiskia): „Ich aber will in Gerechtigkeit dein Angesicht schauen, will mich sättigen, wenn ich erwache, an deinem Bilde." Hier wie dort ist die bleibende feste Verbindung mit Gott gemeint.

Zum Abschluß: Dieser schöne 23. Psalm, wohl der bekannteste von allen Psalmen, ist oft als eine Idylle, als freundliches, idealisierendes Bild eines der Wirklichkeit fernen Gottesverhältnisses verstanden worden. Das will er nicht sein, und das ist er ursprünglich nicht. Man muß einmal die äußerst realistische Schilderung der Arbeit eines Hirten in Gen 31,38–41 lesen, dann vergeht einem das Bild eines freundlich lächelnden Hirten mit sanftem Gesicht. Überhaupt ist es nicht die Absicht des Textes, uns ein Bild, das Bild des guten Hirten vor Augen zu malen. Dem Text ist weder an dem Bild des Hirten noch des „Schäfleins" gelegen. Er stellt vielmehr zwei Vorgänge nebeneinander: das Sorgen des Hirten für seine Herde und das Sorgen Gottes für einen Menschen, der ihm vertraut. Es ist dies Vertrauen, dieses „Bekenntnis der Zuversicht", das den Vergleich

Gottes mit einem Hirten überhaupt erst ermöglicht; es ist dieses Vertrauen, das in dem Vergleich dargestellt und entfaltet werden soll. Dieses Vertrauen aber beruht auf Erfahrungen im wirklichen Leben, zu dem das Leid, die Angst, die Verzweiflung gehört. Erst in ihnen und aus ihnen ist das Vertrauen erwachsen: in den finsteren Schluchten, in tödlicher Bedrohung.

Dazu aber hat der 23. Psalm noch etwas zu sagen. Er setzt mit dem elementaren Satz ein: „Der Herr ist mein Hirte" *(Jhwh rōʿī)*. Die Frage, ob es einen Gott gibt, wird hier nicht gestellt, und sie kann hier nicht gestellt werden. In diesem Psalm ist es vielmehr so: Wenn ein Mensch mitten in den Erfahrungen seines Lebens Vertrauen faßt, ob in der Sorge um das tägliche Brot oder bei der Frage nach dem richtigen Weg oder in tödlicher Gefährdung, Vertrauen, daß er gehalten wird, Vertrauen, daß sich einer um ihn kümmert, dann hat er damit und darin Verbindung zu Gott bekommen, dann kann er sagen: „Gott ist mein Hirt", und damit erhält sein Leben einen Sinn, den es vorher nicht hatte, und einen Zusammenhang, den es vorher nicht hatte. Die Frage nach Gott wird hier aus dem wirklichen Leben und seinen Erfahrungen beantwortet, nicht durch theoretische Erwägungen.

Psalm 73: Wenn ich nur dich habe

1 Ein Psalm Asaphs
   Nur Gutes ist dem Redlichen Gott, ist Gott den Herzensreinen.
2 Ich aber:
   Fast wären meine Füße abgeglitten,
   beinahe hätten meine Schritte gewankt.
3 Denn ich ereiferte mich über die Toren,
   das Wohlsein der Frevler betrachtete ich,
4 denn es gibt keine Schmerzen für sie,
   gesund und feist ist ihr Leib,
5 die Mühsal der Menschen ist für sie nicht da,
   sie werden nicht wie andere geplagt.
6 Darum ist Hochmut ihr Halsgeschmeide,
   das Gewand der Gewalttat umhüllt sie,
7 aus Fett tritt ihr Auge hervor,
   quillen über die Gebilde ihres Herzens.
8 Sie spotten und reden im Bösen,
   in Falschheit reden sie von oben herab.
9 In den Himmel haben sie ihren Mund gesetzt,
   und ihre Zunge läuft auf der Erde einher.

10 Darum . . .
11 und sagen: Wie soll Gott das wissen,
    gibt es ein Wissen bei dem Höchsten?

12 Siehe: das sind die Frevler;
    immer im Glück wachsen sie an Macht.

22 Aber ich – dumpf und ohne Begreifen,
    wie ein Tier war ich vor dir.

21 Denn mein Herz war verbittert und Schmerz durchschnitt mir
    die Nieren.

13 Ganz umsonst hielt ich mein Herz rein,
    wusch ich in Unschuld meine Hände.

14 Und ward doch den ganzen Tag geplagt,
    gezüchtigt Morgen für Morgen!

15 Wenn ich mir solches aufzählte, dachte ich:
    du verrätst das Geschlecht deiner Kinder,

16 und grübelte ich nach, das zu verstehen,
    eine Qual war es in meinen Augen.

17 Bis ich zu Gottes Heiligtum kam,
    achthatte auf ihr Ende.

18 Ganz auf gleitenden Grund hast du sie gestellt,
    läßt sie stürzen in Täuschungen.

19 Wie werden sie zum Entsetzen im Nu,
    werden hingerafft, nehmen ein Ende mit Schrecken!

20 Wie ein Traum, vor dem Erwachen verschwunden,
    dessen Bild man beim Aufwachen abtut.

23 Ich aber bleibe immer bei dir,
    du hältst mich an meiner rechten Hand.

24 Du leitest mich durch deinen Rat
    und nimmst mich endlich in Ehren an.

25 Wen habe ich im Himmel außer dir?
    Und neben dir habe ich keinen Gefallen an der Erde.

26 Schwindet mir mein Leb und mein Herz,
    ist doch Gott mein Erbteil für immer.

27 Denn siehe: die dir Fernen vergehen,
    du vertilgst alle, die von dir abfallen.

28 Ich aber – dir zu nahen ist mir Glück,
    auf den Herrn setze ich meine Zuversicht,
    zu erzählen alle deine Werke.

Zum Text

Der Text des 73. Psalms ist sehr schlecht erhalten. V 10 ist gar nicht mehr zu erkennen; Textfehler sind in der Mehrzahl der Verse. Bei der Technik der Überlieferung dieser Texte ist das keineswegs erstaunlich. Bei diesem äußerst schwierigen Textzustand des 73. Psalms erhält der in der Einleitung erwähnte Gesichtspunkt eine besondere Bedeutung, daß ein Psalm nur als ganzer, von seiner Ganzheit her verstanden werden kann. Weil der Aufbau des 73. Psalms klar erkennbar ist, kann der Sinn des ganzen Psalms auch bei dem schlechten Textzustand mit Sicherheit verstanden werden.

V. 1: Statt *lejisrāēl* = für Israel ist durch Trennung in zwei Wörter und Beibehaltung der Konsonanten zu lesen *lejāšār'ēl* = Gott dem Redlichen; begründet ist diese Änderung durch den Parallelismus und dadurch, daß der Psalm nicht von Israel, sondern von einem Einzelnen handelt. Diese Änderung haben auch die Textausgaben BHK und BHS sowie die meisten Kommentare.

V. 2: Bei beiden Verben ist statt des Ketīb das Qerē zu lesen (BHK und BHS).

V. 4: Das vierte Wort ist zu trennen in *lāmō tām;* das zweite Wort *tām* gehört zum zweiten Halbvers.

V. 8: Statt *'šq* ist zu lesen *'qš* (Vertauschung zweier Konsonanten)

V. 10: Der Text ist nicht zu verstehen.

V. 13: V. 12 ist deutlich der Abschluß eines Teiles (Schilderung der Frevler). In V. 13 ist aber ein Neueinsatz nicht zu erkennen: er müßte mit „Aber ich . . ." einsetzen. Der Text wird verständlich, wenn man V. 22+21, die an ihrer Stelle nicht passen, hier einfügt.

V. 22: Statt des plur. „Tiere" ist der sing. zu lesen.

V. 14: Die passive Form *wehūkaḥti* ist zu lesen: „gezüchtigt".

V. 15: Das *'āmarti* = „dachte ich" ist an den Anfang der zweiten Vershälfte zu rücken

V. 18: Statt „sie" wäre besser „ihre Füße"

V. 20: Statt *'adōnāj,* das hier keinen Sinn gibt, ist zu lesen *ējnennū* = „sie sind nicht (mehr)"; *bā'īr* steht für *behā'īr* = „beim Erwachen"

V. 25: Am Ende des ersten Halbverses ist zu ergänzen „außer dir"

V. 26: Aus rhythmischen Gründen sind die Worte „Fels meines Herzens" als Zusatz anzusehen

V. 28: Statt „die Nähe Gottes" ist zu lesen: „dir zu nahen". Am Schluß fehlt ein Halbvers.

Zum Aufbau

Der Psalm ist von einer Wendung bestimmt, die sich nach der Einleitung V. 1 in V. 2 und V. 17 abzeichnet:

V. 2   fast wäre ich abgeglitten . . .
V. 17   bis ich zu Gottes Heiligtum kam . . .

Der Teil V. 3–16 begründet, warum der Psalmist fast abgeglitten wäre; dieser Teil ist gegliedert in das Nachdenken über die (und Schilderung der) Frevler V. 3–12 und über sich selbst V. 22.21.13–16.

Der Teil, der V. 18–26 durch V. 17, die Wende, eingeleitet ist, ist genauso gegliedert: V. 18–20 das Schicksal der Frevler, V. 23–26 das eigene Schicksal.

Der Schluß V. 27–28 stellt noch einmal beide gegenüber.

Das ist ein klarer und einfacher Aufbau, aber es ist nicht der Aufbau einer der Psalmengattungen. Allerdings erkennt man hinter Ps 73 deutlich die Klage eines Einzelnen, aber aus ihr nur den Teil Klage (mit allen drei Gliedern) und den Teil Bekenntnis der Zuversicht. In der Tat ist die den Aufbau bestimmende Wende die von der Klage zum Bekenntnis der Zuversicht (vgl. Ps 4), so kann man Ps 73 als einen Vertrauenspsalm bezeichnen. Aber im Unterschied zu Ps 23 ist hier nicht das Motiv des Vertrauensbekenntnisses zu einem Psalm erweitert, sondern es geht in ihm um den Weg von der Klage zum Bekenntnis der Zuversicht, und zwar ausschließlich im Blick auf das Gegenüber: der Gottlose – der Fromme. Diese Gegenüberstellung beherrscht den ganzen Psalm, und zwar in der Weise der Reflexion: der Psalmist reflektiert über dieses Gegenüber. Erst am Ende, in V. 23–28, geht die Reflexion in das Gebet, die Anrede an Gott, über. Zu diesem Miteinander und Beieinander von Reflexion und Gebet ist am Schluß der Auslegung noch etwas zu sagen.

V. 1: Der Psalm beginnt mit einem Satz, der dem Gotteslob nahesteht; in ihm wird das Ergebnis des Kampfes, von dem der Psalm spricht, dem Ganzen vorangestellt. Ob wirklich Gott dem Frommen „nur Gutes" bedeutet, darum geht es im Psalm, und das war dem Psalmisten (in V. 2–16) äußerst fraglich geworden. Aber er ist zu der Erkenntnis gekommen, daß es doch so ist. Zu diesem Schluß kommt er in V. 27–28, die den Eingangssatz V. 1 bestätigen und begründen.

V. 2: Aber was der Eingangssatz sagt, ist keineswegs selbstverständlich. Er selbst, sagt der Psalmist („Ich aber . . ."), wäre fast zu dem entgegengesetzten Schluß gekommen, und es ist ihm bewußt, das wäre ein Abgleiten, ein Straucheln gewesen, denn es hätte ihn von Gott getrennt.

Daß er fast abgeglitten wäre, begründet er in V. 3–16 mit dem Blick auf und dem Nachdenken über die Frevler V. 3–12, und im Gegensatz dazu sich selbst V. 22.21.13–16.

V. 3–12: Die Schilderung der Frevler in V. 3–12 unterscheidet sich wesentlich von der Feindklage in den Klagepsalmen. Sie kommt nicht aus dem direkten Betroffensein des Klagenden her, sie enthält keine Andeutung, daß diese Frevler den hier Redenden angegriffen hätten, daß er selbst von ihnen zu leiden hätte. Dieses Reden kommt auch nicht aus dem Bedrohtsein durch die Frevler, wie etwa in Ps 22: „. . . mich umkreist die Rotte der Übelräter", sondern aus dem Hinblicken auf sie; der Blick auf sie wird ihm zur Anfechtung. Hier tritt an die Stelle der Klage das betrachtende, nach-denkende Reden von Gottes Handeln, es wird darüber reflektiert.

Diese nachdenkende Schilderung der Frevler ist gegliedert: V. 3b–5 das Wohlsein (Glück) der Frevler; V. 6–8 ihr Verhalten zu anderen, V. 9–11 zu Gott; V. 12 ist der Abschluß.

V. 3b–5: Der über den eigenen Verfall Klagende (V. 22.21.13–16) sieht neben sich den Gottlosen in seinem behäbigen Fett und in seinem heiteren Wohlbefinden, und das Nebeneinander des lachenden Frevlers und des leidenden Frommen wird ihm unerträglich: sie freveln gegen Gott ,und es geht ihnen so gut, als seien sie gegen das Leiden gewöhnlicher Menschen gefeit: „. . . sie werden nicht wie andere geplagt".

V. 6–8: Diesem ungestörten Wohlbefinden entspricht ihr Verhalten zu den Mitmenschen: Sie sind hochmütig und scheuen vor Gewalttaten nicht zurück, sie reden „von oben herab", ihr Reden ist von Bosheit und Falschheit bestimmt. Es ist bezeichnend, daß zwischen den auf das Handeln (V. 6) und das Reden (V. 8) der Frevler bezogenen Sätzen noch einmal ihre Wohlbeleibtheit (V. 4b) hervorgehoben wird. Hier zeichnet sich ein gewaltiger Wandel im Denken des alten Israel ab: Das Gesättigtsein, das Wohlbefinden, das in früher Zeit das Gesegnetsein zeigte und bezeugte, wird nun verdächtig als ein Merkmal der Frevler und Gottlosen! Es ist die andere Seite der Bezeichnung der Frommen als Arme und Elende, die sich hier zeigt.

V. 9–11: V. 9 gibt offenbar eine sprichwörtliche Redewendung wieder, die etwa den Sinn hat: „vor nichts macht ihre Lästerzunge halt" (so A. Weiser, Kommentar). Der nun folgende mit „Darum . . ." beginnende Satz ist nicht mehr zu lesen; er wird eine Folgerung aus V. 9 enthalten. V. 11 gibt ein Zitat der Frevler wieder, dem Stil der Klagepsalmen entsprechend. Sie sagen: „Wie soll Gott das wissen?". Das kann sich nur auf das Handeln und Reden der Frevler beziehen: Gott weiß nichts davon, so kann er sie auch nicht bestrafen. Sie können machen, was sie wollen. Die Frevler – und das begründet das Urteil der Frommen über sie – verneinen die Verantwortung gegenüber Gott. Das ist nicht ‚Atheismus‘ in unserem Sinn; es ist keine theoretische, sondern praktische Gottesleugnung, Emanzipation vom Willen, von den Geboten Gottes.

V. 12: Der Abschluß dieser Schilderung der Frevler, in dem der Grund der Anfechtung (V. 3) noch einmal genannt wird: das Glück der Frevler, die an Macht, an Vermögen sogar noch wachsen. Und das war damals wirklich eine schwere Anfechtung, wenn man etwa an das Deuteronomium denkt, in dem immer wieder der Gehorsam als die unbedingte Voraussetzung des Segensempfanges genannt wird. Wie kann Gott die segnen, die sich von ihm lossagen? Da kann man es verstehen: „Fast wäre ich abgeglitten."

V. 22.21: Das „aber ich . . ." am Anfang stellt dem Sehen auf die Frevler das Sehen auf die eigene Existenz gegenüber: „dumpf (wie Ps 49) und ohne Begreifen." Weil er Gottes Walten nicht mehr begreifen konnte, war ihm das Gegenüber zu Gott gestört. Es war nicht mehr das Gegenüber dessen, den Gott zu seinem Bild, zu seiner Entsprechung erschaffen hatte, „wie ein Tier war ich vor dir", ohne Verstehen und deshalb ohne Reden und Hören, so sehr war er verbittert, so tief sein Schmerz (V. 21). Aber selbst in dieser Tiefe der Entfremdung blieb der Psalmist Gott gegenüber, wenn auch „dumpf wie ein Tier".

V. 13–14: Über den Gegensatz seines Lebens zu dem der Gottlosen nachdenkend, kommt er zu dem Schluß: Meine Frömmigkeit ist sinnlos, „ganz umsonst hielt ich mein Herz rein". Der zweite Halbvers von V. 13 spielt auf den Ritus des Händewaschens im Zusammenhang der Unschuldsbeteuerung an; vgl. Ps 26,6.

Während diese als Bestandteil des Klagepsalms ein Motiv ist, um Gott zum Eingreifen zu bewegen (z. B. Ps 17,3–5), reflektiert der Psalmist darüber und fragt sich, ob es einen Sinn hatte: Umsonst! Seine Unschuld, sein reines Herz hat nichts daran geändert, daß er Tag für Tag geplagt und gezüchtigt wird. Dieser V. 14 entspricht Wort für Wort der Ich-Klage der Klagepsalmen; wenn nun in V. 15–16 die Anklage Gottes (abgewandelt) folgt, zeigt sich, daß auch dieses reflektierende Nach-denken des 73. Psalms von der Struktur der Klage bestimmt ist.

V. 15–16: In zwei Verben wird hier ausdrücklich gesagt, daß es sich um Reflexion handelt: „Wenn ich mir solches aufzählte (vor Augen führte), dachte ich (kam ich zu dem Schluß): Es sind zwei Verben des Sagens, im Hebräischen hat sich das Denken noch nicht vom Sprechen abgelöst; sowohl *sippēr* = Erzählen wie *'āmar* = Sagen können einen Denkvorgang bezeichnen, alles Denken ist ein Sprechen. In seinem Nachdenken ist er zu dem Schluß gekommen: „... du verrätst (läßt im Stich) das Geschlecht deiner Kinder". Hier eröffnet sich aus dem Nachdenken die Möglichkeit, daß aus der verzweifelten, leidenschaftlichen Anklage Gottes ein kühles, objektives Konstatieren wird. Und der hier Redende weiß: ein solches Konstatieren wäre das Zu-Fall-Kommen (V. 2). Warum es nicht zu dem Konstatieren kommt, sagt V. 16: Er kann es nicht fassen. Er muß weiter darüber nachgrübeln – unter Schmerzen: „... eine Qual war es in meinen Augen". Diese Schmerzen sind es, die ihn bei Gott festhalten.

V. 17–20: Weil der Psalmist in seinem Schmerz, Gott nicht mehr verstehen zu können, an ihm festhielt, geht es weiter (V. 2). Er bleibt nicht in dieser Qual; es kommt eine Wende. Faßt man einmal den ganzen Psalm als einen Selbstbericht, ein berichtendes Bekenntnis, so ist dieser Bericht in seinen zwei Abschnitten klar zu erkennen: der erste Abschnitt ist eingeleitet „Fast wäre ich abgeglitten (V. 2) ...", und V. 3–16 berichten, wie es dazu gekommen ist, wobei die Gefahr des Abgleitens in V. 15 f. am stärksten heraustritt. In dieser schwersten Gefährdung tritt ein Wandel ein, der in V. 17 eingeleitet ist: „bis ich zu Gottes Heiligtum kam ...", wobei der Weg zum Heiligtum als Hinwendung zu Gott verstanden ist in dem aus dem Klagepsalm vorgegebenen Sinn. Das Sich-Wenden eines Leidenden, der die Zuwendung Gottes erflehen will und sie im Heiligtum erhalten kann. Es ist an das Heilsorakel zu denken, an die Versicherung, daß Gott gehört hat, so wie sie Hanna bei ihrem Weg zum Tempel erhielt (1.Sam 1 f.). Aber an die Stelle einer Heilszusage ist hier, in dem von Reflexion bestimmten Psalm, die Antwort geworden, die er auf sein qualvolles Grübeln (V. 16) findet.

Die Antwort V. 17b–20 ist die Einsicht (17b), die er vom Schicksal der Frevler gewinnt: sie gehen zugrunde (v. 18–20). Das ist ein konventionelles, häufig begegnendes Motiv, vor allem in den Freundesreden im Buch Hiob begegnend: 4,7–11; 5,2–7; 8,8–19; 11,20; 15,17–35; 18,5–21; 20,4–25, dazu C. Westermann, Der Aufbau des Buches Hiob, 1956, [2]1977, S. 92–96. Die Frevler sind es, die stürzen werden (vgl. V. 2). Wenn sie „in Täuschungen" zu Fall kommen (V.

18), weist das zurück auf V. 11: eben darin haben sie sich getäuscht, daß Gott
ihre Freveltaten nicht wahrnimmt. Daß sie ein Ende mit Schrecken nehmen (v.
19), weist auf ihre hochmütige Sicherheit, aus der sie gerissen werden. Der
Vergleich mit dem beim Erwachen verschwundenen Traum (V. 20) sagt abschließend, daß das Reden und das Handeln der Frevler keine Zukunft hat. Im
Unterschied zur Funktion dieses Motivs in den Freundesreden im Buch Hiob
liegt hier das ganze Gewicht darauf, daß das Sich-gegen-Gott-Stellen der Frevler
(V. 11) bewirkt, daß sie ins Bodenlose fallen (V. 27). Daß es so gemeint ist, zeigt
der Gegensatz in V. 23–26.

V. 23–26: In dem „Ich aber . . .“ am Anfang von V. 23 stellt der Psalmist sein
Geschick dem der Gottlosen (V. 18–20) entgegen. Damit, daß er der Nichtigkeit
der Frevler hinter ihrem scheinbaren Glück gewiß geworden ist, ist er sich
zugleich des Glückes gewiß geworden, an dem er trotz seines Elendes (V. 14)
teilhat. Wenn Luther hier übersetzt: „Dennoch bleibe ich stets bei dir . . .“, so
ist dieses „Dennoch“ wohl für den Psalm als ganzen zutreffend; in V. 23 aber
muß übersetzt werden: „Ich aber . . .“, weil V. 23–26 im Gegensatz zum
Schicksal des Frevlers steht (V. 18–20), selbst dann, wenn man der Umstellung
von V. 22.21 nicht zustimmt. Fast wäre er gestrauchelt (V. 2); – nun aber ist er
gewiß geworden, daß ihn von Gott nichts mehr trennen kann.“ Ich aber bleibe
immer bei dir“, obwohl sich an seiner Lage (V. 14) nichts geändert hat. Für die
nun folgende Begründung ist wesentlich, daß diese Sätze alle Gott zum Subjekt
haben: V. 23 du . . ., 24 du . . . du . . ., V. 25 außer dir . . ., 26 Gott . . . In
diesen Sätzen V. 23–26 mündet der Psalm in das Bekenntnis der Zuversicht;
und da diese Sätze das Ziel und den Höhepunkt des Psalms bilden, ist es ein
Psalm der Zuversicht, ein Vertrauenspsalm. Aber diese Sätze haben ein solches
Pathos, daß das Vertrauensbekenntnis in Gotteslob übergeht, daß man beides
hier nicht voneinander scheiden kann. Als „Dennoch des Glaubens“ (so die
Überschrift einer Auslegung des 73. Psalms) wären diese Sätze nicht so verstanden, wie sie hier gemeint sind. Nicht der Glaube eines Menschen wird hier
gerühmt, sondern das, was Gott an ihm tut.

V. 23–24: Die beiden Verse 23 und 24 gehören eng zusammen, sie bilden
zusammen einen erweiterten Parallelismus. In engerem Parallelismus stehen
23b und 24: „Du hältst mich . . . du leitest mich . . .“ Sie sind fast sinngleich.
Beide Sätze sagen die Gewißheit des Mitseins Gottes aus; zu diesem Mitsein
Gottes (wie bei den Vätern) gehören die Hand Gottes und der Rat Gottes. Sie
sagen diese Gewißheit in der traditionellen Sprache aus; beide zusammen bilden
eines der schönsten Vertrauensbekenntnisse in der Bibel. In V. 23a und 24b sind
diese beiden Sätze gerahmt in zwei wiederum zusammengehörende Sätze, die
eine Ergänzung oder Erweiterung der beiden in der Mitte sind, eine Erweiterung, die über das traditionelle Bekenntnis der Zuversicht hinausgeht und die
durch den vorangehenden 73. Psalm bedingt ist. Die Gewißheit, mit Gott
verbunden zu sein, ist dem Psalmisten nach dem, was er durchgemacht hat, so
stark geworden, daß er hinzufügen muß: sie wird für immer bestehen, sie wird
kein Ende haben. Das sagt er in V. 23a mit den Worten „Ich aber bleibe immer

bei dir"; und daraus folgt, daß diese Verbundenheit auch durch den Tod nicht zerstört werden kann: „du nimmst mich endlich in Ehren an" 24b. Damit ist nicht der Glaube an die Auferstehung im Alten Testament schon vorausgenommen (hierzu ausführlich Chr. Barth, Die Errettung vom Tode . . ., 1947, S. 161 f.); es ist nur gesagt, daß die Verbundenheit mit Gott für ihn auch durch den Tod nicht zerstört werden kann. Irgendeine Jenseitsvorstellung ist für diese Gewißheit unnötig.

V. 25–26: Ebenso wie V. 23–24 gehören V. 25–27 zu einem erweiterten Parallelismus zusammen. Sie sind von den beiden Begriffspaaren Himmel und Erde V. 25 und Leib und Herz V. 26 bestimmt. Hier wie oft im Hebräischen ist ein Ganzes durch zwei Begriffe bezeichnet (wie ein Kraftfeld von zwei Polen): Himmel und Erde, das ist die ganze Schöpfung; Leib und Herz, das ist der ganze Mensch. Beide Begriffspaare zusammen umgreifen, so wie die Erschaffung der Welt und die Erschaffung des Menschen, das Ganze des Erschaffenen.

Auch in diesen beiden Versen spricht der Psalmist von seiner Verbundenheit mit Gott. Neben Gott oder außer Gott können ihm Himmel und Erde nichts bedeuten; aber auch der eigene Verfall nicht. Für das Verständnis des 73. Psalms ist entscheidend, daß die Verbundenheit mit Gott hier je dem Ganzen entgegengesetzt wird: Das Sein mit Gott ist dann nicht ein Ausweichen weder aus der diesseitigen Wirklichkeit in ein Jenseits noch aus dem real-körperlichen Dasein in das Jenseits eines ‚Seelenlebens'. Nicht nur die Welt, sondern in gleicher Weise auch der Himmel wird hier verneint, sofern es etwas neben oder außer Gott ist. Das Sein im Himmel kann nicht mehr oder anderes sein als das Sein mit Gott. Der Gegensatz Diesseits – Jenseits wird hier als solcher verneint und an seine Stelle tritt der Gegensatz mit Gott – ohne Gott.

Aber auch der Gegensatz von Leib und Seele verliert damit seine Absolutheit (V. 26). Der Satz „ob mir gleich Leib und Seele verschmachten" (Luther) ist nicht überschwängliche Redeweise, sondern wörtlich gemeint. Dem Sein mit Gott gegenüber treten Leib und Seele in den gleichen Abstand; die Seele hat keine größere Nähe zu Gott als der Leib. Das Verbundensein mit Gott meint den ganzen Menschen; es kann weder von einem körperlichen noch einem seelischen Verfall zerstört werden.

V. 27–28: Auch diese beiden Verse, die den Abschluß des Psalms bilden, gehören zusammen. Viele Klagepsalmen enden mit dem „Doppelwunsch" (einem Wunsch gegen die Feinde und für den Beter, z.B. Ps 55,24), dieser Form sind 27–28 nachgebildet. Wenn er beginnt „Denn siehe . . .", soll dieser Abschluß die Gewißheit bestätigen, zu der der Psalmist gekommen ist. V. 27 faßt zusammen, was in V. 18–20 vom Schicksal der Frevler gesagt war, V. 28 bestätigt noch einmal das Bekenntnis der Zuversicht von V. 23–26.

Die beiden Sätze sind von zwei einander entgegengesetzten Verben bestimmt: „die dir Fernen" müßte genauer wiedergegeben werden: „die sich von dir entfernen". Dem entspricht in V. 28 „Ich aber – dir zu nahen ist mein Glück"; das gibt den Sinn deutlicher wieder als die übliche Übersetzung „deine Nähe ist mir köstlich" o.ä. (vgl. Jes 38,2 das gleiche Wort; vgl. auch Ps 65,5; 119,69;

30,21). Es ist ein Vorgang gemeint, hinter dem die ganz konkrete Vorstellung des Gehens zum Tempel steht. Damit wird klar, daß dieser Satz auf V. 17 zurückweist, dieselbe Entsprechung von „kommen" und „nahen" auch Ps 119, 169.170, auch hier ist das Einsicht-Gewinnen *(bīn)* die Folge des Nahens zu Gott. Was in V. 17 zur Wende geführt hat, das ist auch in V. 28 gemeint. Das Sein mit Gott, die Verbundenheit mit Gott gibt es nicht ohne dies Nahen zu Gott.

Dem Abschluß des Klagepsalms entspricht auch der letzte Satz „. . . zu erzählen alle deine Werke", der hier etwas abrupt kommt; vielleicht fehlt ein synonymer Halbvers. Aber es muß nicht ein Zusatz sein, wie manche Ausleger meinen. Der Psalmist will von der Gewißheit, die er gewonnen hat, anderen weitersagen, dafür ist ja der Psalm ein Zeugnis.

Zum Abschluß. Der 73. Psalm hat eine besondere Bedeutung darin, daß er nicht nur an Gott gerichtete Rede ist, sondern übergeht in das Reden *von* Gott, in ein Reden über Gott, sein Sein und sein Tun reflektierendes Reden. Deswegen wird er von manchen Auslegern als Weisheitspsalm bezeichnet. Ich halte das für falsch; über Gott und sein Tun reflektierendes Reden ist als solches nicht weisheitlich. Zu stark ist der Psalm als ganzer von der Struktur der Klage des Einzelnen bestimmt. Ich sehe in diesem Psalm ein Musterbeispiel des Übergangs aus dem Reden *zu* Gott (V. 23–28) in das Reden *von* Gott, vom Gebet in Theologie (wenn man Theologie als Reden von Gott versteht).

Dann ist aus dem 73. Psalm ein für alle Theologie wichtiger Schluß zu ziehen: Hier ist das Reden zu Gott dem Reden von Gott vorgeordnet. Der Ausgangspunkt der Theologie als des Redens von Gott ist nicht die Frage des Intellekts: „Was können wir von Gott sagen?", „Welchen Sinn hat es, von Gott zu reden?", der Ausgangspunkt aller Theologie ist vielmehr das Reden zu Gott, so wie hier im 73. Psalm das Nachdenken über Gott aus dem Reden zu Gott erwächst. In diesem Psalm ist es die Frage der betroffenen Existenz nach Gott, die Ausweglosigkeit der an ihre Grenze stoßenden Existenz, die nach Gott fragt. Theologie erwächst nicht aus dem Denken, sondern aus dem Sein.

Exkurs zu Ps 73: Die Frevler und die Frommen. Zur Zeitgebundenheit der Psalmen. Liest man viele Psalmen nacheinander, nicht in Auswahl, wie hier, drängt sich ein befremdender Eindruck auf: Sehr häufig werden die Frommen und die Frevler (oder Gottlosen) einander so gegenübergestellt, daß der Beter des Psalms sich ganz wie selbstverständlich zu den Frommen rechnet, die Frevler aber immer die anderen sind, Feinde Gottes und seine Feinde, denen er nichts als Verderben, nichts als die Vernichtung wünscht oder erbittet. Können wir diese Psalmen mitbeten, in denen die Beter so scheinbar selbstgerecht sich den Frevlern gegenüberstellen und ihnen alles Unheil wünschen?

An diesem Punkt sind die Psalmen in der Tat zeitgebunden und nur aus ihrer Zeit heraus zu verstehen. Dafür müssen wir zunächst auf die Klagen des Volkes zurückverweisen. Sie setzen voraus, daß Volk und Kirche (Volk Gottes) identisch sind. Wenn im Kampf Gott für sein Volk eintritt, kann er es nicht anders, als daß er gegen dessen Feinde eingreift. Diese Einheit von Volk und Kirche aber ist vorbei, ein- für allemal.

eingeschlossen in dem Ruf zum Vertrauen V. 9–13. V. 6 stimmt mit V. 2 überein, nur daß am Ende statt „Hilfe" „Hoffnung" steht. Während bei Hilfe mehr an voraufgegangene Erfahrungen gedacht ist, sieht die Hoffnung mehr auf Zukünftiges. V. 7a entspricht wörtlich 3a; 7b tritt als Parallelwort zu „Fels", „Burg" hinzu, das im Bekenntnis der Zuversicht häufig begegnet: 9,10; 18,3; 46,8–12; 48,4; 55,10.17f.; 62,3.7; 94,22; 144,2. Die damit bezeichnete Festigkeit bedeutet sein Festbleiben: „ich werde nicht wanken", das ist ihm gewiß. Sie umfaßt die körperliche wie die geistige Seite des Menschen.

Die Vergleiche mit einem festen, schützenden Ort („mein starker Felsen") bedingen die Präposition ‚auf' am Anfang von V. 8: Sein Heil und seine Ehre sind auf ein sicheres Fundament gegründet. Darauf beruhen für ihn sein Heil (hier ist mit jēšaʿ Heilsein in umfassendem Sinn gemeint) und seine Ehre, d. h. seine Geltung unter seinen Mitmenschen, in seinem Lebenskreis.

V. 9–13: Auf das Bekenntnis der Zuversicht folgt ein Ruf zum Vertrauen an den Kreis der Menschen, dem der Psalmist angehört („mein Volk"). Wie ist dieser Aufruf zu verstehen? Er ist keine Mahnung zum Vertrauen, der Psalmist spricht nicht in der Autorität eines Mahners. Er will vielmehr aus seinen eigenen Erfahrungen heraus zum Vertrauen ermutigen. Der Psalm zeigte, das Vertrauen, das hier einer als seine Lebensgrundlage bekennt, ist aus Erfahrungen erwachsen. Man kann Vertrauen nicht lernen wie eine Lehre, Zuversicht ist niemals das Ergebnis eines Denkprozesses. Eben deswegen ist es für eine Gemeinschaft lebenswichtig, daß die Erfahrungen, aus denen Vertrauen erwuchs, weitergegeben werden. Gerade das geschieht in diesem Ruf zum Vertrauen (4,6; 37,3.5; 62,9; 115,9.10.11; Jes 26,4; Spr 3,5); er wird in V. 9b fortgesetzt „Schüttet euer Herz vor ihm aus!" Das Vertrauen setzt voraus, daß man alles, was einen bewegt, Gott anvertraut, daß man ihm auch alles Leid klagt; so ist dieser Ausdruck die Überschrift einer Klage Ps 102,1. Diesen Satz begründet der Ausdruck der Zuversicht, aber jetzt im Plural: „Gott ist unsere Zuversicht" (vgl. Ps 46).

V 10: Die Entfaltung dieser Begründung in V. 10 und 11 ist nicht ohne weiteres zu verstehen; sie setzt voraus, daß der Psalm bis hierhin gründlich durchdacht ist. Der Psalmist verweist in traditioneller Sprache (vgl. Ps 39; 49) auf die Vergänglichkeit des Menschen. Das Feste in diesem Hinabschwinden „wie ein Hauch" ist die Zuversicht, die ihn mit dem Bleibenden, dem Ewigen verbindet.

V. 11: V. 11 ist eine negative Ergänzung zu V. 10: Das Feste kann nicht in der Gewalt der Mächtigen (11a), nicht im Reichtum der Reichen liegen. Auf beides kann man sich angesichts der Vergänglichkeit (V. 10) nicht verlassen, an beides sollte man sein Herz nicht verlieren. Hier schließt der Psalmist deutlich seine ihm an Macht und Reichtum überlegenen Feinde (V. 4–5) ein; auch hier hat er sie nicht aufgegeben, sondern redet sie noch an.

12.13a: So wie in vielen Klagepsalmen am Ende ein Lobgelübde oder ein Lobwort steht, so auch in diesem Vertrauenspsalm (ebenso in Ps 73; 27,1–6; 90): das Vertrauensbekenntnis geht in das Gotteslob über. Es ist in V. 12a mit besonderer Betonung im Stil eines Zahlenspruches eingeführt. Der Psalmist will damit ausdrücken, daß dieses auch seinen Hörern bekannte Wort für ihn in den Erfahrungen seines Lebens, aus denen ihm sein Vertrauen zu Gott erwachsen ist, zu einem gültigen Gotteswort geworden ist. In den beschreibenden Lobpsalmen wie Ps 113 und 33 ist in den beiden polaren Begriffen Macht und Gnade, Majestät und Güte das Gottsein zusammengefaßt, und darin läßt der sein Vertrauen zu Gott Bekennende seinen Psalm ausmünden: auf diesen Gott vertraue ich in allem, was er ist, in allem, was er tut. Dabei aber ist ein feiner Unterschied in der Formulierung zu beachten: der Satzteil von der Gnade ist in direkter Anrede gesprochen: „Und dein, o Herr, ist die Gnade!" Das gleiche Übergewicht der Gnade ist in Ps 103 zu erkennen.

V. 13b: Der eben genannte Satz hat den Klang eines bewußten, starken Abschlusses des Psalms. Der nun noch folgende Satz: „denn du wirst jedem nach seinem Tun vergelten" klingt hier etwas abrupt; er könnte Zusatz eines Lesers sein, dem dies das Wichtigste war.

Psalm 90: Tausend Jahre wie ein Tag

1 Ein Gebet Moses, des Mannes Gottes.
   Herr, Zuflucht bist du uns gewesen von Geschlecht zu Geschlecht.
2 Ehe die Berge geboren waren und die Erde und
   die Welt erschaffen, bist du, Gott, von Ewigkeit zu Ewigkeit.
4 Denn tausend Jahre sind vor dir wie der gestrige Tag
   und wie eine Nachtwache.
3 Du läßt die Menschen zum Staub zurückkehren
   und sprichst: Kommt wieder, Menschenkinder!
5 Du säest sie aus von Jahr zu Jahr,
   sie gleichen dem sprossenden Gras.
6 Am Morgen grünt es und blüht,
   am Abend welkt es und dorrt.

7 Denn wir vergehen durch deinen Zorn,
   durch deinen Grimm werden wir hingerafft.
8 Du hast unsere Sünden vor dich gestellt,
   unsere verborgene Schuld in das Licht deines Angesichts.
9 Denn all unsere Tage schwinden durch deinen Zorn,
   unsere Jahre gehen dahin wie ein Seufzer.
10 Unser Leben währet siebzig Jahre,
   und wenn es hochkommt, sind es achtzig Jahre,
   und das meiste daran ist Mühsal und Beschwer,
   denn es geht eilend dahin, als flögen wir davon.
11 Aber wer kennt die Gewalt deines Zorns,
   wer fürchtet sich vor deinem Grimm?
12 Lehre uns unsere Tage zählen,
   daß wir ein weises Herz gewinnen!

13   Kehre doch endlich wieder, o Herr, hab Erbarmen mit deinen Knechten!
14   Sättige uns frühe mit deiner Gnade,
     daß wir jubeln und uns freuen können unser Leben lang!
15   Erfreue uns so viele Tage, wie du uns gebeugt hast,
     so viele Jahre, wie wir Unheil erfuhren.
16   Laß deine Knechte deine Taten sehen
     und ihre Kinder dein wunderbares Walten!
17   Die Freundlichkeit des Herrn unseres Gottes walte über uns, und das
     Werk unserer Hände fördere an uns,
     ja, laß das Werk unserer Hände gedeihen!

Zum Text

V. 2:   Das Verb *teḥōlal* geboren (gekreißt) wurde. *tēbēl* ist ein anderes Wort
        für Erde; oft in den Psalmen.

V. 4:   Auf „der gestrige Tag" folgt im hebräischen Text „wenn er vorüber-
        geht"; der Text ist unsicher, das Verb könnte auch auf „Nachtwa-
        che" folgen.

V. 5:   Der Text des ersten Halbverses ist fraglich; die meisten Ausleger
        lesen „Jahr für Jahr" statt „Jahr", dem ein hier nicht verständliches
        Wort folgt. V. 5b wird im Text in V. 6a wiederholt, statt dessen ist
        der hier übersetzte Text zu vermuten.

V. 9:   Luther übersetzt „Wir bringen unsere Jahre zu wie ein Geschwätz."
        Aber das Wort *hägäh* heißt „Seufzen" wie Ez 2,10, wegen des
        Parallelismus ist die 3. Pers. zu lesen.

V. 10: Wörtlich: Die Tage unserer Jahre an ihnen; das „an ihnen" *(bāhäm)*
        ist unsicher. V. 10b: das erste Wort der zweiten Zeile wrhbm über-
        setzt Luther: „Und wenn es köstlich gewesen ist"; das Wort so nur
        hier, es wird ein verschiedener Sinn vermutet, einige: „ihr Stolz",
        was möglich ist. Wahrscheinlich ist *rubbam (rbb)* zu lesen: das
        meiste daran.

V. 13: Der Anfang wörtlich: „Kehre wieder, Jahwe, wie lange!" Das „wie
        lange" *(ʿad mataj)*, feste Formel der Klagepsalmen, hat in einem
        langen Prozeß seine Bedeutung zu „doch endlich" (als Flehen ver-
        standen) gewandelt.

Zur Übersetzung sei noch angemerkt, daß nach wie vor Luthers Übersetzung
dieses Psalms unübertroffen ist, auch wenn von den heutigen Erkenntnissen her
einiges anders zu verstehen ist.

Zum Aufbau

Der 90. Psalm läßt sich nur schwer einer der Gattungen zurechnen. Man kann
ihn den Vertrauenspsalmen zuzählen, weil das Bekenntnis der Zuversicht am
Anfang (V. 1–2) den ganzen Psalm bestimmt. Aber zugrunde liegt ihm eine
Volksklage, erkennbar an dem durchgehenden Reden im Plural und an den

Sätzen der Bitte V. 13.15.16, wobei in V. 15 die Klage des Volkes noch deutlich durchscheint. Eingefügt in diesen Rahmen aber ist eine Vergänglichkeitsklage V. 3–12, in der es nicht um das Schicksal des Volkes, sondern um das Menschenschicksal geht wie in Ps 39 und 49. Die Vergänglichkeitsklage geht zurück auf ein Motiv der Klage des Einzelnen, in der der Hinweis auf das Todesschicksal oder auf das kurze, vom Tod beschattete Leben Gott zum helfenden Eingreifen in der gegenwärtigen Not bewegen soll. Dieses Motiv ist noch deutlich hinter V. 13–16 zu erkennen.

Der Psalm ist gegliedert in das Vertrauensbekenntnis V. 1–2, die in Gebetsanrede abgewandelte Vergänglichkeitsklage V. 3–12 und die aus beiden Teilen resultierende Bitte in V. 13–17.

V. 1–4: Der 90. Psalm spricht eine monumentale Sprache; eine Erklärung des Psalms kann nur auf sie hinweisen. Wer die Besonderheit dieser Sprache nicht aus den Worten selbst vernimmt, der wird sie aus der Erklärung gewiß nicht erkennen können.

V. 1.2.4 Der Psalm setzt mit dem Bekenntnis der Zuversicht ein. Der Klang der Zuversicht bestimmt den ganzen Psalm; es ist zusammengesetzt aus zwei sehr verschiedenen Gliedern. Das erste Wort (V. 1b) ist ein Wort der Zuversicht im Rückblick auf die Geschichte des Volkes, ähnlich dem Motiv des Rückblickes auf Gottes frühere Heilstaten wie etwa in der Volksklage Ps 80, aber hier allgemeiner gefaßt im Blick auf die ganze Geschichte des Volkes: „von Geschlecht zu Geschlecht". Das Weitergeben von Geschlecht zu Geschlecht hat „die großen Taten Gottes" bewahrt, sie haben von Generation zu Generation das Vertrauen zu diesem Gott begründet, der in so vielen Nöten ihr Helfer war. Aber im 2. Vers erhält das Wirken dieses Gottes einen weiteren Horizont: der Gott des Volkes Israel ist der Schöpfer der Welt (V. 2) und der Schöpfer des Menschen, V. 3.5. Er, der Schöpfer, war da, bevor die Welt entstand; damit will der Dichter des Psalms sagen, daß der Schöpfer die Welt in seinen Händen hält. Als Schöpfer hat er an ihrer Vergänglichkeit nicht teil: „Du bist von Ewigkeit zu Ewigkeit". Und um dies noch eindringlicher zu machen, nennt er aus der Vielfalt des Geschaffenen die Berge, die am stärksten den Eindruck des Beständigen, Bleibenden machen, die „uralten Berge", von denen andere Psalmen sprechen. Gott war vor ihnen da. Die Ewigkeit Gottes aber ist dem Dichter in dem abstrakten Begriff nicht eindrücklich genug ausgesprochen; sie wird viel wirklicher und hat sich den Hörern des Psalms in vielen Generationen eingeprägt als eine undenkbar lange Erstreckung in die Zeit: „Denn tausend Jahre sind vor dir wie der gestrige Tag und wie eine Nachtwache." Dabei ist der feine Unterschied gemacht zwischen einem Tag, wie er für alle gleich in 24 Stunden abläuft, und einer Nachtwache, die einer allein durchzustehen hat: eine kurze Zeit, die sich aber unendlich lange hinziehen kann. (Das „denn" am Anfang von V. 4 bezieht sich auf V. 2; deshalb ist V. 4 besser vor V. 3 zu lesen.)

V. 3.5.6: Der die Welt erschaffen hat, ist auch der Schöpfer der Menschen. Während aber durch die Erschaffung der Welt die Ewigkeit Gottes ins Licht tritt und das Lob des ewigen Gottes in V. 2 und 4 die Zuversicht zu ihm (V. 1b) bestärkt, hebt der Dichter im Kontrast dazu bei der Menschenschöpfung dessen Vergänglichkeit stark hervor: der ewige Gott hat den Menschen in seiner Begrenztheit geschaffen. Dabei stehen die Verse 3 und 5 f., die inhaltlich dasselbe sagen, in einem chiastischen Parallelismus: V. 3 das Sterben – das Geborenwerden, V. 5 das Geborenwerden – das Sterben. Dieser Bau von V. 3 und 5 zeichnet eindrücklich den Rhythmus von Geborenwerden und Sterben; vgl. Pred. 3,2 „Geborenwerden hat seine Zeit – Sterben hat seine Zeit". Dieses Zusammengehören von V. 3 mit 5 f. merkt man nur, wenn 5 f. direkt auf 3 folgt, also V. 4 vor V. 3 gelesen wird.

Im Unterschied zur Vergänglichkeitsklage ist hier dem schnellen Dahinschwinden des Menschen sein Wiederkommen gegenübergestellt (V. 3b.5.6a), und ebenfalls anders als in der Vergänglichkeitsklage wird nicht das Sterbenmüssen des Menschen einfach als Faktum hingestellt, sondern das Vergehen des Menschen wird ebenso wie sein Wiederkommen als Gottes Wirken, zu dem vertrauend „Du Gott . . ." gesagt werden kann, ehrfürchtig anerkannt. Dieses Abweichen von der Vergänglichkeitsklage ist darin begründet, daß auch der Mittelteil V. 3.5–12 von dem Bekenntnis der Zuversicht bestimmt ist.

V. 3: Der erste Satz von V. 3 gibt Gen 3,19 wieder, Gen 3 ist auch in V. 7–8 vorausgesetzt. Ein dem Dichter bekanntes Bibelwort geht in ein Gebet ein. Der zweite Satz von V. 3 wird meist auch als eine Umschreibung des Sterbens ausgelegt. Aus dem chiastischen Parallelismus von V. 3 mit 5 f. aber ergibt sich mit Sicherheit, daß hier das Geborenwerden gemeint ist wie in V. 5. Das „wieder" (hebräisch *šûbû*, kommt zurück) ist nicht als Wiederbelebung der Gestorbenen gemeint, sondern in Beziehung auf die Gestorbenen (V. 3a): es soll wieder Leben entstehen!

V. 5–6: Dasselbe wird noch einmal in einem Vergleich gesagt. Dieser Vergleich begegnet mehrfach in der Vergänglichkeitsklage. Der Mensch wird mit dem Gras (oder einer Blume) verglichen, das morgens grünt und sproßt und abends schon verwelkt. Der Vergleich bewirkt, daß das Geborenwerden und Sterben von den Hörern nicht als bloße Daten vernommen werden; er vermittelt den Eindruck des Daseinsbogens, der das Menschsein als ganzes bestimmt und der insbesondere für das Menschenverständnis des Alten Testaments so bezeichnend ist: in ihm ist das Menschenleben nicht eine Strecke mit einem Anfangs- und Endpunkt, sondern ein aufsteigender und absteigender Bogen. Menschsein gibt es hier nicht abstrakt, sondern nur konkret bezogen auf diesen Daseinsbogen, der den Weg vom kleinen Kind zum alten Mann und zur alten Frau beschreibt. Aber auch dieser Vergleich ist auf das Bekenntnis der Zuversicht am Anfang bezogen: „*Du* säest sie aus . . ." Das Menschendasein in seiner Begrenztheit und seinem Hinscheiden beruht auf dem Wirken des ewigen Gottes und kann darauf sein Vertrauen setzen in seiner Vergänglichkeit: dem Vergehen des scheidenden steht das Aufgehen des neuen Geschlechts gegenüber.

V. 7–9: Die folgenden V. 7–9 begründen die Hinfälligkeit des Menschenlebens im Tun Gottes. Im Wirken Gottes erhält sie einen Sinn. V. 7–9 bilden einen in sich geschlossenen Zusammenhang: Begründet ist unsere Vergänglichkeit im

Zorn Gottes (7), mit dem er auf unsere Sünden reagiert (8). V. 9 wiederholt mit
anderen Worten V. 7. Es ist offenkundig, daß hinter diesen Versen die urge-
schichtliche Erzählung von der Vertreibung des Menschen aus dem Garten
Gottes Gen 3 steht. Es wird auf den gleichen Zusammenhang von Vergänglichkeit und Fehlbarkeit des Menschen gewiesen wie dort. Dort wie hier ist die
Fehlbarkeit aller Menschen, nicht nur die Sünden des Gottesvolkes gemeint.
Dort wie hier steht dahinter das allen Menschen gemeinsame Bewußtsein des
notwendigen Zusammenhanges von Schuld und Strafe. In diesem universalen
Horizont gehören für den Dichter des 90. Psalms Sünde und Tod zusammen;
ein gedankliches Verrechnen der Beziehung von Sünde und Tod zueinander ist
dabei nicht möglich. Das meint V. 8: Es ist nicht die Sünde in unserer Sicht
gemeint, sondern im Lichte des Angesichtes Gottes. Die für uns nicht nachprüf-
bare, nicht aufzurechnende Beziehung von Sünde und Tod ist dahin gerückt,
wohin sie gehört, in das Licht des Angesichtes Gottes. Damit aber ist schon leise
angedeutet, daß aus diesem Angesicht nicht nur Zorn sehen kann. Wenn der
Dichter dabei betont „unsere verborgene Schuld", so denkt er auch dabei an die
Erzählung Gen 3 und an die Frage Gottes: „Adam, wo bist du?", mit der er dem
nachgeht, der allein mit seiner Verfehlung nicht fertig werden kann.

V 9 kehrt wieder zu V. 7 zurück, aber mit einer neuen Nuance; das Wirken
des Zornes Gottes ist nicht etwa auf den Tod des Menschen, auf eine Sterbe-
stunde beschränkt, so daß man sagen könnte: der Tod als ein isoliertes, punktu-
elles Ereignis sei die Strafe für die Sünde, vielmehr ist es das Leben des Menschen
als ganzes, es sind „all unsere Tage", sind unsere Jahre, die auf den Tod
zugehen, ein „Sein zum Tode" (M. Heidegger).

V. 10–12: Das erklären die nun folgenden Verse 10–12 in einer überraschenden
und tiefsinnigen Weise. Die Jahre unseres Lebens (V. 9) sind nun in Zahlen
genannt, die der Wirklichkeit entsprechen. Und es entspricht auch der Wirklichkeit, wenn vom Verlauf dieser Jahre gesagt wird „und das meiste daran ist
Mühsal und Beschwer", wobei wieder an Gen 3 gedacht ist. Es ist dabei zu
beachten, daß in V. 9–12 nur die eine Seite des Gotteswirkens entfaltet wird; es
ist ein bewußt einseitiges Reden, das mit großem Ernst die Hinfälligkeit des
menschlichen Lebens bewußtmachen will. Der Dichter will keineswegs sagen,
daß das Leben nur aus Mühsal und Beschwerde bestehe, aber er will jede
Selbsttäuschung und jedes falsche Idealisieren abwehren. Darum weist er hier
noch einmal auf das Gefälle des Lebensablaufs, dem sich kein Mensch entziehen
kann: „. . . denn es geht eilend dahin, als flögen wir davon".

Der Abschluß dieses Teiles V. 3–12, der von der Vergänglichkeit des Menschen spricht, ist eine Bitte, die die Absicht des Ganzen deutlich zeigt. Die Bitte
V. 12 wird in V. 11 begründet: das „Sein zum Tode" wird von den Menschen
nicht ernst genommen, es wird an den Rand gedrängt. Wer denkt daran, daß
hinter dieser Grenze des Menschen der Schöpfer steht? Die beiden Verben:
„kennen" und das daraus resultierende „fürchten", das im Sinn unseres Wortes
„Ehrfurcht" zu verstehen ist, bringen zum Ausdruck, daß bei der Mehrzahl der
Menschen eben dies fehlt. Sie verdrängen diese Erkenntnis und sind darum dem,

was auf sie zukommt, nicht gewachsen. Darum die Bitte V. 12, die Luther so übersetzt „Lehre uns bedenken, daß wir sterben müssen, auf daß wir klug werden!" Ein weises Herz gewinnt der, der bewußt auf seinen Tod zugeht. Wie sich diese Weisheit dann im Leben auswirkt, kann sehr verschieden sein. Nur auf eines sei hingewiesen, was sich aus den ersten elf Kapiteln der Genesis ergibt, die mehrfach im 90. Psalm anklingen. Gen 3 gehört zu den Erzählungen von Schuld und Strafe in Gen 1–11 (3; 4; 6,1–4; 6–9; 9,20–27; 11,1–10), in denen es überwiegend um das Überschreiten der dem Menschen gesetzten Grenzen geht. Der Mensch will sein wie Gott, seine Werke sollen bis in den Himmel reichen. Ein weises Herz gewinnt einer, der seine Grenzen kennt, weil er an die Begrenztheit des menschlichen Lebens denkt.

V. 13–17: Nach dem langen Zwischenstück V. 3–12 liegt dem Schluß V. 13–17 wieder der Aufbau des Klagepsalms zugrunde. Auf die Klage (in V. 3–12 abgewandelte Vergänglichkeitsklage) folgt in V. 13–16 die entsprechend abgewandelte Bitte. V. 13 könnte unverändert in einem Klagepsalm stehen; es ist die Bitte um Gottes Zuwendung zu seinem Volk in einer Not. Die Bitte „kehre doch wieder!" setzt die Klage voraus, daß Gott sich von seinem Volk abgewandt hat, die Bitte „hab Erbarmen mit deinen Knechten!", daß er sich im Zorn von ihnen abgewandt hat. Dieses Flehen um Rettung aus einer Not wird in V. 15–16 fortgesetzt, der Bitte um Gottes Zuwendung folgt die um sein Eingreifen. V. 15 läßt die Situation der Klage des Volkes klar erkennen: sie kommt aus einer langen Zeit des Leidens, der Bedrängnis und Unterdrückung.

Wenn nun in V. 15 die Bitte um Wiederherstellung den gleichen Parallelismus Tage – Jahre enthält wie vorher V. 9 (aber auch schon V. 4.5.6; er durchzieht den Psalm wie ein Leitmotiv): „so viele Tage wie . . . so viele Jahre wie . . .", so will der Dichter des Psalms das Flehen aus einer Not in der Volksklage bewußt verbinden mit dem Motiv der menschlichen Vergänglichkeit. Die Zeit der schweren Not eines (seines) Volkes führt er als Beispiel an für das, was er vorher in V. 7.9.10 von „Mühsal und Beschwer" des auf seinen Tod zugehenden Menschenlebens sagte. Diese feine, nur anspielende Wechselbeziehung kann nur einem deutlich werden, der in den Psalmen lebt. Dieses Beispiel sprach für das Volk Israel eine starke Sprache.

V. 16: Die Bitte „Erfreue uns nun wieder . . ." in V. 15 entfaltet V. 16: „. . . dadurch, daß wir deine Taten, dein wunderbares Walten erfahren!" Die Freude, daß es ihnen nun wieder besser geht, daß sie wieder befreit aufatmen können, ist als solche eine Freude an Gottes Tun. Das ist ein besonders schönes, weil unbeabsichtiges Beispiel dafür, daß bei den Betern der Psalmen Freude als solche gleichbedeutend sein konnte mit Freude an Gottes Wirken.

Im Schlußteil V. 13–17 ist wie im Bekenntnis der Zuversicht am Anfang (V. 1.2.4) hinter jedem Satz ein Glied des Klagepsalms zu erkennen; dadurch tritt V. 3–12 noch deutlicher als Erweiterung heraus. Die Verse 13 und 15.16 entsprechen der Bitte in ihren beiden Teilen, V. 14 dem Lobgelübde und V. 17 dem Schlußwunsch.

V. 14: Die Bitte in V. 14a (V. 14 ist besser verständlich auf 15 folgend) nimmt die von V. 15 f. auf. Der Ausdruck „Sättige uns mit deiner Gnade!" setzt voraus, daß, wo Gottes Gnade waltet, Fülle ist, und das „frühe" (wörtlich am Morgen) sieht auf V. 6, den Lebensbogen des Menschen zurück. Dann soll das ganze Leben (wörtlich „in allen unseren Tagen") von Gotteslob, d. h. von Freude bestimmt sein. Dieser Satz scheint im Widerspruch zu V. 3–12, besonders zu V. 10 „Mühsal und Beschwer" zu stehen. Es ist aber für den Dichter des Psalms und für die, die ihn hörten und sangen, kein Widerspruch. Sie wissen wohl, daß Weinen und Lachen, Klagen und Tanzen seine Zeit hat (Pred. 3,4). Der Dichter will damit sagen, daß Freude und Gotteslob im Angesicht der Vergänglichkeit des Menschen, im Angesicht von Leid und Mühsal bestehen können, wo die Zuversicht zu dem ewigen Gott bleibt (V. 1–2).

V. 17: In vielen Klagepsalmen ist der Schlußwunsch ein Doppelwunsch, nach zwei Seiten gerichtet, entsprechend Segen und Fluch, so z. B. 73,27 f.; im 90. Psalm begegnen die Feinde gar nicht, der Schlußwunsch ist nur ein Segenswunsch. Im Unterschied zum Flehen um Rettung V. 13 richtet sich der Wunsch am Schluß auf das Stetige, auf das Bleiben der freundlichen Zuwendung Gottes (V. 17a) und der dadurch bewirkte Segen für „das Werk unserer Hände" (V. 17b). Die Übersetzung Luthers von V. 10b: „. . . und wenn es köstlich war, ist es Mühe und Arbeit gewesen" bewirkt den Eindruck, als enthalte dieser Satz die bestimmende Aussage über die Arbeit im 90. Psalm. Das trifft nicht zu, weil keines der beiden dort gebrauchten Worte „Arbeit" bedeutet. Die bestimmende Aussage über die Arbeit im 90. Psalm ist der Schlußwunsch. Das Walten der Freundlichkeit Gottes über uns wird darin gesehen, daß er die Arbeit des Menschen fördert. Das entspricht dem Auftrag zur Arbeit an den Menschen in Gen 2,15. Dieser Schlußwunsch steht im Zusammenhang mit der den Mittelteil V. 3–12 abschließenden Bitte. Aus der im Blick auf die Vergänglichkeit gewonnenen Weisheit kann man von Gott die Förderung der täglichen Arbeit erwarten. So kommt in diesem Psalm das Majestätische und das Alltägliche zusammen: das Vertrauen zu dem ewigen Gott, der am Anfang war und am Ende sein wird angesichts des begrenzten Menschenlebens, reicht bis in die tägliche Arbeit, die im Auftrag des Schöpfers ihren Sinn bekommt.

Berichtende Lobpsalmen (Dankpsalmen) des Einzelnen

Psalm 30: Du hast mich aus der Tiefe gezogen

1 Ein Psalm. Lied zur Tempelweihe. Von David.
2 Ich will dich erheben, Herr,
  denn du hast mich aus der Tiefe gezogen
  und ließest meine Feinde sich nicht über mich freuen.
3 Herr, mein Gott, ich schrie zu dir
  und du hast mich geheilt.
4 Herr, du hast meine Seele aus dem Totenreich heraufgebracht,
  zum Leben mich zurückgerufen
  unter denen, die zur Grube fahren.
5 Lobsinget dem Herrn, ihr seine Frommen,
  und preist seinen heiligen Namen!
6 Denn einen Augenblick in seinem Zorn,
  ein Leben lang in seiner Gnade!
  Am Abend kehrt Weinen ein
  und am Morgen Jubel.
7 Ich aber dachte in sicherem Glück: ich werde nie wanken.
8 Herr, in deiner Gnade hattest du mich auf Felsengrund gestellt.
  Du verbargst dein Antlitz, da ward ich verstört.
9 Zu dir, Herr, rief ich, ich flehte zu meinem Gott.
10 Was nützt es dir, wenn ich sterbe,
   wenn ich hinabfahre zur Grube?
   Lobt dich etwa der Staub? kündet er deine Treue?
11 Höre, Herr! Erbarme dich meiner!
   Herr, sei du mein Helfer!
12 Du hast mir meine Klage in Reigen verwandelt,
   mein Trauerkleid abgelöst, mich mit Freude umgürtet.
13 Damit meine Seele dir singe und nicht verstumme.
   Herr, mein Gott, für immer will ich dich loben.

Zum Text

V. 8:   Lies *le harerē ʿōz* = auf feste Berge; vgl. App.
V. 10: Wörtlich: „an meinem Blut"
V. 11: Paßt besser vor V. 10
V. 13: Lies statt *kābōd kabēdi* = mein Inneres (wie Ps 7,6)

Zum Aufbau

Der Aufbau erweist diesen Psalm als berichtenden Lobpsalm eines Einzelnen. Er beginnt mit dem Entschluß, Gott zu loben; Dieser Entschluß wird im folgenden durch einen (erweiterten) Bericht begründet. Der Schluß V. 13b kommt wieder zum Anfang zurück, hier aber kommt hinzu: „für immer".

Die Begründung V. 2b–13a ist ein Bericht von der Rettung, die der Psalmist erfuhr; am Anfang kurz zusammengefaßt „du zogst mich empor . . .", in V. 3–13a entfaltet. In V. 3–4 im Rückblick auf die Todesgefahr, den Hilferuf und die Erfahrung der Rettung. In V. 5–6 werden die Zuhörenden gerufen, in das Lob einzustimmen, in V. 7–13 wird der Bericht noch einmal erweitert: 7–8a die Sicherheit vorher, 8b der Sturz, 9–11 das Flehen aus der Tiefe, 12–13a noch einmal der Bericht von der Errettung (wie V. 2b–4).

V. 2–4: Dieser Psalm ist in seinem Aufbau so klar und in seiner Sprache so einfach, daß eine Erklärung nicht nötig zu sein scheint; manches jedoch darin ist unserer Sprache und unserem Denken fremd und muß aus dem Gesamtzusammenhang der Psalmen erklärt werden.

Exkurs: Danken und Loben: Dieser Psalm und die folgenden werden gewöhnlich als Dankpsalmen bezeichnet, das hebräische Verb *hōdāh* (V. 13b) mit „danken" übersetzt. Man kann diese Bezeichnung und Übersetzung beibehalten, sofern es in unserer Sprache an die Stelle des früheren „loben" getreten ist. Will man aber diese Psalmen verstehen, wie sie ursprünglich gemeint sind und das Verb, wie es ursprünglich gemeint ist, muß man sich klarmachen, daß hier ein Wandel vor sich gegangen ist. Das Verb *hōdāh* bedeutet nicht „danken", sondern „loben". Bewiesen wird das allein schon dadurch, daß es niemals als Danken zwischen Menschen begegnet. Ein genau unserem Wort „danken, Dank" entsprechendes Verb hat die hebräische Sprache nicht. Das ist aber keine Besonderheit dieser Sprache; ein Wort für danken hat es in keiner primitiven Sprache gegeben. Das läßt sich leicht nachprüfen. In allen uns bekannten Sprachen ist es von anderen Verben abgeleitet und hat es erst sekundär die Bedeutung „danken" angenommen (im Deutschen und Englischen von ‚denken'). Dies ist in einer Entwicklung begründet, die mit dem erst späten Heraustreten des Individuums aus der Gemeinschaft zusammenhängt. Auch das läßt sich mit Sicherheit nachweisen: ein kleines Kind kann von selbst seinen Schmerz und seine Freude äußern (entsprechend Klage und Jubel); das Danken aber muß ihm erst beigebracht werden.

Das Loben aber unterscheidet sich vom Danken vor allem darin, daß es spontan ist, es kann niemals zur Pflicht werden, zu etwas, was man tun muß. Es gehört zum Loben, daß es in Freude geschieht; das Loben kann nie, das Danken muß geboten werden. Seine sprachliche Ausprägung bekommt dieser Unterschied darin, daß das Danken oft in einem Satz geschieht, in dem der Dankende Subjekt ist: „Ich danke dir, daß . . ."; das spontane Loben geschieht in einem Satz, in dem Gott Subjekt ist: „du hast . . ., du bist". Der andere Unterschied: Das Danken kann ein privater Vorgang sein „ich bedanke mich"; dabei wird dann oft betont, daß das Wesentliche dabei das Gefühl der Dankbarkeit ist.

Zum Lob gehört, daß es sich äußert, und zwar vor anderen Menschen, die anderen sollen davon hören, das zeigt der 30. Psalm (Eine ausführliche Begründung dieses Unterschiedes in C. Westermann, Lob und Klage . . ., ⁵1977, S. 20–24.)

V. 2: Mit dem ersten Satz „Ich will dich erhöhen, Jahwe . . .“ nimmt der Anfang des berichtenden Lobpsalms das Lobversprechen auf, das am Ende vieler Klagepsalmen steht. Was dort zusammen mit der Bitte um Rettung aus der Not gelobt wurde, das wird hier ausgelöst, nach der Erfahrung der Rettung. Der Satz ist ein Bindeglied zwischen Klage- und Lobpsalm. Das Verb „erhöhen“ (von *rūm* = hoch sein) ist ein Synonym für loben, preisen; es bringt ein besondereres Moment des Gotteslobes zum Ausdruck: im Loben wird Gott erhöht. Dieses Erhöhen Gottes aber kann verschieden aufgefaßt werden, nach der einen Auffassung kann ein Gott durch eine Fülle ehrender Prädikate erhöht werden. Das geschieht besonders in den babylonischen Psalmen, die oft zum großen Teil aus preisenden Gottesprädikaten bestehen. Das entspricht etwa dem Erhöhen eines Gottes durch Größe und Pracht des Gottesbildes, des Gottesthrons oder auch des Gotteshauses, des Tempels. Eine solche statische Darstellung der Majestät Gottes durch Worte oder durch plastische Darstellung gab es in Israel nicht. Mit dem Erhöhen ist hier etwas anderes gemeint: erhöht wird Gott in seinem wunderbaren Helfen und Retten, erhöht wird er in seinem Erbarmen, so besteht hier auch das Erhöhen im Berichten von dem, was der Psalmist erfuhr. Die Höhe oder Größe Gottes wird in der Bibel niemals im Gottsein an sich, sondern immer in seinem Wirken gesehen. Deswegen besteht die Bibel des Alten Testaments und des Neuen Testaments in der Hauptsache in einem Bericht von Gottes Tun.

Die Begründung: „denn du hast mich heraufgezogen“, in dieser Bedeutung nur hier, das Verb heißt im qal „schöpfen“. Nun können ihm seine Feinde nichts mehr anhaben. In der Klage spielen die Feinde, wie wir sahen, eine große Rolle. In den Lobpsalmen nach der Rettung begegnen sie nur selten und ganz am Rande; was schon bei den Vertrauenspsalmen deutlich war, gilt auch hier: mit der abgewendeten Bedrohung durch die Feinde haben diese ihre Bedeutung verloren.

V. 3–4: Die kurze Entfaltung des Berichtes von der Rettung, mit einer neuen Anrede: „Jahwe, mein Gott“ eingeleitet, sieht der Psalmist in einem kurzen Satz auf sein Leiden zurück: „Ich schrie zu dir.“ Dann folgt mit starker Betonung in drei ungefähr das gleiche bedeutenden Sätzen Gottes Rettungstat. In den einen Satz „Ich schrie zu dir“ kann der ganze Bericht von der Not zusammengedrängt werden, weil das Flehen zu Gott das Ziel des Leidens und der Klage war (das zeigte der Aufbau der Klagepsalmen) und weil in diesem Flehen und in ihm allein die Möglichkeit eines Auswegs, einer Zukunft lag.

Gott hat ihn aus der Not befreit, das sagen die nächsten drei Sätze: „. . . du hast mich geheilt“, daraus folgt nicht notwendig, daß die Not in einer Krankheit bestand. Das Geheiltwerden ist hier als typische Erfahrung einer Rettung gemeint, wie sie das heute noch überall auf der Welt ist. „Du hast mich aus dem Totenreich heraufgebracht“; damit ist nicht eine Erweckung aus dem Tode gemeint so, wie wir das verstehen, vielmehr ist hier gleichnishaft von der Macht des Todes geredet, die mitten in ein Menschenleben hineinreicht. In einer tödlichen Gefahr, in der Bedrohung durch einen tödlichen Unfall, aber auch in der Todesangst ist der Tod selbst am Werk. Gott hat ihn aus der Gewalt des Todes entrissen, das sagt der letzte Satz von V. 4 noch einmal positiv: er hat ihn dem Leben wiedergegeben, während andere dem Tod nicht entgingen.

V. 5–6: Der von Gottes Rettungstat an ihm berichtete, fordert nun die anderen auf, in das Lob Gottes darüber einzustimmen; diese Aufforderung oder Bitte setzt also voraus, daß der Bericht Zuhörer hat, daß er in einem Kreis daran Beteiligter gesprochen wurde und weiter gesprochen wird. Es ist an das Begehen einer Lobopferfeier in kleinem Kreis gedacht, das auch in Ps 22,23–27 gedacht ist; die Folge der Verse ist dort die gleiche wie hier. Diese auffordernde Bitte hat die Form des imperativen Lobrufs, der üblichen Einleitung des beschreibenden Lobpsalms. Dem entspricht auch die Begründung dieses Aufrufs in V. 6: was bisher als Erfahrung eines Einzelnen berichtet war, wird nun als für alle gültig beschrieben, die Wandlung, die der eine erfuhr, können alle erfahren, weil sie Gottes Wesen entspricht. In den beiden Halbversen von V. 6 ist etwas für alles Reden von Gott im Alten Testament Wesentliches gesagt, was sich aus der Erfahrung eines, der gelitten hat, ergab, das er aber nun als gültig für alle weitergeben kann: Gottes Güte überragt seinen Zorn bei weitem. Aber es ist bezeichnend, daß dies nicht in bloßen Begriffen gesagt wird, sondern in zwei konkreten, wenn auch überschwänglichen Gegensatzpaaren, die Erfahrungen wiederzugeben fähig sind: Ein Augenblick – ein Leben lang, am Abend – am Morgen. Dem ersten Gegensatzpaar zugeordnet ist das von Zorn und Gnade Gottes, dem zweiten das von Weinen und Jubel, also deren Auswirkung beim Menschen. Man muß diesen sinnvollen Entsprechungen lange nachdenken, um solchem Reden von Gott auf die Spur zu kommen, das von Satz zu Satz, von einem Motiv zum anderen in gegliederten Ganzheiten denkt.

V. 7–11: Nun wird der Bericht noch einmal erweitert, und zwar um die Vorgeschichte. Dem Sturz in die Tiefe ging eine Zeit falscher Sicherheit voraus. Das „aber" am Anfang steht im Gegensatz zum Vorangehenden: ich hatte gedacht, solche Rettung nicht mehr nötig zu haben! Es war eine Zeit sicheren Glücks, die so leicht das Gefühl erzeugt, „mir kann nichts mehr passieren!". Dieses Gefühl der Selbstsicherheit war unmerklich an die Stelle des Vertrauens getreten. Jetzt erst, nach dem Sturz in die Tiefe, hat er begriffen „in deiner Gnade hattest du mich auf Felsengrund gestellt". Ganz offenkundig klingt hier die Sprache der Vertrauenspsalmen an. Er hatte geglaubt, dieses Vertrauen nicht mehr nötig zu haben. Dann kam der Sturz, in zwei kurzen Sätzen angedeutet: „du . . . ich . . ." V. 8b. Der erste Satz „du verbargst dein Angesicht" ist die Entsprechung zu dem Satz aus dem Segen: „laß dein Angesicht leuchten über mir!". Einer wie der andere setzt voraus, daß das Gegenüber zu Gott etwas notwendig zum Menschen Gehörendes ist.

V. 9 wiederholt nur etwas ausführlicher den gleichen Satz aus V. 3. Darüber hinaus aber wird hier das Gebet aus der Tiefe der Not zitiert; es wird besser verständlich, wenn man V. 11 vor V. 10 liest. Es ist das Flehen um Gottes Zuwendung und um Gottes Eingreifen (Helfen), wörtlich so in vielen Klagepsalmen. Die Bitte wird in V. 10 um ein Motiv zum Eingreifen verstärkt, das uns naiv anmutet: Was nützt dir, Gott, mein Sterben? Können die Toten dich noch loben? Das gleiche Motiv begegnet noch Ps 6,6; 88,11.12; Jes 38,8 f.; 115,17; 118,17; 119,175; Jes.Sir 17,27 f. Der Tod ist hier dadurch charakterisiert, daß es in ihm Gotteslob nicht mehr geben kann, zum Leben aber, zum wirklichen, vollen Leben gehört das Gotteslob, wie es der Psalm Hiskias Jes 38 sagt: „Leben, Leben, das lobt dich!" Es ist ein Element der menschlichen Existenz. Verständlich ist das nur, wenn man dabei beachtet, daß für das alte Israel das Gotteslob ein Ausdruck der Lebensfreude war, also Leben ohne Freude nicht volles Leben sein konnte. Alle echte, tiefe, strahlende Freude ist im Alten Testament zu Gott hingewandte Freude, weil alles, was Freude weckte, von Gott kam. Das war eine Denkvoraussetzung, sie entspricht dem Kehrvers des Schöpfungsberichtes „. . . und siehe, es war sehr gut". In diesem Gutsein des Geschaffenen ist das Gotteslob der Geschöpfe angelegt.

V. 12: Auf den Bericht von der Not und dem Flehen aus der Not V. 7–11 folgt nun noch einmal (nach V. 2 und 4) der Bericht von der Rettung, der den ganzen Psalm als Leitmotiv bestimmt. Dieser dritte Bericht unterscheidet sich von den vorangehenden darin, daß die Rettungstat und deren Folge in eins gesehen wird: Gott hat ihn wieder froh gemacht. Aber auch hier wieder ist der Begriff in konkrete Vorgänge umgesetzt. Seine Klage hat er in Reigen verwandelt, wobei „Reigen" (vgl. 149,3; 150,4; Jer 31,13) den das Singen begleitenden Tanz bezeichnet: der ganze Körper freut sich mit, Leib und Seele sind von der Freude erfaßt. Und Gott freut sich mit ihm, er selbst befreit ihn von dem Trauergewand und gürtet ihn mit Freude! Auch das festliche Kleid gehört dazu, und was er berichtet hat, erhält darin seinen Abschluß: von der Wende der Not bis zum Anlegen des Festkleides!

V. 13: Das Lied der Freude, das Gott selbst ihm auf die Lippen legte (V. 12), soll nun nicht mehr verstummen; denn was Gott an ihm getan hat, kann er nicht vergessen (Ps 103,1). So mündet der Psalm wieder in das Lobversprechen ein, mit dem er einsetzte (V. 2), nun aber erweitert durch das „für immer". Ein Nachklang der Freude, die Gott in ihm durch die Rettung aus der Todesgefahr erweckte, wird sein weiteres Leben bewahren. Er wird nicht vergessen, was Gott ihm Gutes getan hat.

Psalm 31,8–9.20–25: Wie groß ist deine Güte!

8 Ich will jubeln und mich deiner Güte freuen,
   daß du mein Elend angesehen
   und meiner in meiner Not gedacht hast,
9 daß du mich nicht in die Hand meines Feindes ausgeliefert,
   meine Füße auf weiten Raum gestellt hast.

20   Wie groß ist deine Güte,
     die du denen bewahrst, die dich fürchten!,
     die du vor aller Welt erweist denen, die auf dich trauen.

21   Du schirmst sie im Schutz deines Angesichtes
     vor den Verleumdungen der Leute,
     du birgst sie in deiner Hütte vor dem Streit der Zungen.

22   Gelobt sei der Herr, der wunderbar an mir gehandelt,
     mir seine Güte erwiesen zur Zeit der Bedrängnis.

23   Ich aber hatte in meiner Angst gedacht:
     Ich bin aus deinen Augen verstoßen!
     Doch du hast die Stimme meines Flehens gehört,
     als ich zu dir um Hilfe rief.

24   Liebet den Herrn, ihr Frommen alle,
     seine Getreuen behütet der Herr,
     doch mit vollem Maß vergilt er dem Hochmütigen sein Tun.

25   Seid stark, euer Herz sei unverzagt,
     ihr alle, die ihr auf den Herrn hofft!

Zum Text

V. 21:   Statt des sonst nie vorkommenden und in seiner Bedeutung unbe-
kannten *mērukkesēj* lies dem Parallelismus entsprechend *mērekilēj*
= Verleumdungen.

V. 22:   M.: „in fester Stadt".

Zum Aufbau

Psalm 31 ist aus mehreren einmal selbständigen Psalmen zusammengefügt.
31,1–7 könnte ein Vertrauenspsalm sein. Er enthält das Wort Jesu am Kreuz (V.
6): „In deine Hand befehle ich meinen Geist." V. 10 ist deutlich erkennbar der
Anfang der Klage eines Einzelnen, die von V. 10–19 reicht; ihr fehlt wahrscheinlich der Schluß. Die Verse 8–9 mit 20–25 bilden einen vollständigen und
in sich geschlossenen Lobpsalm eines Einzelnen. Der Psalm setzt in V. 8–9 ein
mit dem Entschluß zum Gotteslob (bzw. zur Auslösung des Lobversprechens)
mit einem kurzen Bericht als Begründung. Dieses Gotteslob folgt in V. 20–23;
in V. 20–21 als Gottes Güte allgemein beschreibendes, in V. 22–23 als Bericht
von dem, was der Psalmist selbst erfahren hat, an V. 8–9 anschließend. In dem
Schlußteil V. 24–25 ruft er die, an die er sich wendet, in sein Lob einzustimmen.

V. 8–9: Den Entschluß, ein Gotteslob anzustimmen, bringen zwei Verben zum
Ausdruck, das Verb jubeln *(gīl)* bezeichnet im Hebräischen vor allem die
Festfreude. Es setzt einen zum Begehen eines Festes zusammengekommenen
Menschenkreis voraus, einen Anlaß zum Freuen und den gemeinsamen Willen,
dieser Freude Ausdruck zu geben. Solche Festfreude setzt aber auch einen

gesicherten Lebensraum voraus, in dem man zum Begehen eines Festes zusammenkommen kann; dieser gesicherte Lebensraum, in dem die Festfreude ihren Platz hat, heißt im Hebräischen *šālōm*. Das andere Verb: „Ich will mich freuen!", das heißt hier: Ich will meiner Freude Ausdruck geben, ich will mich mit den anderen und vor den anderen freuen, damit sie sich mitfreuen. Im Alten Testament gibt es keine scharfe, strenge Grenze zwischen weltlicher und geistlicher Freude. Weil Freude zum Menschsein gehört, hat sie es mit Gott zu tun; denn Gott hat die Menschen so geschaffen, daß sie sich freuen können.

Grund und Anlaß der Freude ist: „. . . über deine Güte". Damit ist hier nicht eine Eigenschaft Gottes gemeint, es ist der Grund der Erfahrung gemeint, die die Freude erweckte, von der der Psalmist in den nächsten Worten berichtet. Von der Güte Gottes kann man nur reden, weil es solche Erfahrungen gibt. Er freut sich, weil Gott sein Elend angesehen, einer da war, der in seiner Not an ihn gedacht hat. Mit diesen Sätzen ist eine elementare Erfahrung ausgesprochen, die alle Menschen kennen, gleich, welcher Religion oder Weltanschauung sie angehören, unabhängig davon, was oder an wen sie glauben. Er war in einer Not, er war im Elend, und er ist daraus befreit worden: „Du hast meine Füße auf weiten Raum gestellt!" Wo er nun seiner Freude über diese Befreiung Ausdruck vor den anderen geben will, kann er es nur so, daß er darin einen Sinn, einen Zusammenhang sieht. Das ist für ihn der Sinn: Als er im Elend war, hat ihn einer gesehen, einer an ihn gedacht. Das ist der Grund seiner Freude.

V. 20–31: Die Gliederung des Gotteslobes V. 20–23 zeigt, daß, wo einer von einer solchen Erfahrung spricht, der kleine Kreis seiner eigenen Erfahrung sich ganz von selbst ausweiten muß. Die Güte Gottes, mit der er ihn in seinem Elend ansah und an ihn dachte, ist ja für alle da. Das sagen die Verse 20–21. Die Sätze beginnen mit einem Ausruf des Staunens: „Wie groß ist deine Güte!" Solche Ausrufe des Staunens kommen in den Lobpsalmen immer wieder. Das Staunen ist ein Element des Kindlichen. Diesen kindlichen Zug im Gottesverhältnis bewahren die Psalmen in solchen staunenden Ausrufen. Hier besagt der Satz, daß ein Mensch niemals die Güte Gottes ergründen, sie niemals gedanklich, in einem abstrakten Begriff festlegen kann. Wo das Staunen in einem begrifflichen, theologischen Wissen untergeht, da ist es nicht mehr Gottes Güte, von der geredet wird. Wo man meint, über Gottes Güte wissend zu verfügen, da hat man keine Ahnung mehr von ihr. Das ist der Sinn der zweiten Vershälfte von V. 20a: „die du denen bewahrst, die dich fürchten". Sie ist auf keine Weise verfügbar, diese Güte Gottes; sie ist aufbewahrt für die, die sie ehrfürchtig empfangen. Denn „Furcht" an dieser Stelle ist das, was wir Ehrfurcht nennen. Und diese Ehrfurcht gehört mit dem Staunen unlösbar zusammen. Es kommt noch ein Drittes hinzu: Diese Güte erweist Gott denen, die auf ihn trauen, genauer, die sich bei ihm bergen. Die Güte Gottes ist nicht etwas irgendwo Vorhandenes; es gibt sie nur in einer Bewegung zu Gott hin (V. 23b) und von Gott her. Diese Bewegung aber vollzieht sich nicht in irgendeiner Innerlichkeit, sondern „vor allen Leuten" als ein Stück unserer Wirklichkeit.

Von dieser Wirklichkeit redet V. 21. Da ist nur von einem einzigen Ausschnitt der Wirklichkeit die Rede; Gott kann seine Güte auf viele Arten erweisen, aber immer ist es ein Stück unserer Wirklichkeit. Von dem hier angedeuteten Ausschnitt sagt einer der Sprüche (Spr 18,21): „Tod und Leben steht in der Gewalt der Zunge." Vielleicht ist gerade dieser Ausschnitt des Erweises der Güte Gottes hier genannt, weil man bei ihm besonders hilflos der Gewalt des verwundenden Wortes ausgesetzt ist („Rufmord").

V. 22–23: Nun entfaltet der Psalmist seine eigene Erfahrung, von der er schon in V. 8–9 geredet hat. Zum Verständnis des ersten Satzes: „Gelobt der Herr, der wunderbar an mir gehandelt hat" ist zu wissen notwendig, daß Lobrufe genau dieser Struktur mehrfach in Berichten und Erzählungen begegnen, z. B. Gen 24,21:

> „Gelobt (sei) Jahwe, . . .
> der meinem Herrn seine Güte und Treue nicht entzogen hat!"

Dazu Gen 14,20; 1.Sam 25,32 f.39; 2.Sam 18,28; Ex 18,10; 1.Kön 1,48; 5,21; 16,9. Diese Lobrufe sind unmittelbare Reaktion derer, die eine wunderbare Hilfe erfuhren; sie stehen als solche erste Reaktion in der Mitte zwischen dem Erlebnis und dem Psalm, dem dieses Erlebnis zugrunde liegt; diese Lobrufe sind so etwas wie ein Lobpsalm in nuce. Diesen Satz also, der in der Mitte des Psalms steht, hat der Psalmist schon in der Situation gesprochen, aus der dann der Psalm erwuchs, nur hatte damals der Ausruf „Gelobt Jahwe!" eine konkret-einmalige, im Psalm, der für viele gesungen ist, eine allgemeine Begründung.

Die Situation damals entfaltet er in V. 23 noch weiter: er erzählt, was dem vorausgegangen war. Er war durch eine Tiefe der Angst und Verzweiflung gegangen; aber dann hatte er erfahren, daß die Verbindung mit Gott noch da war: „doch du hast die Stimme meines Flehens gehört!". Daß Gott wunderbar an ihm gehandelt hat (V. 22), ist im Erlebnis dieser Wende aus tiefer Verzweiflung begründet.

V. 24–25: Das Gotteslob dessen, der diese Erfahrung gemacht hat, soll sich ausbreiten, die Freude soll Mitfreude erwecken. Diesen Sinn haben die Imperative in V. 24 und 25. An diesem Schluß des 31. Psalms zeigt sich der Zusammenhang zweier Psalmgattungen: der gleiche imperativische Ruf zum Lob, der den berichtenden Lobpsalm beschließt, eröffnet den beschreibenden Lobpsalm, das ‚hymnische' Gotteslob der Gemeinde. Statt des Imperativs: „Liebet!" könnte hier wie auch sonst ebenso eine Vokabel des Lobens stehen. Mit dem Verb „lieben" ist nicht eine Gesinnung oder ein Gefühl gemeint, das, was in unserer Sprache „Liebe zu Gott" meint, sondern die Hinwendung oder Zuwendung zu Gott, das freudige Bejahen Gottes, das sich im Gotteslob ausspricht.

Die Begründung für diese Aufforderung gibt der zweigliedrige Satz 24b. Im ersten erhält die einmalige Erfahrung des Psalmisten einen bleibenden Ausdruck, das berichtende geht in das beschreibende Lob über: „Seine Getreuen behütet der Herr"; im zweiten Satz wird die Vergeltung Gottes dem Tun des „Hochmütigen" angekündigt. Gemeint ist damit einer, der sich selbst der Höchste ist und eines anderen, zu dem er in der Not rufen kann, nicht zu bedürfen meint.

Im letzten Vers 25 wird der Imperativ von V. 24 weitergeführt in dem Imperativ „Seid stark . . .“, der aber eine andere Funktion hat: Ihr *werdet* stark sein und euer Herz *kann* unverzagt sein, wenn ihr euch hoffend an diesen Herrn haltet. Dieser abschließende Satz erhält seinen Sinn erst aus dem Gesamtverlauf des Psalms. Der gegenwärtigen Festfreude wird der Alltag folgen mit seinen neuen Gefährdungen. In ihm wird sich die aus der Freude gewonnene Gewißheit bewähren.

Psalm 40,1–12: Er hörte mein Schreien

1 Dem Musikmeister. Ein Psalm Davids.
2 Sehnsüchtig hoffte ich auf den Herrn,
   und er neigte sich mir zu und hörte mein Flehen.
3 Er zog mich heraus aus der Grube des Grauens,
   aus Schlamm und Morast.
   Er stellte meine Füße auf den Fels,
   machte fest meine Schritte
4 und gab ein neues Lied mir in den Mund, Lob unserem Gott!
   Viele werden das schauen in Ehrfurcht
   und Vertrauen fassen zum Herrn.

5 Wohl dem Mann, der auf den Herrn sein Vertrauen setzt
   und sich nicht wendet zu den Götzen, zu den Lügenrednern.
6 Viel sind deiner Wunder, Herr mein Gott,
   die du an uns getan hast,
   und deiner Gedanken, die du an uns gewandt hast;
   nichts kommt dir gleich!
   Wollt ich sie künden und erzählen,
   zu viel sind es, sie aufzuzählen.

7 An Schlacht- und an Speiseopfern hast du kein Gefallen,
   [Ohren hast du mir gegraben.]
   Brand- und Sündopfer hast du nicht verlangt,
8 dann hätte ich gesagt: Siehe, ich komme!
   in der Buchrolle ist über mich geschrieben.
9 Zu tun, Gott, was dir gefällt, ist meine Lust,
   und deine Weisung ist in meinem Herzen!
10 Ich künde Heil in großer Versammlung.
   Siehe: meine Lippen verschließe ich nicht, Herr, du weißt es!
11 Dein gerechtes Walten verberge ich nicht in meinem Herzen,
   ich spreche von deiner Treue und deiner Hilfe.
   Deine Güte und deine Treue verberge ich nicht vor der großen Gemeinde.
12 Du Herr, wirst dein Erbarmen nicht vor mir verschließen.
   Deine Güte und deine Treue werden mich immer behüten.

Zum Text

V. 5:   Das Wort *rehabim* (hier mit ‚Götzen' zu übersetzen) ist Plur. von *rahab* = Chaosungeheuer, z.B. Hi 9,13. Das folgende Wort *sātēj kāzāb* nur noch Jes Sir 51,2, wörtlich: „Abweichender der Lüge".

V. 6:   „nichts kommt dir gleich" wörtlich: „es gibt kein Vergleichen mit dir".

V. 7.8: sind schwer verständlich; der Ausdruck „Ohren hast du mir gegraben" ist auffällig (sonst nie) und paßt nicht recht. Einen anderen Text haben H. Gunkel u.a. herzustellen versucht: „Wenn du Schlacht- und Speiseopfer wolltest, ich hätte mein Ohr nicht verschlossen; wenn du Brand- und Sündopfer gefordert hättest, dann hätte ich gesprochen: hier bringe ich sie!"

Zum Aufbau

Auch in Ps 40 sind zwei Psalmen zusammengefügt worden: der Lobpsalm ist mit V. 12 abgeschlossen; die Verse 13–19 sind ein Klagepsalm oder Teil eines Klagepsalms. In diesem Fall wird das dadurch nachgewiesen, daß die Verse 13–19 in Ps 70,1–6 als selbständiger Psalm noch einmal begegnen (das „denn" V. 13 bezieht sich auf die einleitende Bitte, die in Ps 70 am Anfang steht, in Ps 40,13–18 als 18b an den Schluß gefügt ist).

Eine Ps 31,8a entsprechende Einleitung fehlt hier, der Ps 40 fängt gleich mit dem Bericht an, der V. 2–4 umfaßt, ein Bericht von der Not V. 2a und der Rettung V. 2b–4. V. 5 ist eine diesem Bericht nach-denkende Reflexion, sie könnte auch eine Randbemerkung sein.

Aus dem Bericht V. 2–4 erwächst das Gotteslob, so ist es in V. 4a gesagt, so wird es in V. 6 angestimmt. Die direkte Fortsetzung von V. 6 ist 10–12: dieses Lob Gottes will der Psalmist verkünden. Die V. 7–9 stellen dem Gotteslob als Reaktion auf Gottes Wunder (6) eine andere Möglichkeit gegenüber, nämlich den Dank abzustatten in Opfergaben. Aber diese andere Möglichkeit wird abgewiesen: diese Opfer will Gott nicht haben. Der Abschluß V. 12 ist ein Wort der Gewißheit, daß Gottes Güte auch weiter mit ihm gehen wird.

V. 2–4: Der Psalm beginnt mit einem Bericht von dem, was der Psalmist erfahren hat. Es ist offenkundig ein stilisierter Bericht oder genauer: eine zu einem Bericht verkürzte Erzählung. Dieser Bericht folgt, wie viele Beispiele zeigen, einer vorgeprägten Struktur. In dieser ist er immer gegliedert in den Bericht von der Not (V. 2a) und der Rettung (V. 2b–4a). Der erste Teil ist stark abgekürzt; von der Not selbst wird nichts gesagt (sie ist aber in V. 3a angedeutet), nur das Hoffen auf Gott aus dieser Not, zu dem auch das Rufen zu ihm gehörte, was V. 2b voraussetzt. Der Anfang von V. 2a wäre wörtlich zu übersetzen: „Hoffend hoffte ich (inf. absol.) auf Jahwe"; das Verb ist durch Wiederholung intensiviert.

Der Bericht von der Errettung in V. 2b–4a reiht in dichter Folge die einzelnen Akte der Rettungstat aneinander, die in der Überlieferung vorgegeben war. Sie ist gegliedert, dem Flehen aus der Not entsprechend, in Gottes Zuwendung V. 2b und sein Eingreifen, dieses wieder in zwei Akten V. 3. In V. 4a gehört auch die Reaktion des Geretteten zur Tat Gottes, 4b zeigt das Weiterwirken auf die, die es wahrnehmen.

V. 2b–3: Eine bestimmte, sehr konkrete Erfahrung, das Versinken in einer schlammigen Grube (Joseph, Jeremia) und das Bewahrtwerden vor dem Tode wird hier zum Gleichnis für Erfahrungen von Rettung viellerlei sehr verschiedener Art.

Der hier spricht, will den Zuhörenden teilgeben an dem, was er erlebte, so, daß sie es nachempfinden und eigene Erfahrungen darin wiederfinden können. Er tut das nicht in begrifflich-verallgemeinernder Sprache, sondern nach Art eines Vergleiches. Dies hat den Vorteil, daß ein Geschehensablauf vor die Hörer tritt. Sie sollen sich ja nicht ein Bild machen, sie sollen dabeisein, an dem Geschehenen teilnehmen so, daß es auch ihre eigene Geschichte werden kann. Die dabei verwandten Vergleiche sind alle so, daß sie Typisches darstellen, typische Geschehensfolgen, die vielfache einzelne, je besondere Erlebnisse umgreifen können. Um dies an einem Beispiel klarzumachen: die in V. 3 geschilderte Geschehensfolge ließe sich ohne weiteres als die Erfahrung eines Drogensüchtigen anhören; gerade die Wende vom Untergang im Bodenlosen zum Stehen auf festem Grund würde hierfür genau passen. Das Beispiel soll zeigen, daß es bei der Wende von der Not zur Rettung typische menschliche Erfahrungen gibt, die sich in ihrer Grundstruktur über Jahrtausende hin nicht ändern.

V. 4a: Im Rückblick empfindet der Gerettete den Freudenruf, den Jubellaut, das „Gott sei Dank!" nach der Wende der Not als ein Glied der Kette, die die Akte der Rettungstat Gottes bilden: „Er gab mir . . ." So selbstverständlich, so spontan gehört diese Reaktion dazu! Dies ist ein charakteristischer Zug des Redens von Gott und Mensch in den Psalmen. Wer dies erfahren hat, der kann gar nicht anders.

V. 4b: Ebenso natürlich und selbstverständlich ist es, daß sich ein solches Geschehen ausbreitet. Die davon hören, sagen ‚wie wunderbar', und ihr ehrfürchtiges Staunen gibt ihnen neues Vertrauen. Ehrfurcht und Vertrauen gehören hier nahe zusammen.

Dieser Satz V. 4b ist geeignet, die Besonderheit des hebräischen Imperfekts zu erklären, das sowohl die imperfektische, im Sinn der lateinischen Grammatik, wie auch futurische Bedeutung haben kann. Der Satz 4b kann nämlich auch imperfektisch übersetzt werden: „Viele sahen es und . . . setzten ihr Vertrauen . . ." Man kann in diesem Fall nicht sagen, das eine sei die richtige, das andere die falsche Übersetzung. Der Berichtform in V. 2–4a würde das imperfektische Verständnis entsprechen; vom Aufbau des Psalms her erscheint mir das futurische Verständnis zutreffender; es lenkt zu dem futurischen Schluß hinüber. Was 4b sagt, wird erst auf das in V. 10–11 Angekündigte folgen.

V. 5: Dieser Ausruf ist veranlaßt durch V. 4b („Vertrauen"), inhaltlich steht er Ps 1 sehr nahe. Die Entgegensetzung von Gott und Götzen ist in der Struktur des Psalms nicht begründet, sie ist ihr eher fremd, begegnet auch sonst in Lobpsalmen des Einzelnen nie. Es könnte wohl ein in Parenthese zu setzender Ausruf des Psalmisten selbst sein, ebenso aber auch die Randbemerkung eines Lesers. Jedenfalls ist es eine Zwischenbemerkung, ohne sie würde dem Psalm nichts fehlen.

V. 6: schließt unmittelbar an V. 4: hier folgt das Gotteslob (4a). Es unterscheidet sich aber von V. 4 darin, daß sich der Psalmist hier mit den anderen zusammenschließt, die solche Wunder auch erfahren haben. Damit zugleich geht das verbale (berichtende) in das nominale (beschreibende) Gotteslob über: „Viele sind deiner Wunder . . ." Wie Ps 31,20 ist dieser Vers ein Ausdruck ehrfürchtigen Staunens. Wenn er zusammen mit den Taten die Gedanken Gottes staunend überdenkt, entspricht das dem Miteinander der besonderen, herausragenden Ereignisse und der stetigen Gewißheit, daß Gott an uns denkt (ebenso in V. 4b). Das Nachdenken darüber führt ihn zu der Erkenntnis, daß Gott unvergleichlich ist: „Wem wollt ihr Gott vergleichen?" Jes 40,18, auch dieser Satz im Zusammenhang des Gottlobes. Wie er unvergleichlich ist, so ist er auch unermeßlich, seine Gedanken und seine Taten vermag ein Mensch nicht herzuzählen. Diese Einstellung zu Gottes Taten und Gottes Gedanken steht in einem deutlichen Gegensatz zu dem Versuch, eine Gotteserkenntnis anzustreben, die in der Sprache der Begriffe über Gottes Tun und Gottes Gedanken denkend verfügen zu können meint.

V. 7–9: Zum Verständnis der schwierigen Verse 7–9 ist vorauszuschicken, daß sie ein Kontrastmotiv enthalten, das auch sonst begegnet, besonders Ps 50 und 51: nicht Opfer, sondern Lob. Sehr stark vereinfacht will das Folgende sagen: Nicht Opfer (V. 7–9), sondern Lob (V. 10–11) will ich dir darbringen. Dieses Kontrastmotiv liegt eindeutig und ohne Schwierigkeit vor im ersten und dritten Satz von V. 7: „An Schlacht- und Speiseopfer hast du kein Gefallen, Brand- und Sündopfer hast du nicht verlangt." Wenn diese beiden Sätze Glieder eines Verses im Parallelismus sind, ergibt sich daraus, daß der dazwischenstehende Satz „Ohren hast du mir gegraben" ein nachträglicher Zusatz ist (so auch F. Crüsemann). Dieser Zusatz wird verständlich als der eines Lesers, der hier den Gegensatz „nicht Opfer – sondern Gehorsam" fand, der der prophetischen Tradition angehört (z.B. 1.Sam 15,22; hier derselbe Ausdruck: Gott hat nicht Gefallen an . . .); in Ps 40 dagegen ist der Gegensatz nicht Opfer – sondern Lob gemeint wie in Ps 50 und 51.

V. 8: ergänzt V. 7: „Dann (nämlich wenn du sie verlangtest) hätte ich gesagt: ‚Siehe, ich komme'." Weil das nicht ohne weiteres verständlich ist, haben viele Ausleger das Verb geändert: „siehe, ich bringe" (Hi statt Qal). Diese Änderung wäre dem Sinn nach richtig; aber es bleibt insofern eine Schwierigkeit, als das „ich bringe" kein Objekt hat. Dafür, den Text zu belassen, spricht, daß die Wendung „ich komme . . ." mehrfach bei der Darbringung von Opfern (z.B. Ps 60,16) gebraucht wird. Dann ist der Satz „Siehe, ich komme . . ." Abkürzung einer Formel der Darbringung.

Noch schwieriger ist der zweite Halbvers: „in der Buchrolle ist über mich geschrieben". Mit der „Buchrolle" kann nicht, wie gewöhnlich angenommen

wurde, das Gesetz gemeint sein, dann hätte das „über mich" keinen Sinn. Einige
Ausleger schlagen vor, diese (Buch-)Rolle enthalte das Danklied, das der Psalmist als Opfer darbringe (G. Bornkamm, J. Hermisson, F. Crüsemann, die sich
dabei auf religionsgeschichtliche Parallelen beziehen); aber auch diese Erklärung ist schwierig. An keiner Stelle in den Psalmen wird etwas Ähnliches
erwähnt. Die Bedeutung des Satzes bleibt fraglich.

V. 9: V. 9 schließt an 8a: Würdest du Opfer verlangen, ich würde sie dir geben,
ich will ja nur das tun, was dir gefällt. Im zweiten Halbvers ist dann *tōrā* in dem
weiteren Sinn von Weisung zu verstehen.

V. 10–11: Die V. 7–8 handeln von dém, was Gott nicht will (nämlich als
Reaktion, als Dank des Geretteten), V. 9 leitet über: Ich will das tun, Gott, was
dir gefällt, das sagen V. 10–11. Daraus aber folgt, daß sie präsentisch zu
übersetzen sind (so auch D. Michel, Tempora . . ., S. 93f., der das Perfekt in V.
10 als perfectum declarativum erklärt: „nach dem Gesamtaufbau des Abschnit-
tes"). F. Crüsemann versteht V. 9–10 als ein Geschehen in der Vergangenheit
und schließt daraus, daß V. 13–18 ursprünglich mit V. 2–12 einen Psalm
bilden. Aber V. 10–11 sind ein Lobversprechen (oder Lobgelübde), das als
solches Bestandteil des berichtenden Lobpsalms ist; an keiner Stelle sonst hat es
Vergangenheitsform. Möglich wäre nur, daß nach der Anfügung von V. 13–19
die V. 10–11 als Vergangenheit verstanden wurden.

Der Psalm hat am Anfang (s. zu V. 2) keine Einleitung: „Ich will . . ." Um so
stärker ist die Bereitschaft, das Lob weiterzutragen, in diesen abschließenden
Versen betont. Diese Betonung zeigt sich auch in der durchdachten Gliederung:
der erste und der letzte Satz enden: „. . . in großer Gemeinde". Die vier Sätze
dazwischen sind chiastisch gegliedert, in der positiven und negativen Formulierung „ich künde – verschließe nicht – verberge nicht – ich spreche". Das Objekt
dieser Verse ist immer das gleiche, aber immer verschieden formuliert. Diese so
starke und im Stil so deutlich hervortretende Betonung muß eine Absicht haben,
wobei ein besonderer Ton noch auf der „großen Gemeinde" liegt. Es soll betont
werden, daß das Lob der Taten Gottes aus der Erfahrung des einzelnen Frommen in die große Gemeinde weitergeht, die große Gemeinde erreicht und in ihr
ein Echo findet (V. 4b). Ich vermute darin eine leise Polemik gegen eine in
nachexilischer Zeit anwachsende Gesetzesfrömmigkeit, in der die ‚Schriftge-
lehrten' eine beherrschende Bedeutung bekommen. In diesem Psalm aber sind es
die ‚Laien', die einfachen Leute, die von Gottes Taten künden, und zwar die
Taten der Güte und Treue Gottes in der Gegenwart, die jedem zugänglich sind
und über die ‚Gottesgelehrte' nicht verfügen. Wenn der Psalmist so betont, daß
er nicht in seinem Inneren verschließen will, was Gott an ihm getan hat, deutet
er damit vielleicht eine Tendenz in seiner Zeit an, daß die einfache Laienfröm-
migkeit zu verstummen drohte.

V. 12: Den Abschluß des Psalms bildet eine Bitte, wie sie manchmal am Schluß
eines Lobpsalms begegnet. Sie entspricht ganz V. 4b: Aus dem Lob erwächst
Vertrauen.

Psalm 66, 13–20: Ich bezahle dir meine Gelübde

13   Ich komme mit Brandopfern in dein Haus,
     ich will dir meine Gelübde bezahlen,
14   zu denen meine Lippen sich aufgetan,
     die dir mein Mund in der Not versprochen hat.
15   Brandopfer fetter Tiere bringe ich dir dar
     samt dem Rauchopfer von Widdern.
     Rinder rüste ich dir zusamt Böcken.

16   Die ihr Gott fürchtet, kommt alle und hört:
     Ich will erzählen, was er an mir getan hat.
17   Zu ihm rief ich mit lauter Stimme, –
     da war schon Lob auf meiner Zunge!
18   Ich hatte in meinem Herzen gedacht,
     Gott hat mich nicht gehört.
19   Gott aber hat mich erhört, hat auf die Stimme meines Flehens geachtet.

20   Gelobt sei Gott, der mein Gebet nicht verworfen
     und seine Gnade mir nicht entzogen hat.

Zum Text

V. 18:   M hat „Wenn ich Frevel sah"; nach vielen Parallelen ist zu lesen
'anī 'āmartī.

Zum Aufbau

Den Versen 66,13–20, die einen geschlossenen Lobpsalm eines Einzelnen bilden, geht ein beschreibender Lobpsalm, V. 1–12, voraus, ein gottesdienstlicher Hymnos, der in V. 10–12 von einer Rettungstat Gottes an Israel berichtet. Die Zusammenfügung der beiden Teile ist durchaus sinnvoll, dem Loblied der gottesdienstlichen Gemeinde folgt das Loblied eines Einzelnen, der sein Gelübdeopfer darbringt. Der Aufbau von V. 13–20 ist äußerst einfach und klar. Die Einleitung V. 13–15 ist ein Opferspruch bei der Darbringung eines Gelübdeopfers. Er erinnert (V. 14) an die Not, in der er das Gelübde gesprochen hat und nennt (V. 15) die Opfergaben. Zum Opfer kommt in V. 16–20 das Lob, das in einem Bericht von Not und Rettung und in einem kurzen Lobruf (V. 20) besteht.

V. 13–15: „Ich komme in dein Haus ...", mit diesen Worten beginnt der Opferspruch. Der Weg aus dem Alltag in den Tempel verbindet den Schauplatz eines Unglücks, einer Katastrophe oder eines Krankenlagers mit dem Ort, an dem die Gemeinde zum Gottesdienst zusammenkommt. Dort draußen hat einer in der höchsten Not ein Gelübde getan; hier im Tempel und im Gottesdienst will er es auslösen. Ein solches Gelübde oder Notversprechen ist ein zutiefst menschliches Phänomen; es begegnet in vielen verschiedenen Religionen nun schon jahrtausendelang, und die Gegenwart zeigt, daß es auch dort, wo es offiziell abgelehnt wird, immer wieder auflebt. Ein solches Gelübde oder Notversprechen ist völlig falsch verstanden, wo es mit der Begründung abgelehnt wird, es sei so etwas wie ein Handel mit Gott, man wolle damit die Rettung erkaufen. Die Psalmen bezeugen vielmehr, daß in ihm eine Verbindung hergestellt wird zwischen Tiefen und Höhen im Leben. Wenn einer in der Tiefe sich an Gott hält und ihm etwas verspricht, erzeugt das Einhalten dieses Versprechens einen Zusammenhang; aus isolierten Augenblicken wird ein Weg, der einen Sinn und ein Ziel hat.

Der Beter hatte in der Not versprochen, Opfer und Lob darzubringen. Opfer (V. 13–15) und Lob (V. 16–20) werden in diesem Psalm dargebracht. Hier ergibt sich im Vergleich mit Ps 40 (auch 50 und 51) eine Schwierigkeit. Dort war gesagt, daß Gott die Opfer nicht wolle, wohl aber das Lob, hier dagegen ist offenbar beides Gott wohlgefällig. Das ist nur durch einen Zeitunterschied zu erklären. Der Opferspruch gehört der Zeit an, als der Opferdienst in Israel noch völlig intakt und ein notwendiger und sinnvoller Bestandteil des Gottesdienstes war. Die Verneinung des Opfers setzt die Zerstörung des Tempels und das Exil voraus. Hieraus ergeben sich weitere Fragen, auf die aber hier nicht eingegangen werden kann. Nur eine Erwägung ist nötig: Wenn in Ps 66 das Opfer bejaht und in Ps 40 abgelehnt wird, zeigt das, die Tradenten des Psalters haben bewußt beides nebeneinander stehen lassen und nicht Ps 66 von Ps 40 her korrigiert oder umgekehrt. Das weist auf ein, wenn auch von dem unseren verschiedenes, geschichtliches Denken. Beides hatte zu seiner Zeit seinen guten Sinn.

V. 15: Bei der Aufzählung der Tieropfer in V. 15 ist natürlich nicht gemeint, daß der eine Mann dies alles auf einmal geopfert hätte; vielmehr zeigt der Vers viele Möglichkeiten des Tieropfers, weil der Psalm ja von vielen nachgesprochen werden soll.

V. 16–19: Zur Darbringung gehört, daß der sein Gelübde Auslösende vor den anderen erzählt, was er erlebt hat. Auch das ist hier skizziert, damit es für viele gelten kann. Aber im Grundriß ist es immer die gleiche Erzählung: Die Aufforderung in V. 16 wie beim Erzählen irgendeiner anderen Geschichte; aber hier will einer erzählen, was Gott an ihm getan hat. Was an ihm geschah, ist konzentriert in dem wunderbaren Wandel der Klage in Lob (vgl. Ps 22), obwohl er selbst schon an einer Rettung gezweifelt hatte. Die eigentliche Wende aber bestand darin, daß Gott sich ihm wieder zuwandte (V. 19).

V. 20: Eben dies bringt das abschließende Gotteslob zum Ausdruck. Erst wenn man den Psalm oft gelesen und ihm nachgedacht hat, spürt man, wie der ganze Psalm, Satz für Satz, von dem „Ich komme . . .“ über das „Kommt alle und hört . . .“ auf diesen Lobruf am Ende des Psalms zugeht und in ihm zu seinem Ziel kommt.

Psalm 116: Stricke des Todes hatten mich umfangen

1 Ich liebe . . . denn es hörte Jahwe meine Stimme meines Flehens,
2 denn er hat sein Ohr zu mir geneigt,
   und in meinen Tagen rufe ich.
3 Stricke des Todes hatten mich umfangen
   und Netze der Unterwelt hatten mich getroffen.
   Not und Kummer fand ich.
4 Da rief ich den Namen Jahwes an:
   Ach Jahwe, rette mein Leben!

5 Gnädig ist Jahwe und gerecht,
   unser Gott ist ein Erbarmender.
6 Jahwe behütet die Einfältigen.
   Ich war gedemütigt, und er half mir.

7 Kehre ein, meine Seele, zu deiner Ruhe,
   denn Jahwe hat dir Gutes getan.
8 Denn du hast mein Leben dem Tod entrissen,
   meine Augen den Tränen, meinen Fuß dem Gleiten.
9 Ich kann vor Jahwe wandeln im Land der Lebenden.
10 Ich habe geglaubt, wenn ich sagte: Ich bin tief gebeugt,
11 ich hatte in meiner Bestürzung gedacht: Alle Menschen lügen!

12 Wie soll ich Jahwe vergelten für alles, was er an mir getan?
13 Den Becher des Heils will ich erheben
   und den Namen Jahwes will ich anrufen!
14 Meine Gelübde will ich Jahwe einlösen
   vor allem seinem Volk!
15 Kostbar ist in den Augen Jahwes das Sterben seiner Frommen.
16 Ach Jahwe, denn ich bin dein Knecht!
   Ich bin dein Knecht, der Sohn deiner Magd.
   Du hast meine Fesseln gelöst.
17 Dir will ich Lobopfer opfern
   und den Namen Jahwes anrufen
   vor allem seinem Volk
19 in den Vorhöfen des Hauses des Herrn,
   inmitten Jerusalems.

Zum Text

Eine Vorbemerkung: Die vorstehende Übersetzung des 116. Psalms ist so wörtlich wie möglich (deshalb hier auch „Jahwe" statt „der Herr") und ohne jede Textkorrektur. Dem Leser dieser Auslegung soll an diesem Beispiel gezeigt werden, daß der Psalter (wie das Alte Testament überhaupt) Texte enthält, die so, wie sie überliefert sind, nicht mehr verständlich sind. Der Leser kann selbst nachprüfen, daß wörtlich und ohne Korrekturen übersetzt, Teile des Psalms voll verständlich sind, andere aber nicht. In diesem Fall liegt das nicht nur an einzelnen unkenntlichen Wörtern oder Sätzen, sondern auch an der Folge der Sätze aufeinander, die offenkundig gestört ist.

Eine Hilfe, den so gestörten Psalmtext zu verstehen, bietet die erstaunlich konstante Form der Psalmengruppe, zu der der 116. Psalm gehört: den berichtenden Lobpsalmen (oder Dankpsalmen) des Einzelnen. Sie ermöglicht eine Rekonstruktion, die ein besseres Verstehen des Psalms möglich macht. Dabei sind zwei Umstellungen, aber kaum Textveränderungen nötig. Diese werden bei der Einzelauslegung behandelt.

Zum Aufbau

Die einzelnen Teile oder Glieder des berichtenden Lobpsalms sind alle vorhanden und alle erkennbar; der Psalm enthält keine nachträglichen Zusätze; vgl. die Rekonstruktion am Schluß.

V. 1–2: Am Anfang ist der Text zerstört (das zeigt auch das Fehlen einer Überschrift); der erste Halbvers besteht nur aus dem Verb *āhabti* = ich liebe, ohne Objekt, ohne Zusammenhang. Aus V. 1b und 2, die die einleitende Zusammenfassung enthalten, läßt sich erschließen, daß am Anfang ein Satz mit dem Verb im Kohortativ in der 1.Pers.Sing. gestanden haben muß (so auch H. Gunkel, Komm.): „Ich will . . ., denn Jahwe hat gehört . . .“ Es begegnet aber ein solcher Satz in V. 14: „Meine Gelübde will ich . . . auslösen . . .“ Der gleiche Satz kehrt kurz danach als Schlußsatz wieder in V. 18. Daß der gleiche Satz zweimal kurz hintereinander gestanden haben sollte, ist unwahrscheinlich; dazu kommt, daß V. 14 in G fehlt. Setzt man ihn an den Anfang des Psalms, entspricht das nicht nur der Struktur des Psalms, sondern der gleiche Satz am Anfang und am Ende (hier erweitert durch die Ortsangabe) ergeben die Stilform der inclusio, d.h. ein in sich geschlossener Text erhält eine ‚Einschließung‘ durch den gleichen Satz am Anfang und am Ende; häufig in Erzählungen.

Die Begründung zu dem Entschluß, das Gelübde auszulösen, bildet die kurze einleitende Zusammenfassung (V. 1b.2) dessen, was der Psalmist erfuhr, in dem einen Satz: Gott hat mein Flehen erhört! In V. 2b ist das „und in meinen Tagen“ zu ändern in „am Tage, da . . .“.

V. 3–4.10–11: Auf die einleitende Zusammenfassung folgt der Bericht von der Not und der Errettung. Der Bericht von der Not ist in V. 3 erhalten, der Anfang des Berichtes von der Errettung in V. 4. V. 3 spricht von der Not in der traditionellen Sprache (vgl. Ps 18,5). Der Tod ist als in das Leben hineinreichende Macht verstanden, er greift den Menschen hinterrücks mit „Netzen“ und Fallen an. Auf V. 3 kann V. 4 direkt gefolgt sein; in dieser Todesnot rief der Beter den Namen Gottes an. Aber zu dem Bericht von der Not gehören auch noch die Verse 10–11, die an ihrer Stelle aus dem Zusammenhang herausfallen. Auf jeden Fall gehören sie inhaltlich zum Bericht von der Not; das beweist der mit „Ich hatte gedacht . . .“ (*’ani ’āmarti*) beginnende Satz V. 11; vgl. z.B. Ps

31,23 der gleiche Satz im gleichen Zusammenhang. In den Versen 10–11 tritt, wie oft im Bericht von der Not, zu dem Angriff der Macht des Todes der Angriff von Menschen (Feinden oder Frevlern). V. 10 aber ist im Text gestört, sein Sinn ist nicht mehr zu erkennen. Möglich ist, daß seine Klage: „Wenn ich sagte: ich bin tief gebeugt" von seinen Gegnern als Eingeständnis eines Frevels mißdeutet wurde; so könnte V. 11 ohne Textänderung gedeutet werden (zu V. 11a vgl. 31,23). Aber V. 10a „Ich glaubte, wenn ich sagte" bleibt fraglich, es sind Textänderungen versucht worden, G übersetzt ἐπίστευσα, διὸ ἐλάλησα, was Paulus 2.Kor 4,13 zitiert: „Ich glaube, darum rede ich."

V. 4.16: Mit V. 4 beginnt der Bericht der Errettung mit dem Flehen aus der Not, das andeutend zitiert wird: „Ach Herr, rette doch mein Leben!" Derselbe Ausruf „Ach Herr!" (*'ānnāh jhwh*) kehrt wieder in V. 16, dort aber ergibt er im Zusammenhang keinen Sinn. Er ist die Fortsetzung von V. 4 (auch so H. Gunkel). V. 4: „da rief ich den Namen des Herrn an", V. 16a „Ach Herr, rette mein Leben! Ach Herr, denn ich bin dein Knecht!", 16b „Ich bin dein Knecht, der Sohn deiner Magd". Zwei sichere Argumente weisen das (V. 16 Fortsetzung von V. 4) nach. Die Begründung „denn ich bin . . ." ist das zur Bitte gehörende Motiv, das Gott zum Eingreifen bewegen soll. Das andere Argument ist der in V. 15 folgende Satz „Du hast meine Fesseln gelöst"; in V. 16 ist ein Sinn dieses Satzes nicht zu erkennen. Versetzt man V. 16 nach V. 4, muß im Bericht von der Rettung auf das Flehen aus der Not V. 4.16abα die Rettung folgen, der Bericht von ihr setzt mit dem Satz 16bβ ein. Das heißt: In V. 16 ist in den drei Teilen dieses Verses ein Teil des Psalms erhalten, der seinen Ort und seinen Sinn im Bericht von der Errettung, also auf V. 4 folgend, erhält.

Wenn in V. 16 der Beter sein Flehen zu Gott begründet: „. . . denn ich bin dein Knecht!", so appelliert er damit an ein Zusammengehören von Herr und Knecht, in dem der Herr in erster Linie der seinen Knecht Schützende und Versorgende ist; vgl. etwa Gen 24. Wenn er hinzufügt „der Sohn deiner Magd", deutet er damit die Kette der Geschlechter an, die vor ihm Gott als ihren Herrn anerkannt und ihm vertraut haben.

V. 8–9: Nun ist der eine Satz am Ende von V. 16 „du hast meine Fesseln gelöst" (hier könnte ein Halbvers etwa des Sinnes: „mich von den Stricken befreit" ausgefallen sein) allein als Bericht von der Rettung nicht ausreichend. Auch wird er in V. 5–8 nicht fortgesetzt, weil diese Sätze keine Berichtform haben. Eindeutig Bericht von der Rettung aber sind V. 8 und 9 (= Ps 56,14). Diese Sätze sind vom frohen Aufatmen des vom Tod Geretteten geprägt: „Du hast mein Leben dem Tod entrissen, meine Augen den Tränen, meine Füße dem Gleiten." Diesem „du hast" entspricht das „ich kann" (= nun kann ich), „Ich kann vor dem Herrn wandeln im Land der Lebenden". Dieser V. 9 ist für das Menschenverständnis der Psalmen besonders bezeichnend. „Ich kann gehen"; daß er gerettet, daß er befreit wurde, bedeutet für ihn nicht, daß er in einen anderen status, einen anderen Zustand gekommen wäre (für Freiheit gibt es im Alten Testament kein Wort, und Gerettsein wird nicht als Zustand verstanden), sondern es bedeutet, es geht weiter, die Möglichkeit weiterer Schritte, Voranschreiten, Geschehen. Und dieses wird näher bestimmt. Die Schritte macht er „im Gesicht des Herrn" (so wörtlich), d. h. in einem ständigen Gegenüber, denn dies gehört zum wirklichen Leben.

V. 5–7.15: Vers 9 schließt den Bericht von der Rettung ab, das läßt nicht nur der Inhalt, sondern auch der Sprachrhythmus erkennen. Vom Aufbau der Lobpsalmen des Einzelnen her muß jetzt auf das berichtende das beschreibende Lob folgen, das vom Wirken Gottes umfassend spricht. Das ist in V. 5–7 der Fall. Zu diesem Teil gehört inhaltlich V. 15, der an seinem jetzigen Ort zwischen V. 14 und 16 schwierig ist, aber eine sehr gute Überleitung von V. 8–9 zu 5–7 bildet: „Teuer ist in seinen Augen das Sterben seiner Frommen", d. h. er kümmert sich nun um das Sterben seiner Frommen, wie die Parallele Ps 72,14 zeigt. Dieser Satz blickt auf den Bericht von der Rettung zurück, insbesondere V. 8a, weitet aber nun diese Sorge Gottes um das bedrohte Leben auf alle Frommen aus. Das leitet über zum Lob des gnädigen und barmherzigen Gottes V. 5.6a und lenkt noch einmal zu der eigenen Erfahrung zurück in V. 6b und 7, Todesangst, Not und Zweifel (V. 3.10.11) liegen nun hinter ihm, Gott hat geholfen. Deutlich schließt V. 7 diesen Teil ab.

V. 12–13.17–18: Der Schlußteil ist dem Aufbau entsprechend eine Erneuerung des Lobversprechens. V. 12 die Frage, mit der dieser Teil einsetzt „Wie soll ich . . . vergelten . . .?" (vgl. Jes 38,15 auch in einem Lobpsalm des Einzelnen), bringt das Bewegtsein von der Größe des empfangenen Geschenkes zum Ausdruck, das zu groß ist, als daß ihm ein Dank gemäß wäre.

13.17: Etwas aber kann er tun, und er weiß, daß Gott Freude daran hat, das wiedergeschenkte Leben soll ein Leben mit Gott sein. Das sagt er in der Sprache der Psalmen in V. 13 und 17. Daß diese beiden Verse nahe zusammengehören als die beiden Glieder des abschließenden Gelöbnisses, wird erst deutlich, wenn die jetzt dazwischenstehenden Verse 14–16 an den Ort gesetzt sind, an den sie gehören. Diese beiden Verse fügen die beiden Hauptelemente des Gottesdienstes zusammen: Handlung (V. 13a.17a) und Wort (13b.17b), Opfer und Gebet. Dabei dient die Wiederholung des zweiten Halbverses von 13 in 17 der Betonung des Wortelements. Es ist die offenbar sehr alte Wendung *qārā' bešēm jhwh*, die schon in den Vätergeschichten bezeugt ist, z. B. Gen 12,8. Es ist nicht auf eine besondere Gebetsart festzulegen, sondern das Sich-Hinwenden zu Gott im Wort, das mit der Anrufung des Namens eingeleitet wird. Es kann dabei sowohl das Flehen V. 4 wie das Loben V. 13.17 (und nicht nur dieses) bezeichnen. Dazu kommt das andere Element des Gottesdienstes in V. 13a und 17a: die Handlung, hier das Opfer. Das Lobopfer *(zäbaḥ tōdāḥ)* kann das im Gotteslob bestehende Opfer oder das Opfermahl (= Gemeinschaftsmahl) bei der Auslösung eines Gelübdes bedeuten. Hier ist, parallel zu V. 13, das letztere gemeint, von dem auch Ps 22,27 spricht. Zu diesem Opfermahl gehören Speise und Trank; der „Becher des Heils" (genauer: „Becher der Heilstaten") meint den Weinbecher beim Lobopfer.

V. 18–19: Mit der in V. 13.17 angedeuteten gottesdienstlichen Feier löst der Psalmist sein Gelübde aus, führt er aus, was er Gott versprochen hat. Was er in

V. 1 (= 14) angekündigt hat, ist damit geschehen. Der Abschluß wiederholt den Eingangsvers (nach dem hier erklärten Vorschlag), hier aber erweitert um die Angabe des Ortes: im Vorhof des Tempels von Jerusalem „vor allem Volk".

Abschließende Bemerkungen

Im Vorangehenden wurde eine gewagte Erklärung des 116. Psalms gegeben. Für sie spricht, daß mit den Umstellungen ein Psalm entstanden ist, in dem jeder Satz an seinem Ort verständlich ist und seinen Sinn hat, und daß die Umstellungen ihr Kriterium an der vielfach bezeugten Struktur des Lobpsalms des Einzelnen haben. Auf die Frage, wie es zu der uns jetzt vorliegenden Form des Psalms gekommen ist, soll wenigstens eine Antwort versucht werden. In der jetzigen Anordnung der Verse des Psalms läßt sich eine Konzeption oder bewußte Absicht nicht erkennen. Sie kann nur technisch entstanden sein. Aber auch ein fehlerhaftes Kopieren ist hier keine Erklärung. Es ist möglich, daß der Psalm einmal auf eine größere (oder zwei bis drei) Tonscherbe geschrieben war (vgl. zu Ps 40,8) als eine Darbringung im Tempel. Diese Scherben sind zerbrochen und beim Schreiben auf eine Rolle falsch zusammengesetzt worden. Für diese Erklärung spricht, daß der Anfang V. 1 abgebrochen, aber in V. 14 aufbewahrt ist; daß besonders V. 8–9.10–11.15.16 an ihrer Stelle als Fragmente erkennbar sind. Es spricht auch dafür, daß V. 16 nur als Fragment erklärbar ist, weil am Anfang 16a die zweite Vershälfte von V. 4b ist, am Ende der Halbvers „Du hast meine Fesseln gelöst" in V. 8 fortgesetzt ist, und daß die jetzt durch V. 14–16 getrennten V. 13 und 17 zusammengehören.

Die Umstellungen und deren Erklärung sind nur eine Hypothese; die Auslegung des Psalms aber muß die Struktur des Lobpsalms voraussetzen, die durch die Parallelen gesichert ist. Es folgt die Rekonstruktion zum Vergleich mit der zu Anfang gegebenen Übersetzung:

Versuch einer Rekonstruktion Ps 116

Einleitende Zusammenfassung

V. 14: Meine Gelübde will ich dem Herrn auslösen vor allem seinem Volk,
V. 1b: denn es hörte der Herr die Stimme meines Flehens,
V. 2: ja, er hat sein Ohr zu mir geneigt am Tage da ich rief.

Bericht von der Not und von der Rettung

V. 3: Stricke des Todes hatten mich umfangen
und Netze der Unterwelt hatten mich getroffen,
Not und Kummer fand ich.
V. 10: Ich habe geglaubt (?), wenn ich sagte: ich bin tief gebeugt,
V. 11: ich hatte in meiner Bestürzung gedacht: alle Menschen lügen!
V. 4: Da rief ich den Namen des Herrn an:

Ach Herr, rette mein Leben! 16a: Ach Herr, denn ich bin dein Knecht. 16b: Ich bin dein Knecht, der Sohn deiner Magd.

V. 4: Du hast meine Fesseln gelöst, mich von den Netzen befreit.

V. 8: Du hast mein Leben dem Tode entrissen, meine Augen den Tränen, meinen Fuß dem Gleiten.

V. 9: Ich kann vor dem Herrn wandeln im Land der Lebenden!

Gotteslob

V. 15: Teuer ist in den Augen des Herrn das Sterben seiner Frommen.

V. 5: Gnädig ist der Herr und gerecht, unser Gott ist ein Erbarmender.

V. 6: Der Herr behütet die Demütigen;
ich war gedemügtigt, er half mir.

V. 7: Kehre ein, meine Seele, zu deiner Ruhe,
denn der Herr hat dir Gutes getan.

Erneuertes Lobgelübde

V. 12: Wie soll ich dem Herrn vergelten für alles,
was er an mir getan?

V. 13: Den Becher des Heils will ich erheben,
und den Namen des Herrn will ich anrufen.

V. 18: Meine Gelübde will ich dem Herrn auslösen
vor allem seinem Volk,

V. 19: in den Vorhöfen des Hauses des Herrn,
inmitten Jerusalems.

Psalm 138: Ich danke dir von ganzem Herzen!

1   Von David
Ich danke dir von ganzem Herzen,
vor den Göttern will ich dir spielen.

2   Ich will anbeten in deinem heiligen Tempel,
deinen Namen will ich preisen ob deiner Güte und Treue;
denn du hast deinen Namen groß gemacht
über alle Kunde von dir.

3   Am Tag, da ich zu dir rief, erhörtest du mich,
du gabst meiner Seele große Kraft.

4   Preisen sollen dich, o Herr, alle Könige der Erde,
wenn sie die Worte deines Mundes hören.

5   Sie sollen Lieder anstimmen vom Wirken des Herrn.
Groß ist die Herrlichkeit des Herrn!

6 Denn hoch thront der Herr und sieht auf die Niedrigen,
  und die Stolzen erkennt er von fern.
7 Muß ich auch mitten in der Bedrängnis gehen,
  du erhältst mich am Leben.
  Über den Zorn meiner Feinde streckst du deine Hand aus,
  und deine Rechte hilft mir.
8 Der Herr wird meine Sache führen,
  Herr, deine Güte währt ewig,
  gib nicht auf das Werk deiner Hände!

Zum Text

V. 2:   Das letzte Wort statt *'imratekā* = dein Wort, ist zu lesen *šim'akā* =
        die Kunde von dir.

Zum Aufbau

Der Psalm hat eine lockere Form, man kann bemerken, wie die strenge Form des Lobpsalms des Einzelnen sich ausweitet. Der Entschluß zum Lob leitet den Psalm in V. 1–2a ein, in 1b erweitert; der Bericht von Not und Rettung in V. 2b–3 ist sehr kurz, er fällt zusammen mit der einleitenden Zusammenfassung. Es folgt in V. 4–5a eine Aufforderung zum Lob an die Könige der Erde, die ihren Ort sonst im beschreibenden Lob (Hymnos) hat. Dasselbe gilt für das nun folgende Gotteslob in V. 5b–6. Es folgt in V. 7–8a ein Wort der Zuversicht, der Psalm schließt in V. 8b mit einer Bitte, mit einem kurzen Lobwort verbunden.

Der Psalm stellt eine Übergangsform dar vom berichtenden Lob eines Einzelnen zum gottesdienstlichen Lobpsalms der Gemeinde. Er zeigt, daß beide eine enge Verbindung miteinander eingehen konnten.

V. 1–2: Ohne die Erweiterungen würde der Anfang so lauten: „Ich will dich loben von ganzem Herzen, deinen Namen will ich preisen ob deiner Güte und Treue; am Tage, da ich zu dir rief, erhörtest du mich, du gabst meiner Seele Kraft." Dieser Anfang entspricht den bisher ausgelegten Lobpsalmen des Einzelnen; jeder Satz begegnet wörtlich oder ähnlich auch dort. Dazu kommen als Erweiterung: „Ich will niederfallen in deinem heiligen Tempel, vor den Göttern will ich dir spielen; denn du hast deinen Namen groß gemacht über alle Kunde von dir." Die Bezeugung der Ehrfurcht durch Niederfallen gehört in den Tempel selbst, die Gelübde-Begehungen dagegen finden im Vorhof statt: Ps 116,19. Ebenso die Instrumentalbegleitung („spielen") und die Angabe des Forums „vor den Göttern"; damit sind wahrscheinlich die himmlischen Wesen gemeint, die den Hofstaat Gottes bilden (wie in Jes 6). Auch der zweite Satz von der Verherrlichung des Namens Gottes ist eher dem hymnischen Lob gemäß.

V. 4–5: Ein wichtiger Zug beim Berichten von Gottes Tat an dem, der sein Gelübde einlöst, besteht darin, daß die anderen, die ihm zuhören, in das Lob einstimmen, so daß es aus dem Mund des einen weitergeht. Dieser Zug ist in V.

4–5 in eigentümlicher Weise abgewandelt dem hymnischen Lob entsprechend: Der Kreis der Zuhörer ist hier gewissermaßen übersprungen, das Lob soll in einem viel weiteren Kreis aufgenommen werden von den „Königen der Erde" (in den Lobpsalmen sind ihnen parallel meist noch die Völker genannt, z. B. Ps 72,11). Daß die Könige der Erde den Gott Israels preisen und von seinem Wirken Lieder singen sollen, klingt uns eher absurd und beinahe grotesk gerade hier, wo es sich um eine Tat Gottes im kleinsten Kreis des persönlichen Lebens eines einzelnen Israeliten handelt. Das muß von außen auch so erscheinen. Einen Zugang zu dem, was hier gemeint ist, findet man nur vom Zusammenhang des beschreibenden Gotteslobes her, zu dem diese Sätze eigentlich gehören.

V. 6: Angedeutet ist dieser Zusammenhang in V. 6. Es ist der gleiche Satz, der in der Mitte des 113. Pslams steht und soll dort ausführlich ausgelegt werden. Hier nur so viel dazu: Das Gott in seiner Majestät und in seiner Güte beschreibende Lob:

> 5b Groß ist die Herrlichkeit des Herrn
> 8b Herr, deine Güte währt ewig!

hat immer das Ganze des Seienden und das Ganze des Geschehenden im Blick, wenn es von Gott redet. In diesem Aufblick ist das Ganze bestimmt von der Polarität des in der Höhe thronenden Gottes und seines Erbarmens, das in die Tiefe menschlichen Leides sieht, so sagt es V. 6. In diesen weiten Perspektiven rückt die ganze Menschheit nahe zueinander, und die Könige, die Gewaltigen und Mächtigen sind in den Augen Gottes auch nur geringe, fehlbare Menschen. Wenn sie sich in Hybris darüber erheben, ist einer da, der das merkt: „. . . die Stolzen erkennt er von fern".

V. 7–8: V. 7 könnte man im Anschluß an V. 3 lesen; man spürt den Abstand des Stils der dazwischenstehenden V. 4–6 deutlich. Hier kehrt der Psalmist wieder zu seinem persönlichen Leben zurück. Er hat eine wunderbare Rettungstat Gottes erfahren (V. 3), jetzt sieht er auf seinen weiteren Lebensweg voraus, auf dem Angst und Sorgen nicht ausbleiben werden. Aber er kann die nächsten Schritte in festem Vertrauen tun: „. . . du erhältst mich am Leben". Daran hält er sich auch im Angesicht seiner Gegner, die mächtiger sind als er: die Hand Gottes ist mächtiger (V. 7b). Der Psalm schließt mit einer Bitte, in der sich das Geschöpf seinem Schöpfer anvertraut: „Gib nicht auf das Werk deiner Hände!" (vgl. Hi 10,8).

Zum Abschluß: Eine besondere, beabsichtigte Feinheit dieses Psalms ist, daß die beiden Sätze, die das Gottsein Gottes im Gotteslob beschreiben:

> „Groß ist die Herrlichkeit des Herrn,
> Herr, deine Güte ist ewig"

in V. 5 und 8 den Psalm mit seinen beiden sehr verschiedenen Aspekten zusammenhalten.

Beschreibende Lobpsalmen (Hymnen)

Psalm 113: Der hoch in der Höhe thront, der tief in die Tiefe sieht

1 Halleluja!
   Lobet, ihr Knechte des Herrn, lobet den Namen des Herrn!
2 Der Name des Herrn sei gelobt von nun an bis ewig!
3 Vom Aufgang der Sonne bis zu ihrem Untergang
   sei gelobt der Name des Herrn!
4 Erhaben über alle Völker ist der Herr,
   über alle Himmel seine Herrlichkeit!
5a.6b Wer ist wie der Herr, unser Gott,
   im Himmel und auf Erden,
5b.6a der hoch in der Höhe thront, der tief in die Tiefe sieht!
7 Der aus dem Staub den Geringen erhöht
   und aus dem Schmutz aufhebt den Armen,
8 ihn sitzen zu lassen bei den Edlen,
   bei den Edlen seines Volkes.
9 Der Wohnung gibt der kinderlosen Frau
   als einer frohen Mutter von Söhnen.

Zum Text

V. 5: Die zweiten Halbverse von 5 und 6 sind zu vertauschen, so App. und
       alle Ausleger. V. 5b.6a wörtlich: „der hoch macht zu thronen, der
       tief macht zu sehen".
V. 8: beim ersten Verb suff. der 3. Pers. statt der 1. Pers.

Zum Aufbau

So wie an keinem anderen kann man am 113. Psalm erkennen, was ein Lobpsalm ist, unterschieden vom berichtenden Lobpsalm eines Einzelnen als Lob-
salm in der zum Gottesdienst zusammengekommenen Gemeinde, deshalb auch
als Hymnos bezeichnet. In ihm geht es nicht nur um Gottes rettende Tat an
einem Einzelnen, sondern es wird Gott gelobt in der ganzen Fülle seines Gottseins, all sein Tun und all sein Reden umfassend. Das Grundmuster eines
solchen Psalms bietet der 113. Psalm.

Wir fanden beim berichtenden Lob, daß sein Kern ein einziger Satz ist:
„Gelobt Gott, der . . . getan hat." Das ist beim beschreibenden Lob auch so. Er
besteht, wenn man alle Erweiterungen beiseite läßt, aus dem einen Satz: „Lobet
den Herrn, der in der Höhe thront und in die Tiefe sieht!" Dieser Satz entspricht

der gottesdienstlichen Situation, in der er seinen Ort hat, aber auch dieser Satz, eine Aufforderung mit Begründung, hat ein Eigenleben, ist eine selbständige Spracheinheit.

Exkurs: Sprache und Gebet. Wir stoßen in den Psalmen auf ein Phänomen, das niemals genügend beachtet wurde, das aber in einer säkularisierten Welt von hoher Bedeutung ist. Klage- und Lobpsalmen sind, in einem langen allmählichen Prozeß, aus *einem* Satz erwachsen. In einer sehr frühen Phase gab es das, was wir Gebet nennen, nur in der Gestalt eines einzelnen Satzes. Dieser Satz hatte aber vorwiegend die Form eines Rufes, eines Ausrufes; der Ruf war vor der Aussage da. In dieser frühen Phase der menschlichen Sprache hatte der einzelne Satz, der für sich stehende Satz eine die Sprache beherrschende Bedeutung. Die Mehrzahl der Sprachvorgänge vollzog sich in einzelnen Sätzen, was wir zwar aus extremen Situationen durchaus noch kennen, was aber für das normale Leben nicht mehr gilt, in dem die größeren Sprachgebilde beherrschend sind.

Im Gebet der Psalmen ist noch das Stadium bewahrt, in dem die menschliche Sprache ihre eigentliche Kraft und ihre eigentlichen Möglichkeiten in selbständigen Sätzen entwickelte. Wenn es nun gerade Gebete sind, in denen dieses frühe Stadium noch in unsere Gegenwart hineinragt aus einer fernen Vergangenheit, zeigt das einmal, daß das Rufen zu Gott viele Jahrtausende hindurch eine für das Menschsein wesentliche, gar nicht aus ihm fortzudenkende Bedeutung hatte. Es zeigt auf der anderen Seite, daß diese Sprachform, in der Sprache nur in einem Satz besteht, zum Menschen gehört. Das Rufen zu Gott (anders gesagt, das Rufen nach draußen) ist nicht abzuschaffen. Es ist vom Glauben oder von der Religion unabhängig. Es kann sich noch so sehr verfremden oder verstecken, es bleibt dem Menschen eigen.

Der 113. Psalm beginnt in V. 1 mit dem imperativischen Lobruf, der für das beschreibende Lob charakteristisch ist, weitergeführt in der Jussivform in V. 2–3. Die Begründung dieses Lobrufes gibt V. 4–6. In der Mitte von V. 4–6 steht der zweigliedrige Satz V. 5b.6a, er enthält die eigentliche Begründung, die nach der einen Seite (Majestät) in V. 4.5a.6b, nach der anderen (Güte) in V. 7–9 entfaltet wird. Dieser Aufbau ist klar und prägnant; er erweist, daß der Kern des Psalms in einem imperativischen Lobruf und dessen Begründung besteht, alle anderen Sätze sind als Erweiterungen oder Entfaltungen kenntlich gemacht.

V. 1: Die Überschrift des Psalms *halleluja* weist ihn als zu einer Sammlung gehörend aus, die so überschrieben ist. Dabei trifft die Überschrift mit der Gattung des Psalms zusammen: der imperativische Lobruf eignet dem beschreibenden Lobpsalm oder Hymnos. Das „Halleluja" ist in seiner ursprünglichen Sprache und Form über das Griechische und das Lateinische in viele Sprachen eingegangen und ist ein bis heute lebendiges Wort, das als Ruf zum Lob Jahwes etwas den Psalmen des alten Israel besonders Eigentümliches zum Ausdruck bringt.

Bezeichnend ist auch die Form des 1. V., in dem der Satz: „Knechte Jahwes, lobt seinen Namen" in den schwingenden Rhythmus eines ergänzenden Parallelismus gebracht ist, bei dem der erste Halbvers das Subjekt (Vokativ), der zweite das Objekt enthält. Die imperativische Aufforderung zum Loben stand ursprünglich außerhalb und in Prosa, so wie die gottesdienstliche Aufforderung „Laßt uns beten!", sie ist dann in den Psalm hineingewachsen und hat dabei die dichterische Form angenommen. „Knechte Jahwes" sind hier nicht Priester oder Sänger, sondern die ganze Gemeinde ist mit diesem Satz zum Lob gerufen. Knechte Gottes sind sie, weil sie ihm mit ihrer ganzen Existenz dienen, so wie das Wort insbesondere im Deuteronomium gebraucht ist. Mit dem „Namen Jahwes" ist sein Ruhm, das, was von seinem Tun erzählt wird, gemeint.

V. 2–3: In V. 2 wird der Imperativ in einem Jussiv weitergeführt, wie das oft geschieht; der Sinn ist der gleiche, die Aufforderung zum Lob geht also in V. 2 und 3 weiter. Sie wird ergänzt damit, daß die Reichweite des Lobes in V. 2 in zeitlicher, V. 3 in räumlicher Erstreckung genannt wird: „von jetzt an bis ewig" –. „von Osten bis Westen". Der Ruf zum Lob verhallt nicht an den Wänden des Tempels; das Gotteslob hat in sich einen Drang, sich auszubreiten in die Tiefe der Zeit und in die Weite des Raumes. Es kennt keine Grenzen, denn der, der gelobt werden soll, ist der Schöpfer des Ganzen und hält das Ganze in seinen Händen. Auch hier läßt sich das mit dem berichtenden Lob Gemeinsame wie das Unterschiedliche erkennen. Hier wie dort soll das Lob Gottes weitergehen, beim berichtenden zu dem Kreis derer, denen von Gottes Rettungstat erzählt wird, beim beschreibenden in alle Weiten des Raumes.

V. 4–9: Dasselbe gilt für die Begründung des Rufes zum Lob in V. 4–9: Besungen wird in V. 4–6 das, was Gott ist und was er tut im ganzen. Daß Gott aber so ist und so handelt, wissen die Gott Lobenden aus den Erfahrungen V. 7–9; diese Sätze entsprechen dem berichtenden Lob.

V. 5b.6b: In der Mitte dieses Teils steht der zweigliedrige Satz, in den das Gotteslob in äußerster Konzentration zusammengedrängt ist: „der hoch in der Höhe thront – der tief in die Tiefe sieht". Die Auslegung dieses Satzes gibt das ganze Alte Testament, die ganze Bibel! Es ist eine polare Aussage, in die hier das Sein und das Wirken Gottes gefaßt ist. Das heißt: Sie redet von Gott, indem sie ein Kraftfeld beschreibt, das von diesen beiden Polen bestimmt ist. Von Gottes Sein kann hier nur so geredet werden: Er ist nicht anders da als in diesem polaren Wirken. Gott als ein transzendentes Wesen, das nach statischen Eigenschaften oder statischen Seinsweisen bestimmt werden könnte, kennt das Alte Testament nicht. Wenn hier von Gottes Majestät und von seiner Güte oder Gnade gesprochen wird, sind damit nicht zwei ruhende Eigenschaften gemeint, sondern der polare Charakter des Satzes redet vom Wirken Gottes, das von diesen beiden Polen bestimmt ist. Das majestätische Thronen Gottes in der Höhe, darin sind hier alle denkbaren Hoheitsaussagen über Gott zusammengefaßt, steht in unlösbarer Verbindung mit seinem Blicken in die Tiefe, wie es in V. 7–9 entfaltet wird. In beidem aber geht es nicht um „Gott an sich", sondern um Gott in seinem Gegenüber zu seiner Schöpfung, seinem Volk, seinen „Knechten".

V. 4.5a.6b: Die Entfaltung der Majestät Gottes: Das V. 4 bestimmende Verb ist: „Hoch ist Gott über . . .“; man könnte auch übersetzen „Höher ist Gott als . . .“. Dieses Hochsein Gottes ist in V. 4a näher bestimmt: „über alle Völker“, in V. 4b: „über die Himmel“. Damit sind die beiden Bereiche Schöpfung und Geschichte angedeutet. Das Subjekt heißt in 4b „seine Herrlichkeit“ (oder „seine Ehre“). Das Wort *kābōd* meint damit die sich in einem Handeln erweisende Herrlichkeit. Schon damit ist deutlich, daß das Hochsein Gottes (in V. 6a das Thronen in der Höhe) nicht örtlich, nicht als eine Ortsangabe gemeint ist. Es ist eine metaphorische Aussage: „hoch“ ist hier ebenso gemeint wie wenn wir von einem hohen Amt sprechen. Gott ist der Herr der Schöpfung und der Herr der Geschichte sagt V. 4. Das örtliche Verständnis ist auch in der Formulierung: „*über* den Himmeln seine Herrlichkeit“ abgewehrt. Eine Ortsbestimmung Gottes ist unmöglich. Auch wenn die Bibel vom „Wohnen“ Gottes spricht, ist das eine metaphorische Aussage. Daß uns eine solche mythische oder metaphorische Aussage verwehrt ist, die Gott für unser Erkennen festlegen will, sagt der andere Satz von Gottes Hoheit V. 5a.6b: „Wer ist wie Jahwe, unser Gott, im Himmel und auf Erden?“ Dies ist wieder ein Ausdruck des Staunens, und diesem Staunen gemäß wird Gott als der Unvergleichliche bezeichnet. Daß Gott unvergleichlich, daß niemand wie Gott ist, ist eine abgrenzende, aber wörtlich so gemeinte, präzise Aussage über das Gottsein Gottes. Es gibt keine Maßstäbe, nach denen man Gott bestimmen könnte, er läßt sich in unsere Maße, Begriffe, Anschauungen und Vorstellungen nicht einordnen. Diese Aussage ist näher bestimmt in V. 6b: „im Himmel und auf Erden“. Das sind die beiden Wörter im ersten Satz der Schöpfungsgeschichte Gen 1: das Geschaffene wird in diesen zwei Worten, die miteinander ein Ganzes bezeichnen, zusammengefaßt. In der gesamten Schöpfung gibt es nicht den ihm Vergleichbaren, das ihm Vergleichbare. Deshalb kennt das Alte Testament keinen Gottesbegriff, er läßt sich nicht begreifen, und keine Gottesvorstellung, er läßt sich nicht vorstellen. Das ist seine Majestät, daß niemand und nichts wie er ist. Man könnte überhaupt nicht von Gott reden, wäre nicht das andere gesagt: „der tief in die Tiefe sieht“. Damit berührt die Majestät Gottes unsere Wirklichkeit.

V. 7–9: Dieser Satz V. 6a wird in V. 7–9 entfaltet. Gott sieht in die Tiefe, um denen zu helfen, die aus der Tiefe zu ihm rufen. Das Hochsein Gottes ist von vornherein auf dieses Sehen in die Tiefe bezogen, es ist dazu da; das Hochsein ermöglicht Gott die ‚Übersicht‘ und damit die Zuwendung zu dem Leidenden, es ermöglicht ihm, dem Herrn der Schöpfung und dem Herrn der Geschichte das Eingreifen, denn nichts kann ihm widerstehen.

Es wird von zweien aus dem großen Heer der Leidenden gesprochen, einem Mann mit einer für ihn typischen und einer Frau mit der damals für sie typischen Not. Wenn gerade hier Mann und Frau genannt sind, ist das Absicht: so wie „Himmel und Erde“ das Ganze des Geschaffenen, bezeichnen Mann und Frau den Menschen als Geschöpf Gottes. Auch hier kennt der 113. Psalm keine Grenzen: Gott ist für alle Leidenden da.

Das Wirken Gottes, der aus seiner Höhe in die Tiefe sieht, wendet sich den

Armen und Elenden, denen in der Tiefe zu. Das ist die Erfahrung, von der die Klagepsalmen und die berichtenden Lobpsalmen sprechen. Einer, der in den Staub und in den Schmutz gestoßen wurde, hat es erfahren, daß Gott ihm half und er wieder zu einer geachteten Stellung kam (V. 8). Eine Frau wie Hanna, die Mutter Samuels (1.Sam 1–2), hat es erfahren, daß sie nach langem Leiden an ihrer Kinderlosigkeit aus dieser Not zu Gott flehte und sie zu einer frohen Mutter von Söhnen wurde (V. 9). Solche scheinbar geringen Erfahrungen von Menschen, deren Leid gewandt wurde, sind es, die das Gotteslob erwecken, in dem es weitergesagt wird, daß Gott der ist, er in der Höhe thront und in die Tiefe sieht.

Psalm 33: Sein Wort – sein Walten

1 Jubelt, ihr Frommen, dem Herrn,
 den Aufrechten gebührt Lobgesang!
2 Lobt den Herrn mit der Zither,
 spielt ihm mit zehnsaitiger Harfe.
3 Singt ihm ein neues Lied, schlagt fein die Saiten mit Schall!

4 Denn das Wort des Herrn ist wahrhaftig,
 und all sein Tun verläßlich.
5 Er liebt Gerechtigkeit und Recht,
 die Erde ist voll der Güte des Herrn.

6 Durch das Wort des Herrn sind die Himmel geschaffen,
 ihr ganzes Heer durch den Hauch seines Mundes.
7 Er faßt wie im Schlauch die Wasser des Meeres,
 verschließt die Fluten in Kammern.
8 Alle Welt fürchte den Herrn,
 vor ihm erbeben, die den Erdkreis bewohnen.
9 Denn er sprach und es geschah, er gebot und es stand da.
10 Der Herr zerbricht den Rat der Heiden,
 macht zunichte die Pläne der Völker.
11 Der Ratschluß des Herrn besteht auf ewig, die Pläne seines Herzens
 von Geschlecht zu Geschlecht.
12 Heil dem Volk, dessen Gott der Herr ist,
 dem Volk, das er sich zum Erbe erwählt!

13 Vom Himmel herab schaut der Herr,
 er sieht alle die Menschenkinder.
14 Von seinem Thronsitz schaut er nieder auf alle Bewohner der Erde.
15 Er, der ihrer aller Herzen gebildet,
 der achthat auf alle Werke:
16 Dem König hilft nicht seine große Macht,
 der Held rettet sich nicht durch große Stärke,

17 trügerisch ist Hilfe durch Rosse,
    sie können nicht retten durch große Kraft.
18 Doch der Blick des Herrn ruht auf denen, die ihn fürchten,
    auf denen, die auf seine Güte warten,
19 daß er ihr Leben vom Tode errette
    und ihr Leben erhalte in der Hungersnot.

20 Unsere Seele harrt auf den Herrn,
    unsere Hilfe und unser Schild ist er.
21 Denn an ihm freut sich unser Herz,
    wir vertrauen auf seinen heiligen Namen.
22 Laß über uns, Herr, deine Güte walten
    so wie wir auf dich hoffen.

Zum Text

V. 7:   Statt *kannēd* (= Damm) lies *kannōd* = Schlauch
V. 17: Lies *Nifal jimmālēṭ* statt Piel.

Zum Aufbau

Bei der Bestimmung des Aufbaus ist Ps 113 ständig zu vergleichen, Ps 33 ist in seinem Aufbau eine Erweiterung von Ps 113. Die beiden Hauptteile sind die gleichen: Imperativischer Ruf zum Lob V. 1–3, Begründung: Lob Gottes V. 4–19, entsprechend Ps 113,1–3 und 4–9. Der Lobruf V. 1–3 besteht in einer Reihe von Imperativen, hier, anders als Ps 113, mit Instrumenten. Die Begründung ist hier wie dort mit „denn" eingeleitet, es folgen lobende Aussagen über Gott, Ps 33 aber mehrfach erweitert. Die polare Aussage über Majestät und Güte Gottes V. 5, entsprechend 113,5b.6a, hier erweitert in V. 4 sein Wort – sein Tun. Von der Majestät Gottes (Ps 113,4–5a) kann in mancherlei Weise geredet werden; hier wird sie darin gesehen, daß er der Schöpfer (V. 6–9) und der Herr der Geschichte (V. 10–11) ist. Von der sich herabneigenden Güte Gottes reden V. 13–14 und 18–19, Ps 113,6a.7–9 nahe entsprechend.

Alle weiteren Verse sind demgegenüber Erweiterungen: V. 12 eine dankbare Reflexion zwischen den beiden Teilen von Gottes Majestät und Gottes Güte. In V. 15–17 ist das Herabblicken Gottes differenziert, nicht auf die Mächtigen, sondern auf die auf seine Güte Angewiesenen. Zwei Abschlüsse sind angefügt, ein Bekenntnis der Zuversicht in V. 20–21 und ein Segenswunsch in V. 22.

Zum Aufbau dieses 33. Psalms hatte H. Gunkel in seinem Kommentar gesagt: „Bei solchem Wertlegen auf die Zahl der Zeilen (die Verszahl entspricht der Zahl der Buchstaben) ist es begreiflich, daß die Anordnung der Gedanken nicht besonders straff ist und daß die einzelnen Gedankengruppen ziemlich selbständig nebeneinanderstehen ... Dabei streiten sich die Erklärer über die Gliederung." Aber die Psalmen haben nicht eine gedankliche, sondern eine

Geschehensstruktur. Der Aufbau ist vollkommen klar, und jeder Teil steht zum Ganzen (vgl. Ps 113) in einer sinnvollen Beziehung.

V. 1–3: In dem Ruf zum Lob ist die gottesdienstliche Gemeinde angeredet. Mit den Frommen (wörtlich: die Gerechten) und den Aufrechten (vgl. Gen 17,1) ist hier nicht eine Gruppe gemeint, die sich darin von anderen unterscheidet, sondern die gottesdienstliche Gemeinde ohne Unterschied, so wie sie ist. Sechs verschiedene Vokabeln werden in dem Ruf zum Lob V. 1–3 genannt. Jede von ihnen hat eigentlich eine eigene, selbständige Bedeutung; hier aber sind sie alle zu je verschiedenen Bezeichnungen des Gotteslobes geworden. So rücken auch die beiden Bezeichnungen *tōdāh* (berichtendes) und *tehillāh* (beschreibendes Gotteslob) nahe aneinander, beide sind Gotteslob. Hierin und in anderen zeigt es sich, daß Ps 33 in seiner jetzigen Form aus relativ später Zeit ist. Es ist dieselbe Angleichung, wenn berichtender und beschreibender Lobpsalm zu einem Psalm zusammengefügt werden wie bei Ps 66. Wenn aber hier *tōdāh* und *tehillāh* relativ gleichbedeutend werden, so nur in der Bedeutung „Lob“, nicht aber Dank, weil *tehillāh* nicht Dank bedeuten kann.

V. 1: Auf späte Entstehung weist auch die Reflexion in V. 1b: „den Aufrechten gebührt (oder: geziemt) Lobgesang“ (ähnlich Ps 92,2), d.h. es ist richtig, angemessen für sie, es ist etwas, was zu ihrem Dasein gehört. Wenn damit der Ruf zum Lob begründet wird, erklärt es zugleich den Charakter dieser grammatischen Form des Imperativ; die lateinische Bezeichnung „Befehlsform“ trifft nur für einen Bruchteil des Gebrauches zu. Er gibt hier einen Aufforderung Ausdruck, die nur da sinnvoll und möglich ist, wo sie an einen zusammengehörenden Kreis gerichtet wird und wo der Auffordernde selber zu diesem Kreis gehört. Dieser auffordernde Ruf begegnet besonders charakteristisch bei Kindern: „Kommt, wir wollen . . .“

V. 2: In der Aufforderung „Lobet . . . mit der Zither . . .“ ist das Verb *hōdāh* an das Verb *hillēl* angeglichen; *hōdāh* in seiner ursprünglichen Bedeutung kann nur in Worten geschehen, weil zu ihm das Berichten gehört (s. o. S. 122). Deswegen werden in den berichtenden Lobpsalmen auch keine Musikinstrumente erwähnt, die eigentlich zu dem *hillēl*, dem gottesdienstlichen Hymnos gehören. Wenn im Parallelismus von V. 2 beiden Verben, *hōdū* (= lobet, ohne) und *zammerū* (= spielet, nur mit Instrumenten) mit Musikinstrumenten verbunden werden, werden hier die begleitenden Instrumente in den Vorgang des Gotteslobes hineingenommen.

Dabei zeigt sich ein bestimmtes Verständnis der Musikinstrumente im Gottesdienst (ebenso in Ps 150). Wenn sie hier in das von Menschen an Gott gerichtete Preisen hineingenommen werden, das mittels solcher Instrumente geschehen kann, wird ihnen selbst eine (untergeordnete) Beteiligung am Preisen Gottes gegeben. Vielleicht ist das in einer entfernten Analogie zur Aufforderung zum Gotteslob an die Kreatur in Ps 148 zu verstehen. Die von Menschenhänden hergestellten Instrumente behalten auch als solche den Charakter des Kreatürlichen, und eben darin können sie am Erhöhen Gottes teilhaben. Es ist der in das Kreatürliche erweiterte Klang der Menschenstimmen, der in den Instrumenten

in ihren unbegrenzten Klangmöglichkeiten das Lob weiterträgt. Religionsge-
schichtlich gesehen steht wohl in den meisten Fällen dahinter eine ursprünglich
magische Funktion solcher Instrumente, die aber im Gottesdienst Israels ganz
zurückgetreten ist hinter dieser einen Funktion des Gotteslobes.

V. 3: „Singt ihm ein neues Lied . . .": das „neue Lied" ist von Ps 40,4 her zu
verstehen (s. da). Das neue Lied ist aus einer neuen Erfahrung entstanden; das
ist zu einer Wendung geworden, die auch dort gebraucht wird, wo ihr Sinn aus
dem Zusammenhang nicht mehr deutlich wird. Das Wort *terūʻāh,* eigentlich
Lärm, Schmettern, begegnet früher als Kampflärm oder Siegesschrei und später
als Instrumentenschall (besonders von Hörnern) im gottesdienstlichen Ritus
(vgl. P. Humbert, La *terouʻā,* analyse d'un rite biblique, 1946).

V. 4–5: Zu der polaren Zusammenfassung des Gottseins Gottes in Majestät
und Güte (Ps 113) tritt hier die in Wort und Handeln hinzu. Gottes Wirken (die
Geschichtsbücher) und Gottes Worte (Propheten und Gesetz) machen miteinander das aus, was Gott für die Welt, sein Volk, für den einzelnen Menschen
bedeutet, beides gehört darin notwendig zusammen. Was am Wort und am
Wirken Gottes gelobt wird (wahrhaftig – verläßlich), ist bei beiden dasselbe:
daß man sich darauf verlassen, sich daran halten kann.

In V. 5 steht der Güte *(ḥäsäd)* Gottes, die keine Grenzen kennt, sie erfüllt die
ganze Erde, etwas anderes als in Ps 113,4.5a, gegenüber, das häufige Begriffs-
paar „Recht und Gerechtigkeit" *(ṣedāqāh ūmišpāṭ).* Der in der Höhe Thronende
(113) ist als König auch der Richter: „er liebt Gerechtigkeit und Recht", und als
Richter übt er Macht aus.

In diesen beiden Versen 4–5 zeigt sich eine Tendenz der beschreibenden
Lobpsalmen, von Gottes Gottsein im Ganzen zu reden, in das Lob das gesamte
Sein und Wirken Gottes einzubeziehen. Man könnte es eine systematisierende
Tendenz nennen. Im Unterschied aber zu einer Systematik, die von der begriffli-
chen Erfassung Gottes ausgeht, ist das systematisch-zusammenfassende Reden
von Gott in den Lobpsalmen nur als eine Weiterführung des berichtenden
Redens von Gottes Wirken verständlich. Die beschreibenden Lobpsalmen er-
weitern das, was die berichtenden vom Wirken Gottes gesagt haben.

V. 6–9: Nun wird das Wirken des majestätischen und des gnädigen Gottes
entfaltet, das des Wirkens Gottes in seiner Majestät im Handeln als Schöpfer (V.
6–9) und Herr der Geschichte (V. 10–12). Die V. 6–9 sind in das Wirken des
Schöpfers durch das Wort V. 6 und 9, dazwischen das Handeln als Schöpfer V.
7 und die Wirkung auf die Menschen V. 8 gegliedert.

Die beiden Halbverse von V. 6, die beide den Nachdruck auf die Erschaffung
durch das Wort legen, lassen deutlich die Schöpfungsdarstellung der Priester-
schrift in Gen 1 erkennen. Das Wunderbare und Majestätische dieser Weise
seines Schaffens bringt dann noch einmal V. 9 zum Ausdruck. Für alle nähere
Erklärung verweise ich auf meinen Kommentar zu Genesis 1 (BK I/1). Ver-
gleicht man nun den Bericht dort in Gen 1 mit den Sätzen des Ps 33 hier in V.
6–9, muß jedem die Nähe beider darin auffallen, daß hier wie dort die angemessene Weise, von Gott als dem Schöpfer zu reden, das Gotteslob ist; denn auch

Gen 1 ist, wie das besonders der den Bericht durchziehende Satz „und es war gut" zeigt, vom Gotteslob bestimmt.

Daß in ihm die Ehrfurcht der Grundton sein muß, sagt ausdrücklich V. 8: „Alle Welt fürchte den Herrn . . ." Hört man diesen Vers als Glied des ganzen Psalms, spürt man, wie der Dichter des Psalms hier die Aufforderung zum Lob in V. 1–3 in dem Ruf zur Ehrfurcht vor dem Schöpfer weiterführt. Der Parallelismus die Erde – ihre Bewohner deutet dabei an, daß nicht nur die Menschen, sondern auch die Kreaturen gemeint sind, wie das der 148. Psalm sagt.

Für den Dichter des 33. Psalms gibt es keine andere Möglichkeit, vom Schöpfer zu reden, als aus dieser Grundhaltung der Ehrfurcht. Das Reden vom Schöpfer und von der Schöpfung kann nicht, aus dieser Ehrfurcht herausgelöst, auf die Ebene rein verstandesmäßigen Argumentierens versetzt werden, auf der gefragt wird, ob die Welt durch Schöpfung oder durch Evolution entstanden ist. Ein bloß lehrmäßiges Konstatieren, daß Gott die Welt geschaffen habe bzw. daß die Welt von Gott geschaffen sei, geht am Reden der Bibel vorbei.

Die Grenze des menschlichen Verstehens der Schöpfung zeigt das Alte Testament auch darin, daß es sich nicht auf eine bestimmte Vorstellung von der Schöpfung festlegt. Während V. 6 und 9 die Schöpfung durch das Wort stark betonen, stellt V. 7 das Erschaffen als ein Tun analog menschlichem Tun dar: Gott faßt die Meere wie in einen Schlauch (vgl. 78,13), er verschließt die Fluten (wie) in Kammern (vgl. Hi 38,22). Hier entspricht das Begrenzen des Meeres einem handwerklichen Tun, wie auch in Gen 1 ein solches handwerkliches Tun logisch unverbunden neben der Erschaffung durch das Wort steht (Wortbericht und Tatbericht, vgl. Kommentar BK I/1). Angedeutet ist in V. 7 aber auch die mythische Vorstellung der Bändigung einer Chaosmacht (wie Jes 51,10); *tehōmōt* ist ein ursprünglich mythischer Begriff (akkad. *tiāmat*). Wie in Gen 1 also tilgt die Darstellung der Schöpfung durch das Wort die älteren nicht aus, sie behalten daneben ihre Aussagekraft.

V. 10–12: Der Schöpfer ist auch der Herr der Geschichte, das sagen V. 10–12. Dieses Herrsein wird in einem Gegensatz nur angedeutet. Der Geschichtsplan oder -entwurf Gottes wird denen der Völker entgegengesetzt. Diese Gegenüberstellung kann nur eine abkürzende Andeutung sein. Es ist zu beachten, daß hier nicht mehr die in Kriege eingreifende Macht Gottes der Macht der Feinde Israels als überlegen entgegengestellt wird wie in der Frühzeit (z. B. im Deboralied Ri 5); die Entgegensetzung ist abstrakt und reflektiert. Wenn Gott den Plan der Völker „zerbricht", so ist dabei an Pläne der Hybris gedacht, wie z. B. in der Anklage Jesajas gegen Assur Jes 10; wenn von Gottes Plan gesagt wird, er bestehe von Geschlecht zu Geschlecht, ist darin angedeutet: auch durch die Katastrophen seines Volkes hindurch. So ist der Ausruf V. 12 zu verstehen: „Glücklich das Volk . . ." (vgl. 40,5). Das Volk, das er sich erwählt hat, kann sich auch durch die Abgründe seiner Geschichte an ihn halten (vgl. V. 4). V. 12 steht in einer bewußten Entsprechung zu V. 8 und schließt zugleich den Teil V. 6–11 ab.

V. 13–19: Die Verse 13–19 entfalten das Lob der Güte Gottes, 5b. In V. 13.14

stehen zwei Verse im Parallelismus. Sie beschreiben das Herabsehen Gottes aus seiner Höhe auf die Menschen (wie 113,6a). „Von dem Himmel – von seinem Thronsitz", das ist auch hier wie in Ps 113 nicht als Ortsangabe, sondern bezogen auf das dann Folgende gemeint. Drei Verben sind für das Herabsehen Gottes auf die Menschen gebraucht, sie wollen den Angeredeten sagen, daß nichts die Verbindung mit diesem gnädigen Herabblicken zerstören kann. Hier schließt unmittelbar V. 18 an, aber die Erweiterung V. 15–17 will dieses Herabsehen noch näher erklären; das ist eine für das beschreibende Gotteslob typische Erweiterung.

V. 15–17: Weil es in ihm immer um das Ganze des Gotteswirkens geht, wird oft einer Aussage die entsprechende gegenübergestellt: „Er stößt die Gewaltigen vom Stuhl – und erhöht die Niedrigen." In V. 15–17 tritt zu dem Herabsehen, daß Gott dabei die Menschen prüft. Er kennt ihr Denken und ihr Handeln, denn sie sind seine Geschöpfe, V. 15. Dahinter steht ein sehr weit in der Religionsgeschichte verbreitetes Motiv, z.B. in der ägyptischen Religion das Horusauge, das alles sieht (H. Pettazzoni, Der allwissende Gott, Urban-Bücher). Ein Mensch kann vor Gott sein Tun und sein Herz nicht verbergen. Das wird hier wie auch in Ps 139 mit der Menschenschöpfung begründet: „. . . der ihre Herzen allzumal bildete, der ihre Werke alle begreift." Hier zeigt sich, daß Weltschöpfung und Menschenschöpfung im Alten Testament ursprünglich je besondere Motive sind. Die Weltschöpfung entfaltet die Majestät Gottes, so in V. 6–9; die Menschenschöpfung dagegen steht im Zusammenhang der gnädigen Zuwendung Gottes.

V. 16–17: Gott sieht von seiner Höhe nicht nur den im Elend seiner Harrenden (V. 18–19), er sieht auch die anderen, die Mächtigen, Gewaltigen, die sich auf ihre eigene Kraft verlassen (V. 16–17). Wenn in V. 16–17 dabei das Verb „retten" betont wird (es begegnet in verschiedenen Vokabeln viermal), so ist damit angedeutet, daß auch die Mächtigen einmal stürzen können, was auf andere Weise auch die Propheten gesagt haben.

V. 18–19: Die Verse 18–19 schließen an V. 14 an. Die Augen Gottes sind auf die gerichtet, die ihn fürchten und die auf seine Güte warten. Um diesem Satz mehr Gewicht zu geben, wurde die Erweiterung V. 15–17 eingefügt. Damit ist die Gottesfurcht und das Hoffen auf Gottes Hilfe zu einer Möglichkeit angesichts der schwersten Bedrohung im Kontrast zu V. 16–17 erklärt. Der Blick Gottes in die Tiefe der Leidenden ist das Verläßlichere.

Damit werden die beiden Sätze des 19. V. zu einem gewichtigen, lange nachhallenden Schlußakkord, in dem der zum Lob rufende Psalm zu seinem Ziel kommt. Im ersten Satz „zu erretten ihr Leben vom Tod" wird das Ziel des Herabsehens Gottes aus seiner Höhe (V. 14) in der Rettung aus Todesnot eines aus Todesangst zu ihm Rufenden gesehen, in dem Vorgang, von dem die berichtenden Loblieder handeln. Im zweiten Satz tritt zum Retten das Bewahren, zum Einmaligen das Stetige. Wo Gott eingreift als Retter in der Not, bleibt es nicht bei der einen Rettungstat. Zum einmaligen tritt das stetige, in die Zeit sich erstreckende Handeln, zum Retten das Bewahren. Aus der Rettung (Ex 1–15) erwächst Geschichte (Ex 16 ff.).

V. 20–21: Der Lobpsalm ist mit V. 19 eigentlich zu Ende. Die V. 20–21 sind ein Epilog, der in einem Bekenntnis der Zuversicht besteht (vgl. 40,12). Der Gott, der aus Todesnot gerettet hat, wird weiter bewahren, sagte V. 19b. So kann der Psalmist im Vertrauen auf Gottes Bewahren in die Zukunft sehen. „Unsere Hilfe und unser Schild ist er", so kann es der aus der Not Flehende sagen, so aber auch der Gerettete im Blick auf die Zukunft. So kann das letzte Wort des Psalms ein Ausdruck der Freude sein: „an ihm freut sich unser Herz"; Freude, die in der Zuversicht gründet: „denn auf seinen heiligen Namen trauen wir".

V. 22: V. 22 gehört nicht mehr zu dem Psalm, sondern ist wie ein gottesdienstliches Responsorium der Gemeinde auf ihn. Es ist ein Segenswunsch, in dem der Schluß des Psalms V. 20–21 aufnimmt.

Es mag sein, daß die Verse 20–22 hinzugefügt wurden, damit die Zahl der Verse der Zahl der Buchstaben des Alphabets entspricht.

Psalm 66,1–12: Durch Feuer und Wasser

1 Für den Chormeister. Ein Lied. Ein Psalm
   Jubelt Gott zu, alle Welt!
2 Spielet zur Ehre seines Namens,
   gebet ihm sein herrliches Lob!
3 Sprecht zu Gott: Wie ehrfurchtgebietend sind deine Taten!
   Vor deiner gewaltigen Macht müssen deine Feinde sich beugen.
4 Der ganze Erdkreis neige sich vor dir
   und singe dir Lob, lobsinge deinem Namen!

5 Kommt und sehet die Taten des Herrn,
   Ehrfurcht gebietet sein Tun an den Menschen.
6 Er hat das Meer in trockenes Land gewandelt,
   sie schritten zu Fuß durch den Strom,
   freuen, freuen laßt uns über ihn;
7 der ewig herrscht in seiner Macht!
   Seine Augen spähen auf die Völker,
   die Empörer können sich nicht gegen ihn erheben.

8 Benedeiet, ihr Völker, unseren Gott,
   laßt laut sein Lob erschallen!
9 Der unsere Seele am Leben erhielt
   und unseren Fuß nicht gleiten ließ.
10 Denn du hast uns geprüft, o Gott,
   geläutert, wie man Silber läutert.
11 Du hast uns ins Gefängnis geführt,
   hast Ketten um unsere Hüften gelegt.

12 Du hast Menschen über unseren Kopf fahren lassen,
    wir sind durch Feuer und Wasser geschritten.
    Aber du hast uns in die Freiheit hinausgeführt.

Zum Text

V. 2:   Hinter *sīmu* ist *lō* einzufügen.
V. 6:   Statt *šām* = dort, das grammatisch wegen des folgenden Kohortativ
        nicht möglich ist, lies *sāmōaḥ*, inf.abs.
V. 11: Die Übersetzung „Gefängnis" ist unsicher.
V. 12: Lies mit den Übersetzungen *rewāḥāh* = Weite statt *rewājāh*.

Zum Aufbau

Die Fortsetzung V. 13–20 ist Lobpsalm eines Einzelnen (s. o. S. 134), V. 9–12
steht einem Lobpsalm des Volkes nahe, V. 1–8 ist ein von Imperativen (V.
1.2.3.4.5.8) bestimmter beschreibender Lobpsalm (Imperativpsalmen), der die
Einleitung für die zwei berichtenden Lobpsalmen bildet; eine gottesdienstliche
Komposition aus drei Lobpsalmen.

V. 1–8 ist vom imperativischen Lobruf gerahmt in V. 1–2, erweitert durch
3–5 und 8. Die Begründung des Lobrufes ist das Lob der Majestät V. 3 (oder
3–5) und 7 und das Lob der Heilstat Gottes 6. Es ist die gleiche Grundstruktur
des beschreibenden Lobes wie in Ps 113 und 33, aber frei abgewandelt. V. 8
(imperativischer Lobruf) schließt zugleich V. 1–7 ab und leitet 9–12 ein. V.
9–12 ist berichtendes Lob des Volkes, 9 in allgemeiner Form, 10–12 im Rückblick auf eine leidvolle Prüfung durch Gott, gegliedert nach Not 9–12a und
Rettung 12b.

V. 1–2: V. 1–2 ist die Einleitung eines gottesdienstlichen Lobpsalms in imperativischen Lobrufen.

V. 3–4: Die imperativischen Lobrufe werden in V. 3 fortgesetzt mit dem
Imperativ „Sagt . . .!", singen, begleitet von Instrumenten („spielet") und sagen
ist hier völlig in eins gesehen, zum Gotteslob gehört notwendig das artikulierte
Wort. Aufgefordert wird damit zum Lob des majestätischen Wirkens Gottes:
„Wie ehrfurchtgebietend (wörtlich: „wie furchtbar") sind deine Taten!" Hier
ist das majestätische Wirken Gottes auf sein Wirken in der Geschichte beschränkt; das ist durch die Fortsetzung V. 9–12 bedingt.

Weil der ganze Psalm von der Geschichte handelt, ist „alle Welt" (1.4.8) zum
Lob des Herrn der Geschichte aufgerufen. Das ist nicht hymnischer Über-
schwang. Hier zeigt sich vielmehr ein Wesenszug des Gottesdienstes des alten
Israel, der dem christlichen Gottesdienst leider fast ganz verlorengegangen ist.
Gott wird als Herr der Geschichte ernstgenommen. Das ist im ganzen Alten
Testament so. Die Sonderung der Menschheit in Völker Gen 10 geht auf Gottes
Schöpfung und den Mehrungssegen zurück. In den Geschichtsbüchern handelt
Gott nicht nur an Israel, sondern auch an den Völkern. Dasselbe gilt in höherem

Maße für die Propheten. Und in der Apokalyptik mündet das Handeln Gottes an seinem Volk wieder in das an der Menschheit ein. Das gibt dem Gottesdienst Israels den weiten Horizont, in dem auch die Völker zum Lob gerufen werden können: „Benedeiet, ihr Völker, unseren Gott!"

V. 5: Jubelt – sagt – kommt! Hier werden die Völker zu Zeugen gerufen für die Taten Gottes. Die Rettung Israels aus Ägypten ebenso wie die Heimkehr aus dem Exil sind geschichtliche Vorgänge, die vor den Augen der Völker geschehen sind und die diese bezeugen können, das sagt Deuterojesaja ausdrücklich (Jes 41,5). Wichtig ist dabei, daß das richtende und vernichtende ebenso wie das rettende Handeln Gottes als „ehrfurchtgebietend" bezeichnet werden kann, V. 3 und 5. Gottes Geschichtshandeln ist nach seinen beiden Seiten ehrfurchtgebietend. Die Rettungstat Gottes am Schilfmeer (Ex 14–15) ist nur andeutend erwähnt; gerade diese kurze Erwähnung zeigt, wie lebendig sie in der Überlieferung durch Jahrhunderte geblieben ist. Der Jubel, der damals über der Rettung erwachte, hatte einen Nachhall, der nicht verstummt ist: „Freuen laßt uns über ihn!"

V. 7: Der Psalm kehrt noch einmal zum Lob der Majestät zurück; V. 7 setzt V. 3–5 fort. Es ist eine erstaunlich kühne Aussage, wenn das Wachen Gottes über die Wege der Menschen ausgeweitet wird auf Gott als Herrn der Geschichte: „Seine Augen spähen auf die Völker." Dieser Satz bestreitet den Absolutheitsanspruch der Politik: den Überblick hat nur einer, die Herrschaft über das Ganze hat nur einer. Hiermit steht der Psalm in der Nähe der Verkündigung Deuterojesajas. Jedenfalls hat dieser Satz durch die bisherige Weltgeschichte eine wenn auch nur teilweise, so doch unbestreitbare Bestätigung erhalten. Eine politische Macht, die die ganze Menschheit beherrschte, hat es bis zum heutigen Tag noch nicht gegeben.

V. 8–12: Da V. 8 zugleich Abschluß von V. 1–8 ist, gehört er nach Form und Inhalt zum beschreibenden Gotteslob; aber auch so kann er der Weiterführung des Psalms in V. 9–12 als Einleitung dienen; vgl. Ex 18,10, wo der Midianiter Jethro Gott lobt über die Befreiung der Israeliten aus der Gewalt der Ägypter.

V. 9: Der erste Satz, V. 9, ist ein Lob Geretteter in so allgemeiner Form, daß es auch von einem Einzelnen gesprochen sein könnte; so kann V. 9 einleitend sowohl für V. 9–12 wie auch für V. 13–20 gesprochen sein.

V. 10–12: Ein Bericht von einer Not des Volkes V. 9–12a und der Rettung aus ihr 12b. Der Bericht von der Not ist noch einmal gegliedert in eine zusammenfassende Deutung der Notzeit als einer Zeit der Prüfung V. 10 und die Schilderung der Leiden des Volkes V. 11–12a. Gott hat sein Volk nicht deshalb so Schweres durchmachen lassen, weil er es quälen oder bestrafen wollte. Im Plan Gottes sollte diese Leidenszeit der Prüfung des Volkes gelten: „Durch Leiden ‚im Schmelzofen des Elends', Jes 48,10, wollte Gott feststellen, ob Israel ihm treu sei", H. Gunkel. Eine solche Deutung der Leidenszeit hat zur Voraussetzung, daß auch alles Schwere, was ein Mensch oder eine Gemeinschaft durchmachen muß, auf Gott zurückgeführt wird. In Gen 22,1 (Abraham) wird das Leiden im persönlichen Leben als Prüfung durch Gott gedeutet.

So ist es möglich, in der Schilderung der Leiden in der Anrede an Gott zu bleiben: „du bist . . . du hast . . .". Dabei wird nur Weniges genannt: Gefangenschaft V. 11a.b, Bedrohung durch die Elemente Feuer und Wasser V. 12aβ und die Schande des Unterjochtwerdens; denn sie ist mit dem Satz 12aα gemeint: „Denn du hast Menschen über unseren Kopf fahren lassen", die tiefe Erniedrigung.

Der Bericht von der Rettung kann dann in einen einzigen Satz gefaßt werden: „Aber du hast uns in die Freiheit hinausgeführt!" Auf diesen Bericht von der Rettung zielt der ganze Abschnitt V. 9–12. Seine Einheitlichkeit erhält er durch die alle Sätze verbindende Anrede an Gott: „Du hast . . ." Nur deswegen kann die Rettung so selbstverständlich als ein Handeln Gottes verstanden werden, weil Gott ja mit ihnen durch die Tiefe gegangen war. Sie erfuhren das Leiden als ein „fremdes Werk" Gottes, aber doch als sein Tun. Dieses Durchhalten der Gottesbeziehung durch die Abgründe, „durch Feuer und Wasser" ist ein Wesenszug der Religion Israels.

Psalm 145: Deine Wunder will ich besingen!

1   Ein Loblied Davids.
     Ich will dich erheben, mein Gott und König,
     und deinen Namen preisen immer und ewig.
2   Täglich will ich dich preisen
     und deinen Namen loben immer und ewig.

3   Groß ist der Herr und hoch zu loben,
     seine Größe ist unerforschlich.
4   Ein Geschlecht rühmt dem anderen deine Werke
     und kündet deine gewaltigen Taten.
5   Von der herrlichen Hoheit deiner Glorie sollen sie reden,
     sie sollen deine Wunder besingen!
6   Sie reden von der Macht deiner furchtbaren Taten,
     von deinen großen Taten sollen sie erzählen.
7   Das Gedächtnis deiner vielen Heilstaten erwecken sie,
     und über deine Gerechtigkeit jubeln sie.

8   Gnädig und barmherzig ist der Herr,
     langmütig und reich an Gnade.
9   Gütig ist der Herr gegen alle,

     sein Erbarmen waltet über allen seinen Werken.
10   Es sollen dich preisen, Herr, alle deine Geschöpfe,
     deine Frommen sollen dich loben.

11 Die Herrlichkeit deiner Herrschaft sollen sie rühmen,
     sollen reden von deiner Macht,
12 den Menschen kundzutun deine mächtigen Taten
     und den herrlichen Glanz deines Königtums.
13 Dein Königtum ist ein ewiges Königtum,
     und deine Herrschaft währt durch alle Geschlechter.
     Der Herr ist verläßlich in all seinen Worten
     und gnädig in all seinem Tun.
14 Der Herr stützt alle, die fallen,
     und richtet die Gebeugten auf.

15 Aller Augen warten auf dich,
     und du gibst ihnen ihre Speise zu seiner Zeit.
16 Du tust deine Hand auf
     und sättigst alles, was lebt, mit Wohlgefallen.
17 Gerecht ist der Herr in all seinen Wegen
     und gnädig in all seinem Tun.
18 Nahe ist der Herr allen, die zu ihm rufen,
     allen, die ihn aus lauterem Herzen anrufen.
19 Was die Gottesfürchtigen erbitten, das tut er.
     Er hört ihr Rufen und hilft ihnen.
20 Der Herr behütet alle, die ihn lieben,
     doch alle Frevler vernichtet er.

21 Mein Mund verkünde das Lob des Herrn.
     Alles, was lebt, preise seinen heiligen Namen immer und ewig!

Zum Text

V. 5: Nach den Übersetzungen sind beide Verben im Plur. zu lesen, ebenso
         V. 6b.
V. 13: Nach V. 13 fehlt in M der Buchstabe *nūn;* mit den Übersetzungen ist
         der mit *nūn* beginnende Vers zu ergänzen, s. Appar.

Zum Aufbau

Dies ist ein alphabetischer Psalm; die Anfangsbuchstaben der Verse ergeben die
Buchstaben des hebräischen Alphabets. Weil dies eine künstliche, schriftgelehr-
te Form ist, ein schriftlich entstandener Psalm (aus später Zeit, wie es auch die
gehäuften Wiederholungen zeigen), kann man eine deutliche Psalmstruktur
nicht erwarten. Klar ist, daß der Psalmdichter einen Lobpsalm schreiben wollte,
so auch die Überschrift *tehillāh;* aber er mußte die Gliederung dem Alphabet
anpassen. Trotzdem ist dem Psalmisten ein sinnvoller und dem Lobpsalm
entsprechender Aufbau gelungen: Im Schlußsatz V. 21 ist der Entschluß eines
Einzelnen, Gott zu loben, mit einer Aufforderung an „alles Fleisch" zum Preis

Gottes verbunden. Dem entspricht der Anfang des Psalms, V. 1 in 21a und V. 4–7 in 21b. Am Anfang wie am Schluß wird der Psalm als Loblied eines Einzelnen bestimmt, das sich mit dem Lob der gottesdienstlichen Gemeinde verbunden weiß. Die Rahmung des Psalms in einen am Anfang und am Schluß dem Sinn nach gleichen Satz ist die Redeform der inclusio. Man kann aus ihr immer auf eine bewußte Konzeption des von ihr eingeschlossenen Textes schließen.

Der in diese Sätze gerahmte Psalm will Gott loben in seiner Majestät V. 3 und in seiner Güte V. 8f. Das Gotteslob des 145. Psalms ist von der gleichen Polarität bestimmt wie das des 113. und 33. Psalms. Das Lob der Majestät Gottes V. 3 folgt unmittelbar auf die Einleitung V. 1–2. Der Abschnitt zwischen V. 3 und 8 f. ist eine Erweiterung des Rufes zum Lob, aus der imperativischen in die Jussivform abgewandelt. Der Ruf zum Lob wird in V. 10–12 wieder aufgenommen. Dann folgt noch einmal das Lob der Majestät (13a Gottes Königsherrschaft) und der Güte Gottes 13b.14, erweitert in V. 15–19. Diese Erweiterung entfaltet das Lob Gottes noch einen Schritt weiter: Sie wirkt sich aus im Segnen V. 15–16 und im Retten 18–19. V. 17 zwischen diesen beiden Teilen lenkt noch einmal auf die andere Seite des Gotteshandelns: seine Gerechtigkeit und damit sein Richten, zurück. V. 20 ist ein zu einer lobenden Aussage abgewandelter Schlußwunsch, der eigentlich zur Einzelklage gehört. Diese Zufügung ist vielleicht durch den Zwang der Alphabetzeichen verursacht.

V. 1–2: Wenn dieser Psalm, der seinem Inhalt nach eindeutig ein gottesdienstlicher Lobpsalm der Gemeinde ist, am Anfang V. 1–2 und am Schluß V. 21a als Loblied eines Einzelnen bezeichnet wird, läßt sich darin ein Wandel erkennen, dessen Spuren auch sonst an vielen Stellen erkennbar sind: eine Verlagerung der Gottesbeziehung in die persönliche Frömmigkeit. Der Psalter wird in der Spätzeit (auch) zu einem Andachtsbuch. Besonders deutlich zeigt das der 119., auch ein alphabetischer Psalm, ebenfalls der 1. Psalm. Dieser Wandel läßt sich im 145. Psalm auch daran erkennen, daß der imperativische Ruf zum Lob durchweg in die jussive Form gewandelt ist. Darüber hinaus aber zeigt sich der Wandel bis in die Formulierung der einzelnen Verse hinein.

Der Psalm beginnt: „Ich will dich erheben, mein Gott und König." Das erinnert an die Psalmen, in denen Gott als König gefeiert und gepriesen wird, Ps 93; 95–100. Das sind gottesdienstliche Psalmen; wenn Gott als König gepriesen wird, ist an die gottesdienstliche Gemeinde als das Volk dieses Königs gedacht. Da hat der Königstitel für Gott seinen Sinn. Aber ein Einzelner ruft in der Zeit, in er Israel noch ein Volk war, Gott niemals als seinen König an. In der zweiten Vershälfte sagt der Psalmist: „. . . und (ich will) deinen Namen preisen immer und ewig". Dieser starke Ausdruck (le'ōlām wā'äd) ist geprägt für die Psalmen der gottesdienstlichen Gemeinde, der Gottesdienst geht von Generation zu Generation weiter. Für einen einzelnen Frommen in seiner begrenzten Lebenszeit ist der Ausdruck fast zu stark, während V. 2a: „täglich will ich dich preisen" dem Einzelnen angemessen ist. Es zeigt sich hier ein wichtiger Zug, der für alle religiöse Tradition gilt: Wenn bei einer Wandlung der Gemeinschaftsformen die Sprache einer vergangenen Zeit unverändert weitergetragen wird, kann sie an Kraft verlieren, sie kann sogar unverständlich werden.

V. 3: Gottes Majestät wird gelobt: „Groß ist Jahwe und hoch zu loben." Was bedeutet es, wenn die Psalmen Gott in seiner Größe, in seiner Hoheit loben? Niemals und in keinem Sinn ist dabei an Größe oder Hoheit an sich gedacht. Vom menschlichen Körper her gedacht, wäre Übergröße etwas Negatives, es kann sogar etwas Groteskes sein. Aber auch „geistige Größe" ist nicht gemeint, so wie wir von einem großen Dichter oder Denker sprechen. Was mit Größe hier gemeint ist, deutet der zweite Halbvers an: „. . . seine Größe ist unerforschlich". Damit kann nur gemeint sein: die Möglichkeiten des Handelns und des Denkens (d.h. seiner Pläne, Entwürfe) Gottes sind unerschöpflich. Mit Größe Gottes ist dann Gott in seinem Verhältnis zu . . ., in den Möglichkeiten seines Wirkens an . . . gemeint. Gott ist groß in seiner Bezogenheit auf seine Schöpfung, auf die Menschheit, auf einen einzelnen Menschen. Das Anerkennen dieser Größe, also das Loben Gottes in seiner Größe, Hoheit, Majestät, bedeutet als solches ein Anerkennen und Bejahen der Grenzen des Menschen, der Schöpfung. Wo Gottes Größe gelobt wird, bewirkt dies notwendig eine Zurückhaltung in der Anerkennung und Verherrlichung menschlicher Größe, welcher Art auch immer, ob geistige oder politische Größe. Von einer gewissen Grenze an gerät die Verherrlichung menschlicher Leistung, Heldenverehrung, Verherrlichung politischer Macht in Konkurrenz zum Lob der Größe Gottes. Wo diese Grenze der Verherrlichung menschlicher Größe und Macht überschritten wird, wo eine übersteigerte Größe eine übersteigerte Anerkennung findet, dient sie der menschlichen Gemeinschaft nicht mehr, sondern gefährdet sie. So gesehen erhält das Lob der Majestät, der Größe Gottes in den Psalmen eine für den Menschen und die menschliche Gemeinschaft wichtige Funktion.

V. 4–7: Diese Verse sind eine Abwandlung des eigentlich imperativischen Rufes zum Lob; vgl. Ps 113 und 33. Die vielen Variationen aber auch Wiederholungen dienen der Hervorhebung, der Unterstreichung des Rufes zum Lob. Zunächst einmal bestätigen diese Verse das vorher von Gottes Größe Gesagte: nicht Gott an sich ist damit gemeint, nicht ein Bild, das man sich von Gott macht, nicht eine „Gottesvorstellung", sondern sein Wirken, sein Handeln: V. 4 deine Werke . . . deine Taten, 5 deine Wunder, 6 deine Taten, deine großen Taten, 7 deine vielen Heilstaten. Ein so gehäuftes Reden von Gottes Taten begegnet nur an dieser einen Stelle im Psalter. Damit sind Gottes Taten in der Geschichte gemeint, und der Ruf („sie sollen . . .") zielt darauf, daß die Taten in der Vergangenheit in der Zukunft bewahrt werden. V. 4: „Ein Geschlecht rühme dem anderen . . .", sie sollen reden, bezeugen, erzählen, „das Gedächtnis deiner Taten erwecken" (V. 5–7). Zum Lob der Größe gehört hier die Bewahrung der Kontinuität einer Geschichte, in der Gott Großes, in der er Wunderbares getan hat. Was das Bewahren dieser Kontinuität des Handelns Gottes in der Geschichte bedeuten kann, zeigt der 80. Psalm, den man hier noch einmal sorgfältig vergleichen sollte. Hier spricht ein Geschichtsbewußtsein, das die Geschichte wirklich als Ganzheit und in wirklicher Kontinuität versteht: „wirklich" vom Wirken Gottes her. Mit der Säkularisierung des Geschichtsbegriffes in der Aufklärung ist uns dieses Geschichtsbewußtsein vollkommen verlorengegangen.

V. 8–9: Diese beiden V. 8–9 sind mit V. 3 zusammen zu hören; sie bilden den Kern des Lobpsalms. Gott wird in seiner Majestät und in seiner Güte gelobt. Wenn dies an den Lobpsalmen immer *neben*einander stehen bleibt, Gottes Gottsein immer nur in diesem Nebeneinander gelobt wird, bedeutet das auch, daß es nicht auf einen Begriff gebracht werden kann. Würde man nur das eine von beidem von Gott sagen, wäre das nicht der wirkliche Gott. Gott kann nicht auf einen Begriff gebracht werden; das Nebeneinander kann auch ein Nacheinander sein, das Wirken Gottes ist ein geschichtliches Wirken.

Wenn in V. 9 in großartiger Weite und Universalität gesagt wird: „Gütig ist der Herr gegen alle, sein Erbarmen waltet über allen seinen Werken", ist dieser Satz falsch verstanden als ein Konstatieren, das nachprüfbar wäre. Ein solches Verständnis wäre allein schon durch die Klage- neben den Lobpsalmen widerlegt. Vielmehr will der Satz sagen, daß das Erbarmen keine Grenzen kennt, daß es überall hin in alle Abgründe reicht. Genauso wird von dem Erbarmen Jesu mit den Leidenden und Ausgestoßenen geredet.

V. 10–13a: In V. 10–13a wird der Ruf zum Lob fortgesetzt; V. 10 könnte an V. 7 anschließen. Neu ist aber hier, daß der Ruf noch weiter reicht: „alle deine Geschöpfe", was dann in V. 15–16 noch deutlicher heraustritt. Im Loben Gottes tritt die ganze Schöpfung neben die gottesdienstliche Gemeinde „alle deine Geschöpfe – deine Frommen" V. 10; dieses Nebeneinander entfaltet der 148. Psalm; vgl. auch Ps 19 mit V. 11.

Das zweite, was in V. 10–13a hinzukommt, ist das Reden von Gottes Königsherrschaft: „den herrlichen Glanz deines Königtums" V. 13; „dein Königtum – deine Herrschaft" V. 13a. Hierin steht Ps 145 den Psalmen vom Königtum Gottes in 93; 95–100 nahe. Dort wird der Begriff näher erklärt werden, hier nur so viel: Königtum ist hier der Inbegriff von Herrschaft überhaupt; sie verbindet die umfassende Fürsorge für alle, die zu ihm gehören (der König ist der Segensmittler) mit der Dauer durch alle Geschlechter (V. 13a).

V. 13b–14: In V. 13b–16 wird das Lob der Güte Gottes fortgesetzt, 13b–16 gehört mit V. 8–9 zusammen. In V. 13b wird das Lob der Güte Gottes darin ergänzt (hier sind wieder Gottes Worte und Gottes Taten einander zugeordnet), daß man sich auf seine Worte verlassen kann; damit klingt die Geschichte der Verheißungen durch das ganze Alte Testament hindurch an. V. 14 fügt hinzu, daß sich sein Erbarmen den Gebeugten und den Gestürzten zuwendet, ebenso wie 113,7–9.

V. 15–20: Der letzte Teil des Psalms ist eine bewußte und durchdachte Entfaltung des Lobes Gottes in den beiden Teilen V. 15–16, der vom segnenden und V. 18–19, der vom rettenden Handeln Gottes spricht (zum Verhältnis vom Retten und Segnen zueinander s. C. Westermann, Theologie des Alten Testaments in Grundzügen, 1978, Teil II., III).

V. 15–16: Das segnende Wirken Gottes ist universal, es umfaßt die ganze

Schöpfung. Daß er Menschen und Tiere mit Nahrung versorgt, gehört zur Erschaffung der lebenden Wesen Gen 1,29–30; 2,9.16.

V. 17: Zwischen das segnende und das rettende Wirken Gottes lenkt V. 17 noch einmal auf die andere Seite des Gotteshandelns: Der gnädige Gott bleibt bei allem Überströmen seiner Barmherzigkeit doch immer auch der gerechte Gott, und das heißt auch der Richter, nie wird seine Gnade zur „billigen Gnade".

V. 18–19: Das Wirken des rettenden Gottes ist in der Sprache der Psalmen dargestellt, die von Not und Rettung reden: er erinnert an das Rufen aus der Tiefe, die Klage, daß Gott fern sei; an seine Zuwendung zu ihnen, wenn er auf ihr Flehen hört und an sein Eingreifen, das ihnen die erflehte Hilfe bringt. Die beiden Verse zeigen auf eine wieder neue Weise, wie Klage und berichtendes Lob in das gottesdienstliche Lob eingehen.

V. 20: Mit V. 19 ist der Psalm eigentlich abgeschlossen. V. 20 ist ein Psalmschluß, der in der Wunschform oft den Abschluß eines Klagepsalms bildet; hier ist er abgewandelt zu einer Gott lobenden Aussage, die im Zusammenhang des Vorangehenden insofern sinnvoll ist, als er die beiden Seiten des Gotteshandelns V. 17 noch einmal kontrastierend aufnimmt, ähnlich wie im Lobgesang der Maria, Lk 1,46–55, in dessen Mitte auch das Lob der Majestät und der Güte Gottes steht V. 49.50 und der dann sagt: „Er stößt die Gewaltigen vom Thron und erhöht die Niedrigen", V. 52.

V. 21: Zu V. 21 vgl. die Einleitung zum Aufbau. In diesem Abschluß faßt der Dichter des Psalms noch einmal sein Gotteslob zusammen mit dem weiten Kreis, dem er sich zugehörig weiß.

Psalm 29: Bringet dem Herrn!

1   Ein Psalm Davids
    Bringet dem Herrn, ihr Gottessöhne,
    bringet dar dem Herrn Ehre und Macht!
2   Bringet dem Herrn seines Namens Ehre.
    Verneigt euch vor dem Herrn in heiligem Schmuck!

3   Die Stimme des Herrn über den Wassern,
    der Herr über gewaltigen Wassern,
    der Gott der Herrlichkeit donnert!
4   Die Stimme des Herrn mit Macht.
    Die Stimme des Herrn in Majestät.
5   Die Stimme des Herrn zerbricht Zedern.
    Es zerbricht der Herr die Zedern des Libanon.
6   Er läßt hüpfen wie ein Kalb den Libanon,
    den Sirjon wie einen jungen Wildochsen.
7   Die Stimme des Herrn sprüht Feuerflammen.

8   Die Stimme des Herrn läßt die Wüste erbeben.
    Beben läßt der Herr die Wüste Kadeš.

9a Die Stimme des Herrn läßt die Hinden kreißen,
    läßt die Zicklein zu früh gebären.

10 Der Herr thront auf der Flut.
    Der Herr thront als König in Ewigkeit,
9b und in seinem Palast spricht alles: Ehre!
11 Der Herr verleihe Kraft seinem Volk,
    der Herr segne sein Volk in Frieden!

Zum Text

V. 2:   Statt „in heiligem Schmuck" übersetzt H.-J. Kraus (Komm.) „bei
        seiner heiligen Erbauung" nach einem ugaritischen Vorkommen der
        Vokabel. Das ist aber nur mit einer Textänderung möglich.
V. 6:   Statt *jarkidēm* lies *jarkēd* (Appar.).
V. 9b: ist hinter V. 10 zu lesen.

Zum Aufbau

Dieser Psalm ist in besonderem Maße ein Gedicht von fremdartiger, aber auch
großartiger Schönheit. Für seine Auslegung ist der Grundsatz besonders wichtig, daß man einen Psalm nur von seiner Ganzheit her verstehen kann.

Er hat eine Versform, die sonst so nie begegnet; annähernd ähnlich ist nur Ps
93. Man hat diese Versform als ansteigenden oder als Stufenparallelismus
bezeichnet; man könnte ihn auch als ergänzenden Parallelismus bezeichnen,
weil der zweite und dritte Stichos den ersten ergänzen, z.B. Zeile 1–3:

Bringet dem Herrn, ihr Göttersöhne,
    bringet dem Herrn Ehre und Macht,
        Bringet dem Herrn seines Namens Ehre!

Aber diese Bezeichnung reicht nicht aus, weil sie nicht das ganze Gedicht
bestimmt; daneben begegnet der einfache (meist synonyme) Parallelismus, z.B.
in Zeile 8–9. 10–11. 12–13. Die Eigenart der Versform liegt in dem mehrfachen
Wechsel von Versen mit drei und mit zwei Halbversen (drei Halbverse in Zeile
1–3. 5–7. 14–16. 19–21; zwei Halbverse 8–9. 10–11. 12–13. 17–18. 19–20;
dazu ein selbständiger Halbvers Zeile 4 und 21), dazu Verse, die in einem
einzigen Satz bestehen, Zeile 4 und 21, in dem also der Parallelismus durchbrochen ist. Die Folge dieser eigenartigen Versform ist, daß der einzelne Halbvers
ein stärkeres Gewicht hat als im Parallelismus membranum; diese relative
Selbständigkeit des einzelnen Halbverses macht die Eigenart dieses Psalms aus,
deshalb klingt er so anders als die übrigen Psalmen (deshalb die Anordnung in
einzelnen Zeilen und die Zählung in Zeilen).

Der Aufbau des Psalms wird klar, wenn man das nahe Zusammengehören

von Anfang und Ende erkannt hat. Er beginnt mit einer imperativischen Aufforderung, V. 1–4; aber nicht zum Lob, sondern zur Huldigung. Der Schluß V. 19–
21 erklärt diese Aufforderung: die Huldigung gilt dem thronenden König und
sagt, daß die Aufforderung befolgt wird, V. 19–21. Der Teil dazwischen begründet die Aufforderung zur Huldigung mit einer Schilderung der Majestät
dieses Königs, V. 5–18. Er zeigt seine Majestät im Gewitter; der Mittelteil ist
gegliedert nach den Elementen des Gewitters: Donner 5–13 und Blitz 14–18.
Die Annahme vieler Ausleger, vor V. 9b sei etwas ausgefallen, trifft nicht zu,
vielmehr ist V. 9b mit Sicherheit nach V. 10 zu lesen (= Zeile 21). Der V. 11
(Zeile 22–23) ist ein Segenswunsch, ein liturgischer Abschluß, der dem Psalm
angefügt wurde.

V. 1–2: Die Aufforderung zur Huldigung. Sie ergeht in zwei Verben im Parallelismus: Bringet! – Fallt nieder!, nur daß das erste dieser Verben *(hābū)* noch
zweimal wiederholt wird, jeweils den Satz erweiternd, in einem feierlichen,
steigenden Rhythmus. Angeredet sind die „Göttersöhne" = Götter, die dem
thronenden Gottkönig huldigen sollen, wie V. 10 zeigt. Es ist die Vorstellung
von einem himmlischen Hofstaat, in dem die untergeordneten Götter dem
Gottkönig huldigen, wie sie auch, abgewandelt, in Jes 6 und noch an mehreren
anderen Stellen begegnet. Ihren Ursprung kann diese Vorstellung nur in einer
polytheistischen Religion haben. Da aber auch in Israel Gott als König verehrt
wurde, wie besonders die Psalmen 93; 95–100 zeigen, lag es nahe, die Huldigung vor Gott, dem König, dieser Vorstellung entsprechend in die Psalmen
aufzunehmen. Das geschieht an mehreren Stellen; der Anfang von Ps 29 hat eine
z. T. wörtliche Parallele in Ps 96,7 ff.:

> Bringet Jahwe, ihr Völkerscharen,
> Bringet Jahwe Ehre und Macht,
> bringet Jahwe die Ehre seines Namens.
> Fallet nieder vor Jahwe in heiligem Schmuck,
> zittert vor ihm, alle Welt . . .

Diese Übereinstimmung macht eine vorgegebene Prägung wahrscheinlich.
Die imperativische Aufforderung (mit der dann folgenden Begründung) entspricht den sonstigen gottesdienstlichen Lobpsalmen; anders ist hier, daß im
ganzen Psalm keine Vokabel des Lobens begegnet, die sonst in den beschreibenden Lobpsalmen gehäuft sind, auch in Ps 96. Auch darin nimmt sich Ps 29 fremd
aus.

V. 3–9: So wie V. 2–3 von dem Verb *hābū* (bringet) beherrscht ist, so V. 3–9 von
dem Nomen *qōl* (die Stimme). Allein diese Wiederholungen des einen bestimmenden Wortes sind von großer dichterischer Kraft. Auch diese Wirkung durch
mehrfache Wiederholung des gleichen Wortes ist sonst in den Psalmen selten.
    Dieser Teil bringt die Begründung der Aufforderung V. 1–2; er ist gegliedert
in „Donner" 3–6 und Blitz „sprüht Feuerflammen" 7–9a. Die Huldigung wird
dem Gott des Gewitters dargebracht. Anders als bei den sonstigen Lobpsalmen
ist die Huldigung allein auf das Gewitter begrenzt.

V. 3–6: Die Stimme Gottes ist die Stimme des Donners (der zweite Satz von V. 3 ist nach dem dritten zu lesen). Es wird von ihr gesagt, sie ist „über den Wassern", in V. 10 steht dafür „über der Flut" ((*mabbūl*, Bezeichnung der Urflut), es ist die mythische Urflut gemeint, vgl. Gen 1,2; in dem Nominalsatz ist als Verb schon das „donnert" des letzten Satzes gemeint, aber das „über den Wassern" deutet zugleich Herrschaft an, wie es dann V. 10 sagt. Gott ist Sieger über die Flut und er errichtet seinen Thron über der besiegten Chaosmacht. Das klingt hier nur an, aber es steht im Hintergrund. Er wird genannt „Gott der Herrlichkeit" (*'ēl hakkābōd*) wie in Ps 24, auch einer Königshuldigung.

V. 4–6: V. 4–6 schildert die Wirkung der Donnerstimme. Dabei nimmt V. 4 den V. 3 noch einmal auf, dem Stil des Psalms entsprechend, und fügt die Prädikate „Macht" und „Majestät" hinzu. Macht und Majestät dieser Stimme bewirkt die Erschütterung der Schöpfung: die Berge erbeben (Gewitter und Erdbeben werden oft miteinander verbunden), und die Bäume werden entwurzelt und zerbrechen. In der Stimme wirkt eine Kraft, die so gewaltig ist, daß sie das Festeste, die „ewigen Berge" ins Wanken und Schüttern bringen kann. Die Vergleiche „wie ein Kalb", „wie einen jungen Wildochsen" haben dabei die Funktion des Verstärkens. Sie ist so gewaltig, daß sie die mächtigen, ragenden Bäume zersplittern kann!

Wenn in V. 5 und 6 das Libanongebirge mehrfach genannt wird (Sirjon ist ein anderes Wort für den Libanon), ist damit nicht irgendein Gebirge genannt, der Psalm ist vielmehr in einem Raum entstanden, in dem der Libanon allen bekannt war, von allen gesehen werden konnte, ebenso die Wüste Kadeš, V. 8.

V. 7–9a: „Die Stimme des Herrn sprüht Feuerflammen": es sind die sprühenden Blitze gemeint; sie sind Ausdruck derselben majestätischen Kraft: der Donnergott sprüht Feuerflammen. Wenn hier zu den Bergen die Wüste tritt, ist, wie oft, in zwei Punkten ein Ganzes gemeint: die ganze Erdoberfläche. Ebenso gehören die „Hinden" und „Zicklein" V. 9a mit den Bäumen in V. 10 zusammen: die Pflanzen und die Tiere. Dabei ist die Kunst des Dichters dieses Psalms darin zu spüren, daß er das Erzittern der Berge und Ebenen (Wüsten) sich in dem Erzittern der Tiere fortsetzen läßt: die Erschütterung durch die majestätische Kraft erfaßt alle Kreatur.

V. 10.9b: Mit V. 9a ist der Teil, der die gewaltige Donnerstimme schildert, abgeschlossen; 9b ist nach V. 10 zu lesen. Der Schluß 10.9b kehrt zum Anfang zurück (so auch H.-J. Kraus, Komm.). Hier erst wird gesagt, daß die Huldigung dem König gilt, dem König auf seinem Thron in seinem Palast, wo seine Diener ihm huldigen. Gott „thront auf der Flut", das ist die alte, im Mythos wurzelnde Vorstellung, daß auf der unterworfenen, gebändigten Urflut der Palast des siegreichen Gottes errichtet ist. Auf Abbildungen steht der Königspalast über Wellenlinien, die die Flut andeuten. Er ist der feindlichen Elemente Herr geworden. Diese Herrschaft wird ewigen Bestand haben: „der Herr thront als König in Ewigkeit". Die letzte Zeile V. 9b entspricht der Aufforderung am Anfang (V. 2): „Bringet dem Herrn die Ehre seines Namens". Diese Aufforderung wird befolgt, „und in seinem Palast spricht alles Ehre!". So wird die Bezeichnung *'ēl* *hakkābōd* in V. 3 erklärt. In diesem Schluß des 29. Psalms ist die Gleichsetzung Gottes mit einem König und die Verehrung Gottes als eines Königs eindrücklich klar. Voraussetzung dafür ist, daß in der Antike dem Königtum als politischer Institution etwas Sakrales anhaftet; Königtum gibt es nur als sakrales Königtum. Ein nur politisches, säkulares Königtum wäre hier ein Widerspruch in sich. Ein Nachklang davon ist in dem Wort „Majestät" bewahrt.

V. 11: Der V. 11 gehört nicht zum Psalm selbst. Man spürt das schon an der anderen Sprache und dem anderen Rhythmus. Es ist ein liturgischer Segenswunsch, wie er am Ende mancher Psalmen steht. Dieser dem Psalm nachträglich angefügte Segenswunsch aber erhält hier eine besondere Bedeutung. Der Psalm unterscheidet sich von den sonstigen Lobpsalmen auch darin, daß in ihm die gottesdienstliche Gemeinde, also das Volk, überhaupt nicht vorkommt. Der Psalm ist nur von der Relation des Gottes zur Schöpfung bestimmt, Menschen kommen in ihm nicht vor. Deswegen wird bei der Übernahme dieses Psalms in den Gottesdienst diese Beziehung Gottes zu seinem Volk bewußt nachgetragen: „. . . verleihe seinem Volk . . . segne sein Volk". Ein deutliches Zeichen dafür, daß der in vielem fremdartige Psalm so wohl in Israel nicht entstanden sein könnte.

Zum religionsgeschichtlichen Hintergrund des 29. Psalms. Von der Mehrzahl der Ausleger wird angenommen, daß es ursprünglich ein kanaanäischer Psalm war, der in Israel übernommen wurde (zuerst H. L. Ginsberg). Dafür spricht einmal, daß, wie die Auslegung zeigte, der Psalm viele Besonderheiten aufweist, die in den anderen Lobpsalmen nicht begegnen. Daß diese Andersartigkeit auch den Sammlern der Psalmen bewußt war, zeigt wahrscheinlich auch der hinzugesetzte Segenswunsch. Dazu kommt, daß der Psalm eine ganze Reihe kanaanäischer, insbesondere ugaritischer Parallelen aufweist.

In Kanaan war Baal der Gewittergott, das ist vielfach bezeugt (W. Beyerlin, Religionsgeschichtliches Textbuch zum Alten Testament, S. 205–242, bes. 338f.). In dem Text Aschirot und Baal (s.o. S. 227) wird von Baal als dem Gewittergott ganz ähnlich wie in Ps 29 gesprochen:

> „Und er wird erschallen lassen seine Stimme,
> indem er abschießt zur Erde die Blitze in den Wolken."

Der Preis der gewaltigen Stimme Gottes begegnet häufig auch in babylonischen Psalmen, in denen „das Wort" immer wiederkehrend den Psalm beherrscht:

> „Das Wort, das oben die Himmel erbeben läßt,
> das Wort, das unten die Erde wanken läßt . . ."

Dazu kommen eine ganze Reihe sprachlicher Parallelen. Die in V. 1 angeredeten „Göttersöhne" *(benē 'ēlīm)* begegnen in der gleichen Funktion in einem Gebet von 'El (Beyerlin, S. 240):

> „O El, O Söhne Els!
> O Versammlung der Söhne Els!
> O Zusammenkunft der Söhne Els!"

In V. 3 begegnet „in heiligem Schmuck" *(be hadrat qōdeš)*, Bedeutung fraglich; in V. 6 Libanon und Sirjon im Parallelismus, die Wüste Qadeš V. 8, das Thronen über dem Ozean, Gott als König V. 10.

Daß ein Hymnos, ein Psalm, ein gottesdienstliches Lied von einer Religionsgemeinschaft in eine andere übernommen wird, ist vielfach bezeugt (z.B. katholisch-evangelisch). Viele Motive der israelitischen Psalmen begegnen auch in der vorderorientalischen Umwelt. Das besondere bei Ps 29 ist, anders als z.B. Ps 96, daß ein kanaanäischer Psalm anscheinend ziemlich unverändert in den Gottesdienst Israels übernommen werden konnte. Das war hier deswegen leicht möglich, weil der Gottesname den ganzen Psalm 29 durchzieht; in V. 1–5 in jedem Vers zweimal. Wenn der Name Jahwe an die Stelle des Namens eines kanaanäischen Gewittergottes (Baal oder Hadad) trat, klang für die Tempelgemeinde in diesem Namen Jahwe alles mit, was ihnen dieser Name bedeutete. Jahwe war für sie eben nicht nur ein Gewittergott, sondern der Gott, der alles in allem wirkte. Dann war es durchaus möglich, daß das den beiden Religionen Gemeinsame bejaht wurde, die Ehrfurcht vor dem Schöpfer und seinem Machtwort, die Anerkennung Gottes als des Königs und die gottesdienstliche Huldigung, die Gott dargebracht wurde. Es ist nicht zu leugnen, daß in den späten Phasen der Religionsgeschichte, in denen das rationale Element, besonders in der Lehre, eine beherrschende Bedeutung erhielt, die Ehrfurcht vor der Majestät Gottes, die sich auch in der Schöpfung auswirkt, weitgehend zurücktrat oder ganz verlorenging. Es ist diese Ehrfurcht vor Gottes Majestät, die der 29. Psalm auch heute noch zu vermitteln vermag.

Psalm 103: Lobe den Herrn, meine Seele!

1 Von David
   Lobe den Herrn, meine Seele,
   und was in mir ist, seinen heiligen Namen!
2 Lobe den Herrn, meine Seele,
   und vergiß nicht, was er dir Gutes getan!

3 Der dir all deine Schuld vergibt und all deine Gebrechen heilt,
4 der dein Leben vom Verderben erlöst,
   der dich krönt mit Gnade und Barmherzigkeit,
5 der dein Leben mit Gutem erfüllt,
   daß du wieder jung wirst wie ein Adler.
6 Heilstaten vollbringt der Herr, den Unterdrückten schafft er Recht.
7 Seine Wege tat er Mose kund,
   den Kindern Israels seine Taten.
8 Barmherzig und gnädig ist der Herr,
   langmütig und reich an Erbarmen.
9 Er hadert nicht auf die Dauer,
   und sein Zürnen währt nicht ewig;

10 er vergilt uns nicht nach unseren Sünden
und handelt nicht an uns nach unseren Missetaten.

11 Sondern so hoch der Himmel über der Erde,
läßt er seine Gnade walten über die, die ihn fürchten.

12 So fern der Morgen ist vom Abend,
läßt er unsere Vergehen von uns sein.

13 Wie sich ein Vater über Kinder erbarmt,
so erbarmt sich der Herr über die, die ihn fürchten.

14 Denn er weiß, was für ein Gebilde wir sind,
er denkt daran, daß wir nur Staub sind.

15 Des Menschen Tage sind wie das Gras,
er blüht wie die Blume des Feldes.

16 Wenn der Wind darüber geht, so ist sie dahin,
und ihre Stätte kennt sie nicht mehr.

17 Aber die Güte des Herrn währt immer und ewig
und seine Treue auf Kindeskinder,

18 bei den Frommen, die seinen Bund halten,
die bedacht sind, nach seinen Geboten zu handeln.

19 Der Herr hat im Himmel seinen Thron errichtet,
sein Königtum herrscht über das All.

20 Lobet den Herrn, ihr seine Boten,
ihr Gewaltigen, die ihr sein Wort ausrichtet,

21 Lobet den Herrn, all seine Heerscharen,
ihr seine Diener, die ihr seinen Willen ausführt.

22 Lobet den Herrn, all seine Werke,
an allen Orten seiner Herrschaft!
Lobe den Herrn, meine Seele!

Zum Text

V. 8:   „langmütig": eigentlich langsam zum Zorn
V. 11: Das zweite Verb dem ersten entsprechend *gābah* zu lesen
V. 20: Die drei letzten Worte sind wegzulassen, Doppelschreibung.

Zum Aufbau

Der Psalm ist in V. 1–2 (oder 1–5) und in 20–22 vom imperativen Lobruf gerahmt. Dadurch ist er als beschreibender Lobpsalm (Hymnos) gekennzeichnet, in der Anrede an sich selbst in V. 1 und 22 zugleich als Lobpsalm eines Einzelnen. Diese Lobpsalmen sind bestimmt vom Lob der Majestät und der Güte Gottes; der Aufbau aber zeigt, Gottes Majestät lobt nur V. 19, der ganze übrige Psalm lobt in V. 3–18 Gottes Güte in bewußter Einseitigkeit. Dabei bilden V. 3–5, eine Kette von Partizipien, einen Übergang vom Ruf zum Lob, den sie begründen, zum corpus des Gotteslobes, das in V. 6 mit finiten Verben beginnt. V. 6–7 rühmen Gottes Taten an seinem Volk, V. 8–18 Gottes Handeln an einem einzelnen Menschenleben, dem Leben dessen, der den Lobruf 1–22 spricht. In V. 8–18 werden die beiden Seiten der überleitenden V. 3–8 entfaltet: V. 8–13 die vergebende Güte Gottes (= V. 3), 14–18 Gottes ewige Güte angesichts der Grenzen des Menschenlebens. Wieder kann man nur staunen, wie bis ins letzte der Aufbau klar durchschaubar und sinnvoll ist:

$$
\begin{array}{l}
1\text{–}2 \\
\quad 3\text{–}5 \\
\qquad\qquad\qquad\qquad 6\text{–}7 \\
\qquad\qquad 8\text{–}18 \quad \left\{ \begin{array}{l} 8\text{–}13 \\ 14\text{–}18 \end{array} \right. \\
\quad 19 \\
20\text{–}22
\end{array}
$$

Man muß sich dabei klarmachen, daß im alten Israel Kunst weitgehend identisch war mit Wortkunst, und daß so auch dieser 103. Psalm als ein bis in jeden einzelnen Satz durchsichtig geformtes Kunstwerk gemeint war. Jedes Glied dieses Kunstwerkes hat eine Beziehung zu jedem anderen, jede Gleichheit und jede Ungleichheit ist beabsichtigt. Von dem ersten Satz „Lobe den Herrn, meine Seele . . ." führt ein Weg zu dem letzten, ebenso lautenden Satz; das Wiederkehren dieses Rufes am Ende beschließt ein Ganzes, das dessen Klang vom Anfang zum Ende hin entfaltet. Der Ruf am Ende hat in sich, was die beiden Rufe umschließen.

V. 1–2: Die Anrede an das eigene Ich ist zu verstehen als Angleichung an den hymnischen Stil, zu dem eine imperative Einleitung gehört. Dem Lobpsalm eines Einzelnen wäre die Einleitung „Ich will preisen . . ." o.ä. gemäß. Der ganze Psalm verbindet das Lob eines Einzelnen mit Motiven des Hymnos (V. 6–7.19.20–22a). Die Aufforderung zum Lob ist zwar identisch mit dem Entschluß zum Lob; aber in der imperativen Form erhält der Psalm einen gottesdienstlich-festlichen Klang. Beide Verse bilden einen ergänzenden Parallelismus. Durch ihn wird im ersten der „heilige Name" Gottes betont; sein Name steht für das, was er für die bedeutet, die ihn anrufen. Die Ergänzung im zweiten Vers läßt das Lobgelübde aus dem Lobpsalm des Einzelnen anklingen, der erzählt, was Gott ihm Gutes getan hat. Es darf nicht vergessen werden!

V. 3–5: Die Kette von Partizipien in V. 3–5 ist nicht eine bloße Aneinanderreihung; in V. 3 ist Gottes Vergehen und Heilen, in 4 f. Gottes Retten (Erlösen) und Segnen einander zugeordnet. Die Folge dieser sechs Verben: vergeben – heilen – erlösen – krönen – erfüllen – verjüngen vermag überzeugend zu vermitteln, wie das Tun Gottes, das das Loblied so darstellt, das ganze Menschsein umfaßt. Es meint nicht eine abstrakte Sündenvergebung, es meint den ganzen Menschen mit Leib und Seele.

V. 6–7: Dem beschreibenden Lob entspricht es, daß das Gotteslob alles Tun Gottes umfaßt; so folgt auf die Einleitung zunächst der Preis des Wirkens Gottes an seinem Volk: „Heilstaten vollbringt der Herr . . ." (6a), sie umfassen das Volk als ganzes, an das Schilfmeerwunder erinnernd (7a), aber auch sein Eintreten für die Unterdrückten innerhalb des Volkes (6b).

V. 8–18: Der Hauptteil des Psalms aber ist ganz bewußt auf den Preis der Güte, der Barmherzigkeit Gottes konzentriert. Er ist gegliedert in die beiden Seiten menschlicher Existenz, denen sich die Güte Gottes zuwendet, der Fehlbarkeit und der Vergänglichkeit, in bewußter Entsprechung zur Einleitung V. 3: V. 8–13 entfalter 3a, 14–18 entfaltet 3b.

V. 8–13: Dieser Teil ist so in sich gegliedert: V. 8 lobt Gottes Barmherzigkeit, V. 9 stellt sie Gottes Zorn gegenüber, der von ihr in Grenzen gehalten wird. V. 10 sagt, wie sich diese Barmherzigkeit in der Sündenvergebung auswirkt und V. 11–13 schließen den Preis der Barmherzigkeit Gottes in zwei Vergleichen aus zwei verschiedenen Bereichen ab.

V. 8.9: V. 8 steht in der Mitte des ganzen Psalms; was dieser Vers von Gottes Barmherzigkeit sagt, das will der ganze Psalm entfalten. Sie hebt zwar den Zorn Gottes nicht auf, aber grenzt ihn ein. Zorn ist im Alten Testament nicht die Gemütsbewegung eines jenseitigen Wesens. Er ist das Wirken einer richtenden und vernichtenden Macht, das ein notwendiger Bestandteil der Wirklichkeit ist. Gäbe es Gottes Zorn nicht, wäre auch seine Güte nichts mehr wert. Wäre Gott nicht der Richter, dann verlöre die Geschichte ihr Gleichgewicht. Denn in seinem Zorn reagiert Gott auf Verderben, auf Lebenbedrohendes aller Art; die Kraft des Zornes Gottes dient dem Leben. Erst auf diesem Hintergrund kann man verstehen, was es bedeutet, daß der Dichter dieses Psalms die Barmherzigkeit Gottes als das Stärkere, Beständigere preist. Sie hat keine Grenze (V. 17). „Sein Zorn währt einen Augenblick, aber ein Leben lang seine Gnade."

V. 10: Diese Ungleichheit wirkt sich darin aus: Würde Gott in dem Maß vergelten, in dem ein Mensch sündigt, dann könnte man verzweifeln. Aber Gott ist unkonsequent. Er rechnet mit uns nicht ab. Seine Güte behält das Übergewicht.

V. 11–13: Von diesem Übergewicht reden die beiden Vergleiche, der eine aus der Schöpfung (V. 11 f.), der andere aus dem Menschenleben (V. 13). Die Unermeßlichkeit der Schöpfung, dargestellt in den Dimensionen der Höhe und der Weite, des Vertikalen und des Horizontalen, dient dazu, die Unermeßlichkeit Gottes zu preisen. Der Vergleich aus dem Menschenleben sagt das gleiche von einem ganz anderen Aspekt her. Die Liebe der Eltern zu ihrem Kind erkennt keine Grenze an: „Wie sich ein Vater über Kinder erbarmt . . ." Es ist derselbe Vergleich, der in Lk 15 zu einer Erzählung erweitert ist; auch dort wird in dem Einwand des älteren Bruders die Inkonsequenz dieses Erbarmens gezeigt.

Man muß nun den in sich abgeschlossenen Teil V. 8–13 noch einmal für sich lesen, diesen Teil, der die Mitte des Psalms bildet; man wird dann deutlich sehen, wie diese Mitte in der Steigerung von V. 8 bis zu V. 11 zu einem sprachlichen Kunstwerk gestaltet ist.

V. 14–18: War der Blick in V. 8–13 auf die Begrenzung des Menschen in seinen Verfehlungen gerichtet, so in V. 14–18 auf seine Vergänglichkeit, auf die Todesgrenze. Offensichtlich hat der Dichter des Psalms dabei Gen 3 vor Augen. Gegliedert ist dieser zweite Teil in das Vergänglichkeitsmotiv in Vergleichen dargestellt V. 14–18, dem der Preis der Güte Gottes, die sich seinen Knechten zuwendet, in V. 17–18 entgegengesetzt wird.

V. 14–16: Der folgende Teil schließt begründend an den vorangehenden: Gott erbarmt sich auch derer, die sich vergangen haben, weil er weiß, ein wie vergängliches, wie verwundbares Gebilde der Mensch ist. Diese Verse 14–16 sind eigentlich ein Motiv des Klagepsalms, die Vergänglichkeitsklage (eine Erweiterung der Ich-Klage, s.o. zu Ps 90). In ihr wird es Gott vorgehalten: du weißt doch, wie hinfällig ein Mensch ist! Der Vergänglichkeitsklage gehören auch die beiden Vergleiche in 14b und 15f. an, vgl. 90,5; Hi 14,1–12. V. 14b: „. . . daß wir nur Staub sind" erinnert an Gen 3,19, ein Vergleich, der durch die Abkürzung verstärkt wird. Der Ton liegt auf dem ausführlichen zweiten Vergleich V. 15–16. In ihm ist der Daseinsbogen eines Menschen im Aufstieg und im Abstieg beschrieben. Dabei ermöglicht der Vergleich mit Gras und Blume ein äußerstes Raffen der Lebenszeit („des Menschen Tage"); in dieser Raffung bewirkt er den Eindruck der Hinfälligkeit gerade angesichts der anderen Seite: dem Wachsen und der Blüte. Nun enthält aber V. 16 noch ein zweites Motiv: „Wenn der Wind darüber geht . . ." Das hinfällige, auf seinen Tod zugehende Menschenleben ist außerdem noch gefährdet. So wie der heiße Wüstenwind eine gerade erblühte Blume in kurzer Zeit verdorren läßt, so ist das Menschenleben Mächten ausgesetzt, die einen schnellen Tod und mancherlei Leiden herbeiführen können. Damit erst wird das Verhältnis von V. 14–16 zu 8–13 deutlich: Gott weiß, was für ein Gebilde der Mensch ist (14). Er hat Erbarmen nicht nur mit den Verfehlungen, sondern auch mit dem Leiden des im Tod begrenzten Menschen. Der Tod ist hier wie auch sonst nicht nur Ende, sondern in das Leben hineinragende Macht.

V. 17–18: Das „aber", mit dem der Abschluß von V. 8–18 einsetzt, soll nicht den bloßen Gegensatz der ewig bleibenden Güte Gottes zur Vergänglichkeit des Menschen herausstellen, sondern angesichts dieser Vergänglichkeit und Verwundbarkeit des Menschen deutlich machen, daß sie von der Güte Gottes umfangen bleibt. Wie das gemeint ist, deuten die folgenden Sätze nur an. Der Vergleich V. 15–16 endete mit dem Satz: „. . . und ihre Stätte kennt sie nicht mehr". Ein Mensch wird nach seinem Tod schnell vergessen. Aber die Güte Gottes, von der sein Leben umfangen, in der es geborgen war, „währt immer und ewig". Sie geht in den kommenden Generationen weiter „bei den Frommen, die seinen Bund halten". Der in diesem Psalm Gott Lobende weiß, daß er in seinem vergänglichen Leben an einer Wirklichkeit teilhat, die nicht vergeht.

V. 19: Es ist dieses Teilhaben eines einzelnen, vergänglichen Menschenlebens an einem Bleibenden, das den Beter nun an den weiten Horizont der Gottesherrschaft erinnert, an die andere Seite dessen, worüber Gott gelobt wird: zum Lob der Güte tritt nun am Schluß das Lob der Majestät Gottes, nach seiner Königsherrschaft, die alles umfaßt: „. . . denn dein ist das Reich und die Kraft und die Herrlichkeit". Dabei ist zu beachten, daß auch das Reden von Gott als König ein Vergleich ist. Kein Mensch kann Gottes Herrschaft über das Ganze jemals verstehen, jemals gedanklich erfassen. Man kann davon nicht anders reden als der Dichter dieses Psalms, im ehrfürchtigen Gotteslob.

V. 20–22: Darum endet der Psalm, wie er begonnen hatte, mit dem Ruf zum

Lob. Aber da ist ein Unterschied: am Anfang hatte der Dichter nur sich selbst zum Lob aufgefordert; am Schluß weitet sich dieser Ruf aus und umfaßt alle Kreatur.

Die in V. 20–21 zum Lob Aufgeforderten: die Boten, die Diener, die Gewaltigen, die Heerscharen, die Gottes Wort und Gottes Willen ausführen, gehören eigentlich zu dem Vergleich Gottes mit einem König, V. 19; der König hat Diener und Boten, einen Hofstaat und ein Heer. So wird an manchen Stellen im Alten Testament von einem Gottes Thron umgebenden Hofstaat gesprochen (etwa Jes 6; Hi 1–2), in einer Sprache, die dem Mythos nahesteht. Gesagt ist damit, daß alle Kräfte und alle Mächte der Schöpfung Gott zu Diensten stehen.

In V. 22a ergeht noch einmal zusammenfassend an alle Kreatur, „alle seine Werke“ der Ruf zum Lob, so wie er im 148. Psalm entfaltet wird. Der 148. Psalm ist zur Erklärung dieses V. 22a heranzuziehen. Hier nur so viel: Mit dem Ruf zum Lob an alle Kreatur ist gemeint, daß alles Geschaffene allein von seinem Schöpfer her seinen Sinn erhält. Wir Menschen können den Sinn der ganzen Schöpfung nicht ergründen. Aber wir können gewiß sein, daß ein Zusammenhang besteht zwischen der Hinwendung eines einzelnen Menschen aus seinem Leid und aus seiner Schuld zu seinem Schöpfer und der „Hinwendung“ aller Kreatur zu ihrem Schöpfer, von dem her und zu dem hin alles Geschaffene ist.

V. 22b: Aus dieser ganzen Weite des Lobrufes an alle Kreatur kehrt der Dichter des Psalms wieder zurück zum Anfang. Er wird nicht vergessen, was Gott ihm Gutes getan hat: „Lobe den Herrn, meine Seele!“

Psalm 104: Pracht und Hoheit sind dein Gewand

1 Lobe den Herrn, meine Seele!

   Herr mein Gott, du bist sehr groß,
   Pracht und Hoheit sind dein Gewand.
2 Der du dich in Licht hüllst wie in einen Mantel,
   der du den Himmel ausspannst wie ein Zelt,
3 deine Wohnung errichtest über den Wassern,
   der Wolken zu seinen Wagen macht,
   der fährt auf den Flügeln des Sturmes.
4 Der die Winde zu seinen Boten bestellt,
   zu seinen Dienern lodernde Flammen.
5 Du hast die Erde auf Pfeiler gegründet,
   sie wird nicht wanken in alle Ewigkeit!
6 Die Urflut deckte sie wie ein Kleid,
   über den Bergen standen die Wasser.
7 Vor deinem Drohen flohen sie,
   vor deiner donnernden Stimme wichen sie.

8 Da hoben sich Berge, es senkten sich Täler,
an den Ort, den du ihnen bestimmt.

9 Du setztest Grenzen, die sie nicht überschreiten,
nie wieder sollen sie die Erde überfluten.

10 Du lässest Quellen rinnen durch die Täler,
zwischen den Bergen eilen sie dahin.

11 Allen Tieren des Feldes geben sie zu trinken,
die Wildesel stillen ihren Durst.

12 An ihren Ufern wohnen die Vögel des Himmels,
aus den Zweigen erklingt ihr Gesang.

13 Du tränkst die Berge aus deinen Kammern,
aus deinen Wolken wird die Erde satt.

14 Du lässest Gras sprossen für das Vieh,
Gewächse, daß sie den Menschen dienen,

15 daß Brot aus der Erde hervorgehe und Wein,
der des Menschen Herz erfreut.
Daß er salbe sein Antlitz mit Öl
und Brot das Menschenherz stärke.

16 Die Bäume des Herrn trinken sich satt,
die Zedern des Libanon, die er gepflanzt.

17 Dort bauen die Vögel ihre Nester,
der Storch, der auf den Zypressen nistet.

19 Die hohen Berge gehören dem Steinbock,
dem Klippdachs bieten die Felsen Zuflucht.

19 Du machtest den Mond zum Maß für die Zeiten,
die Sonne weiß ihren Untergang.

20 Du schaffst Finsternis und es wird Nacht,
darin regen sich alle Tiere des Waldes.

21 Die jungen Löwen brüllen nach Beute,
verlangen von Gott ihre Nahrung.

22 Strahlt die Sonne auf, ziehen sie sich zurück,
lagern sich in ihren Höhlen.

23 Da tritt dann der Mensch heraus an sein Tagwerk,
an seine Arbeit bis zum Abend.

24 O Herr, wie sind deiner Werke so viele,
du hast sie alle in Weisheit geschaffen,
die Erde ist voll von deinen Geschöpfen.

25 Da ist das Meer, so groß und weit!
Darin wimmelt es ohne Zahl, große und kleine Tiere!

26 Dort ziehen Schiffe einher,
der Leviathan, den du gebildet, mit ihm zu spielen.

27 Sie alle warten auf dich, daß du ihnen Nahrung gebest zu seiner Zeit;

28 gibst du ihnen, so sammeln sie ein,
tust du deine Hand auf, so werden sie mit Gutem gesättigt.

29 Verbirgst du dein Angesicht, sind sie verstört,
nimmst du ihnen den Atem,
so schwinden sie hin und werden wieder zu Staub.

30 Sendest du deinen Atem aus, so werden sie erschaffen,
und du erneuerst das Antlitz der Erde.

31 Ewig währe die Herrlichkeit des Herrn,
es freue sich der Herr seiner Werke!,

32 der die Erde anblickt, und sie erbebt,
der die Berge anrührt, und sie rauchen!

33 Ich will dem Herrn singen mein Leben lang,
will meinem Gott spielen, so lange ich bin.

34 Möge mein Dichten ihm wohlgefallen,
Ich freue mich des Herrn.

35 Möchten die Frevler von der Erde verschwinden,
und die Gottlosen nicht mehr sein!

Lobe den Herrn, meine Seele!

Zum Text

V. 4: Lies die beiden letzten Worte mit G *lahat 'ēš*
V. 5.6: Die beiden Verben in V. 5 und 6 in 2. Pers. zu lesen
V. 10: Im zweiten Versteil ist vielleicht ‚Wasser' zu ergänzen
V. 13b: Der Text ist unsicher; wörtlich: „von der Frucht deiner Taten"
V. 19: „du machtest" lies das Partizip
V. 24: Der Satz „du hast sie alle in Weisheit geschaffen" vielleicht am Ende
von V. 25 zu lesen
V. 29: Der Satz „und sie werden wieder zu Staub" vielleicht Zusatz
V. 35: Das ‚Halleluja' am Ende von V. 35 ist Überschrift zu Psalm 105.

Zum Aufbau

Wenn die Psalmen Gebete, Lieder oder Gedichte sein können, so ist der 104.
Psalm vor allem ein Gedicht. Als solches bezeichnet es der Dichter in V. 34
selbst: ein Gedicht, das dargebracht, das Gotteslob und Gedicht in einem ist. Als
Gotteslob eines Einzelnen ist es in V. 1 und 35 gerahmt, und was so gerahmt ist,
ist von Anfang bis zu Ende ein Lob des Schöpfers. Lob des Schöpfers, das ist ein
Glied des beschreibenden Gotteslobes (vgl. z. B. Ps 33), das zeigen in diesem
Psalm auch V. 1.24.31.35; sie deuten an, daß das Lob des Schöpfers nicht von
ihm isoliert ist. Aber sonst kann der Dichter das Lob des Schöpfers frei gestalten. Es liegt nahe zu sagen: frei nach seiner Phantasie; aber das kann man doch
nicht sagen. Hier besteht ein Unterschied zwischen unserem und dem biblischen
Verständnis von Dichtung. Lob des Schöpfers, das ist für den Dichter des 104.
Psalms nicht etwas, was er sich ausdenken kann; er kann es dichtend entfalten,

aber es ist ihm von den Vätern vorgegeben. So erkennt man Schritt für Schritt hinter den Versen des 104. Psalms den Schöpfungsbericht Gen 1, oft bis in Einzelheiten, aber doch so, daß es ein dem Dichter eigenes Gedicht bleibt.

Dem Lobpsalm entspricht die imperative Einleitung V. 1a (und rahmend V. 35) und das Lob der Majestät Gottes V. 1b und 24 und 31 (als Wunsch) 32. Es wird entfaltet im Lob des Schöpfers V. 2–30, das Lob des Herrn der Geschichte klingt in V. 35a an, und in diesem Teil folgt er, wenn auch in Freiheit, Gen 1. Sie loben den Schöpfer des Himmels V. 2–4 und der Erde V. 5 und erinnern an die Schöpfung am Anfang V. 6–9. Der Dichter erzählt von den Bergen, Tälern und Quellen V. 8.10, von den Tieren des Feldes (Landtiere) und den Vögeln V. 11.12.17.18, vom Regen und den Pflanzen V. 13–16, von Sonne und Mond, Tag und Nacht V. 16–23 und den Menschen V. 14.15.23, vom Meer, den Schiffen und den großen und kleinen Tieren des Meeres V. 25–26. Dies alles mündet wieder in das staunende Lob des Schöpfers ein V. 24.31, der seine Geschöpfe mit Nahrung versorgt V. 27–28 und der ihnen das Leben gibt V. 29–30. Dem 104. Psalm in manchen Teilen auffallend parallel ist der Sonnenhymnos des Echnaton (Amenopis IV. 1365–1348). Übersetzung und Erklärung bei W. Beyerlin, Religionsgeschichtliches Textbuch zum Alten Testament, 1975, S. 43–46.

V. 1a: Dieser Psalm kann uns eine Seite dessen klarmachen, was in den Psalmen und im ganzen Alten Testament das Loben Gottes bedeutet. Dazu muß man die Sätze miteinander hören:

1 Lobe den Herrn, meine Seele!
31 Es freue sich der Herr seiner Werke!
34 Ich freue mich des Herrn
35 Lobe den Herrn, meine Seele!

Die Schöpfungswerke, von denen der Psalm erzählt, sind zur Freude dessen da, der von ihnen erzählt. Die Freude an ihnen verbindet Gott mit dem Menschen, den Menschen mit Gott. Dieser Freude gibt das Gotteslob Ausdruck. Das Ja zu Gott (oder das Grüßen Gottes) ist darin eins mit der Freude an seiner Schöpfung. Hierin stimmt der 104. Psalm überein mit dem Schöpfungsbericht Gen 1, wenn in diesem die Werke der Schöpfung begleitet werden von dem Satz: „. . . und Gott sah, daß es gut war"; das Wort „gut" umfaßt hier auch unser ‚schön'. Wenn es dort heißt: „und Gott sah, daß das Licht gut war" und hier: „Licht ist dein Kleid, das du anhast", wird in beiden Sätzen der gelobt, der das Licht schuf.

V. 1: „Pracht und Hoheit sind dein Gewand." In der ganzen antiken Welt sind Worte wie Majestät, Hoheit, Pracht eigentlich Bezeichnungen der Götter und des Göttlichen; auf den König wurden sie übertragen, sofern der König im sakralen Königtum daran teilhat. Diese Begriffe meinen nicht eine Steigerung des Menschen ins Übermaß, sondern sie meinen das Überragen des Göttlichen. Dasselbe gilt für den Begriff der Größe. Er ist von Gott, nicht von den Menschen her gedacht. Sagt einer zu Gott „Herr mein Gott, du bist sehr groß!", meint er eine den Menschen nicht faßbare, nicht meßbare Größe, die man nur von seinem Wirken her ahnen kann. Dem Menschen dagegen kommt in allem ein nur begrenztes Maß zu.

V. 2–4: In V. 2–4 ist diese Majestät Gottes angedeutet in den Dimensionen, in die sie sich erstrecken: der unendlich weite Himmel ist sein Werk, das ungeheure Meer ist für ihn ein Ort, auf dem er wohnt, die Elemente stehen in seinem Dienst.

V. 5–9: In V. 5–9 läßt der Dichter die Schöpfung am Anfang anklingen; dabei begegnen Züge aus Gen 1, aber auch ein mythischer Kampf, durch den das Meer eingedämmt wird, ist angedeutet wie in den babylonischen Schöpfungsmythen, auch in Hi 38 und Ps 77,7. Bezeichnend für diesen Psalm 104 ist, daß die Schöpfung am Anfang V. 5–9 unmerklich übergeht in die Schilderung der gegenwärtigen Schöpfung V. 10 ff. Beides gehört untrennbar zusammen.

V. 10–18: Wenn nun aber im Folgenden nicht mehr ein Nacheinander von Schöpfungsakten, sondern ein Nebeneinander und Miteinander des Geschaffenen geschildert wird, bedeutet eben dies den Übergang zum Lob des Schöpfers aus seinen Werken, ein Lob, in dem zugleich die Freude des Menschen am Schönsein des Geschaffenen mitschwingt. Der 104. Psalm ist eine Naturschilderung, darin nicht anders als Gedichte der Romantik; anders ist nur, daß diese zugleich Gotteslob ist, so daß es hier völlig ,natürlich' klingt, wenn der Dichter statt „Ich hört ein Bächlein rauschen . . ." sagt: „Du lässest Quellen rinnen durch die Täler . . ." Das aber hat noch einen anderen Unterschied zur Folge. Der Mensch und die übrige Schöpfung sind hier näher beieinander: „Die Bäume des Herrn trinken sich satt, die Zedern des Libanon, die er gepflanzt" V. 16. Wie in Gen 1 wird die Versorgung der Tiere und der Menschen mit Nahrung in eins gesehen V. 14–15; vgl. auch die Folge von V. 22 f. auf 21.

V. 19–23: Der Lauf der Gestirne, der Sonne und des Mondes, bedingen den Rhythmus alles Lebendigen. Zu dem Nacheinander des Geschaffenen in V. 10–18 tritt die Aufeinanderfolge von Tag und Nacht, der Rhythmus des Segens, in dem die Schöpfung am Leben erhalten wird, wie Gen 8,22. Das Geschaffene erhält damit seinen Lebensatem.

V. 24–30: An dieser Stelle hält der Dichter staunend und ehrfürchtig inne: „O Herr . . .!" Was er im Vorangehenden geschildert hat, hat ihn selbst tief bewegt, und dieses Ergriffensein kommt darin zu Wort, daß er den Namen Gottes anruft. Hier kann man spüren, daß solches Anrufen des Namens Gottes eine für das Menschsein notwendige Funktion hat; so notwendig, daß der Ausruf „O Gott!" auch aus der Sprache der Nichtglaubenden nicht zu tilgen ist. Was in dem Anruf Gottes gemeint ist, entfalten die drei ihm folgenden Sätze: „Wie sind deiner Werke so viel!", die Erde ist voll von ihnen! Zu dem „groß" V. 1 tritt das „viel". Es ist damit nicht eine zahlenmäßige Summe gemeint. Dies Verständnis liegt uns nahe, weil wir bei dem Wort „viel" sofort an Zahlen denken. Aber das ist eine Verarmung des Wortes. Hier ist es gemeint im Sinn von vielfältig und vielgestaltig; die Fülle der Werke Gottes wird in ihren unfaßbar vielen Möglichkeiten gesehen. Eben darin wird die Weisheit des Schöpfers gesehen: „du hast sie alle in Weisheit geschaffen"; eine Weisheit, die alles Wissen und alle Wissenschaft unendlich überragt.

V. 27–28: V. 24 hat seine Fortsetzung in V. 27; das „sie alle" in V. 27 bezieht sich auf „deine Geschöpfe" in V. 24. In V. 25–26 ergänzt der Dichter das Vorangehende noch durch das Meer und seine Bewohner. In V. 27–30 tritt zu dem Rhythmus von Tag und Nacht (19–23) der von Leben und Sterben. In diesem Teil ist noch einmal mit unnachahmlicher Kunst die Nähe von Schöpfer und Geschöpf geschildert. Man kann das von Satz zu Satz verfolgen. „Sie alle (alle lebendigen Geschöpfe) warten auf dich . . ." Diese äußerst naive, man mag auch sagen primitive Sprache ist zugleich eine tiefsinnige Sprache. Hört man nur oberflächlich hin, kann man fragen: Was soll das?, wieso wartet ein Fisch oder eine Mücke darauf, daß sie von Gott Nahrung bekomme? Man muß dem Dichter wohl mehr zutrauen. Hört man ernsthaft zu, dann merkt man spätestens bei dem Satz „du tust deine Hand auf", daß der Dichter in V. 27–28 einen Vergleich gebraucht, der zwar nur angedeutet ist, der aber doch deutlich zu erkennen ist. Er beschreibt das Füttern eines Haustieres durch den Bauern und sagt damit: Wir können nicht begreifen, wie Gott alle seine Geschöpfe ernäht, man kann es nur in einem Vergleich sagen.

V. 29–30: Das Leben aller Geschöpfe hängt von ihrem Schöpfer ab, das sagt der Vergleich V. 27–28. Aber das gleiche gilt für das Sterben aller Geschöpfe; die Zeit alles Lebendigen ist begrenzt: „Nimmst du ihnen den Atem, so schwinden sie hin . . ." Zu dem Rhythmus von Tag und Nacht tritt der von Leben und Tod; auch dieser ist für das Bestehen der Schöpfung notwendig. In enger Anlehnung an die Erschaffung des Menschen in Gen 2 beschreibt der Dichter die Geburt eines Tieres so: „Sendest du deinen Atem aus, so werden sie erschaffen" und gibt damit zu verstehen, daß alles organische Leben aus der Lebenskraft des Schöpfers herkommt; auch die Geburt eines Lammes z. B. oder eines Schmetterlings wird in dieser einfachen Sprache unmittelbar auf den Schöpfer alles Lebendigen zurückgeführt.

Dieser erstaunliche Abschnitt endet: „. . . und du erneuerst das Antlitz der Erde!" An diesem Satz kann man begreifen, was die Bibel eigentlich meint, wenn sie vom Schöpfer spricht. Wer dessen nicht gewiß ist, daß dies der Schöpfer ist, der heute im Rhythmus alles Lebendigen die Erde erneuert, hat nichts von ihm begriffen.

V. 31–32: Der Schlußteil (V. 31–32) beginnt mit dem Wunsch, daß die in seinen Werken sich erweisende Herrlichkeit Gottes bestehen bleibe, und zwar trotz der Katastrophen, die die Erde immer wieder erschüttern werden. Diese Seite des vernichtenden Gotteswirkens klingt hier nur an in dem Hinweis auf Vulkanausbrüche und Erdbeben; der Dichter will damit sagen, daß diese Seite des Gotteswirkens auch dazu gehört. Im Blick auf den Menschen als Gottes Geschöpf gehört zu dieser Seite, daß es die Frevler gibt, die den Frieden stören und Gott nicht Ehre erweisen. Auch sie sind in diesem Lob des Schöpfers nicht vergessen; aber der Dichter gibt nur dem Wunsch Ausdruck, daß sie von der Erde verschwinden (V. 35a). Den Schluß bildet ein Lobversprechen (V. 33): das Lob, das er in diesem Psalm angestimmt hat, soll sein ganzes Leben bestimmen. Mit diesem Lobversprechen verbunden ist der Wunsch: „Möge mein Dichten ihm gefallen!" Diese kleine Erweiterung hat eine kulturgeschichtliche Bedeutung; der diesen Psalm dichtet, ist nicht nur ein Glied der gottesdienstlichen Gemeinde, er ist auch der Autor eines Gedichtes, und er ist sich dessen bewußt. Aber sein Dichten bleibt umfangen vom Gotteslob, zu dem der letzte Satz des Psalms wie der erste ruft.

Psalm 19: Die Himmel rühmen

1   Dem Musikmeister. Ein Psalm Davids
2   Die Himmel erzählen von der Herrlichkeit Gottes,
    von den Werken seiner Hände kündet das Firmament.
3   Ein Tag sagt es dem anderen,
    eine Nacht tut es der andern kund.
4   Da ist kein Reden, da sind keine Worte,
    unhörbar bleibt ihre Stimme.
5   Doch in alle Welt geht aus ihre Stimme,
    ihre Kunde bis zu den Enden der Erde.
    . . .
    Der Sonne hat er ein Zelt aufgestellt,
6   und sie – wie ein Bräutigam geht sie hervor aus ihrer Kammer,
    jubelnd wie ein Held läuft sie ihre Bahn!
7   Sie geht auf an einem Ende des Himmels
    und ihr Kreislauf bringt sie bis zum anderen Ende,
    nichts kann sich vor ihrer Glut verbergen.

Zum Text

V. 5a: Für *qawwām* = „ihre Schnur" ist *qōlām* = ihre Stimme zu lesen.
V. 5b: „an ihm" bezieht sich auf den „Himmel" V. 2. Wahrscheinlich ist zwischen 5a und 5b etwas ausgefallen.
V. 7:   „bis": statt *'āl* lies *'ad*

Zum Aufbau

Der Psalm hat in V. 8–15 eine Fortsetzung, sie besteht in einem Preis des Gesetzes: V. 8 „Das Gesetz des Herrn ist vollkommen . . .", dem 119. Psalm entsprechend. Dieser Teil V. 8–15 ist ein nachträglicher Zusatz; vgl. dazu die Auslegung von Ps 119. In dieser Zusammenfügung ist es wahrscheinlich begründet, daß der erste Teil V. 2–7 ein Fragment ist. Daß das Fragment ein Lob des Schöpfers ist, sagt V. 2; aber es fehlt eine Einleitung und ein Schluß, die zum Lob aufrufen, es werden nur der Himmel und die Sonne genannt, im Unter-

schied etwa zu Ps 148 oder 104. Vom Himmel und der Sonne reden die beiden
Teile V. 2–5a und 5b–7 (zwischen beiden scheint etwas ausgefallen zu sein);
aber eben daß nur sie genannt sind, klingt fragmentarisch, es ist nicht motiviert
und entspricht nicht dem sonstigen Lob des Schöpfers in den Psalmen. So liegt in
Ps 19,2–7 wohl nur ein kleiner Ausschnitt eines großen, uns verlorenen Schöpfungspsalms vor.

V. 1–3: In V. 2 sind „Himmel" und „Firmament" (oder Feste) synonym;
dementsprechend sind auch „erzählen" und „künden" synonym gemeint. Das,
wovon sie erzählen oder künden, ist die Herrlichkeit Gottes in seinen Werken.
V. 3 sagt dazu, daß dies im Rhythmus von Tag und Nacht geschieht. Der
Himmel ist nicht als Gegenstand gemeint, als Objekt der Betrachtung, sondern
wie er im Wandel von Tag und Nacht erfahren wird, als der sich stets verändernde. Was er zu erzählen, zu künden hat, was am Himmel, mit dem Himmel
geschieht, nicht nur im Wechsel von Tag und Nacht, sondern auch alles andere
vom Dämmern des Morgens bis zum Sinken der Nacht. In diesem Erzählen und
Künden ist eine Kontinuität: „Ein Tag sagt es dem andern . . ." Mit diesem
Weitergeben der „Kunde" von Tag zu Tag und von Nacht zu Nacht ist angedeutet, daß das Erzählen von der Herrlichkeit Gottes nicht abbrechen darf; es tritt
nicht hier einmal und da einmal auf, es begleitet die Geschichte des Kosmos
durch die Jahrtausende.

Was diese Verse sagen, ist eine tiefsinnige Umschreibung des Lobes des
Schöpfers aus der Kreatur (vgl. Ps 148). Das Schaffen Gottes findet in ihm einen
Widerhall. Und weil Gott der Schöpfer bleibt durch die Jahrtausende, geht auch
der Widerhall weiter: „Ein Tag sagt es dem anderen . . ."

V. 4–5: Die beiden folgenden V. 4–5 erklären das näher, aber das ist nicht ein
lehrhaftes, sondern ein ergriffenes Erklären. Es ist ein anderes Erzählen, ein
anderes Künden als das, was wir kennen, als das, woran wir bei diesen Worten
denken. Denn „unhörbar bleibt ihre Stimme"; da sind keine Worte, die man
vernehmen könnte. Dennoch geht ihre Stimme bis zu den Enden der Erde; auch
hier die horizontale zu der vertikalen (V. 3) Erstreckung des Lobes wie in Ps
113,2 und 3. Die Ausleger haben hier oft von „Schöpfungsoffenbarung" gesprochen, aus der man dann eine „natürliche Theologie" (theologia naturalis)
ableiten könnte. Aber mit Offenbarung hat das, was der 19. Psalm hier sagt,
nichts zu tun. Abgesehen davon kennt das Alte Testament einen so allgemeinen
Offenbarungsbegriff nicht. Wenn die Himmel von der Herrlichkeit Gottes
erzählen, wollen sie nicht Erkenntnis über Gott vermitteln: „Da ist kein Reden,
da sind keine Worte"; sie wollen Gott preisen, Gott verherrlichen, so wie sie in
Ps 148,1 dazu gerufen werden.

V. 5b–7: Wie der Himmel und wie die Sonne das macht, zeigt der zweite Teil V.
5b–7 deutlicher: dadurch, daß sie da sind. Denn V. 5b–7 beschreiben in ihrer
begeisterten, strahlenden Sprache weiter nichts als den Lauf der Sonne von
ihrem Anfang und bis zu ihrem Untergang. Wenn aber zu dem Dichter dieses
Psalms der Lauf der Sonne und ihr Untergang so gesprochen hat, wie es diese
Verse zeigen, wenn er das Strahlende des Sonnenaufgangs in dem Vergleich so

in Worte fassen konnte, dann liegt eben darin die Erklärung von V. 4–5a, die Antwort auf die Frage, wie Sonne und Himmel eine die Zeit und den Raum erfüllende Sprache sprechen können, obwohl dabei kein Reden hörbar wird.

Wenn im alten Israel solche Psalmen entstehen konnten wie der 19. und der 148., hat das seinen tieferen Grund darin, daß die Gottesbeziehung des Menschen wie die Beziehung der übrigen Geschöpfe zu ihrem Schöpfer mit den gleichen Worten bezeichnet werden konnte: loben, preisen, verherrlichen. Wo die alles bestimmende Gottesbeziehung ‚glauben' geworden ist, mußte diese Übereinstimmung verschwinden, glauben kann der Himmel, kann die Sonne nicht.

Psalm 148: Vom Himmel her – von der Erde her

1   Halleluja!
    Lobet den Herrn vom Himmel her, lobet ihn in den Höhen!
2   Lobet ihn, all seine Engel,
    lobet ihn, all seine Scharen!
3   Lobet ihn, Sonne und Mond,
    lobt ihn, alle leuchtenden Sterne!
4   Lobet ihn, Himmel der Himmel,
    und die Wasser über den Himmeln!
5   Sie sollen loben den Namen des Herrn,
    denn er gebot, – und sie waren geschaffen.
6   Er stellte sie fest für immer und ewig,
    er setzte eine Grenze, nicht überschreitbar.

7   Lobet den Herrn von der Erde her,
    ihr Ungeheuer und alle Fluten!
8   Feuer und Hagel, Schnee und Dampf,
    Sturmwind, der sein Wort ausrichtet.
9   Ihr Berge und alle Hügel, Fruchtbäume und alle Zedern,
10 ihr wilden und zahmen Tiere,
    Gewürm und beschwingte Vögel,
11 Könige der Erde und alle Völker,
    ihr Fürsten und alle Richter der Erde,
12 junge Männer und junge Mädchen, ihr Alten mitsamt den Kindern.
13 Sie sollen loben den Namen des Herrn,
    denn sein Name allein ist erhaben.
    Seine Hoheit über Erde und Himmel,
14 und er erhöht das Horn seines Volkes.
    Ein Ruhm für all seine Frommen,
    den Söhnen Israels, Volk, das ihm naht.

Halleluja!

Zum Text

V. 14:   Statt „Volk seines Nahens" lies *qerobājw* „das ihm naht".

Zum Aufbau

Ps 148 gehört zu den Imperativ-Psalmen, d.h. Lobpsalmen, die ganz vom
Imperativ des Rufes zum Lob bestimmt sind. Hier hat ein Glied des beschreibenden Lobpsalms einen eigenen Psalm gebildet, wie das auch bei anderen Psalmmotiven begegnet. Der Hauptteil des beschreibenden Lobpsalms, Lob der Majestät und der Güte Gottes, stehen hier nur angedeutet ganz am Rande V. 13 und
14; die Imperative sind zum Hauptteil geworden und gliedern den Psalm in:

V. 1–6:   Lobet den Herrn vom Himmel her ...
V. 7–12: Lobet den Herrn von der Erde her ...
In diesen beiden Teilen werden die Geschöpfe am Himmel und auf der Erde
aufgefordert, ihren Schöpfer zu loben.

V. 1–6: Das Loben Gottes hat im Alten Testament die Tendenz, sich auszuweiten. Diese Tendenz ist darin begründet, daß Gotteslob zur Sprache kommende
Freude ist. In der Freude liegt die Tendenz, daß sie auf andere übergreift, daß sie
sich anderen mitteilen will. Das fängt bei der Frau an, die den verlorenen
Groschen wiedergefunden hat. Wenn nun im Gottesdienst das von vielen
angestimmte, von Instrumenten begleitete (Ps 150) Loblied ertönt, kann es
durch die Mauern des Tempels nicht begrenzt werden.

H. Gunkel: „Es genügt der frommen Gemeinde nicht, wenn sie allein den
Lobgesang singt; es ist ... der Herrschaft Gottes über alle Welt angemessen,
daß alle Geschöpfe in das Jubellied einstimmen."

Ich weise zurück auf das zu Ps 19 Gesagte: Es ist das Gotteslob, das die
Menschen mit der übrigen Kreatur verbindet; denn dem Erschaffen antwortet
das Lob der Geschöpfe, wie das schon Gen 1 zeigt. Das gibt der gottesdienstli-
chen Gemeinde Israel die extreme, kaum zu begreifende Möglichkeit, den
Lobruf aus dem Gottesdienst auf die Kreaturen auszuweiten und d.h., sie im
Ruf zum Lob anzureden. Dies ist nicht poetischer oder rethorisch-liturgischer
Überschwang, sondern einfach Folgerung aus der Gewißheit, daß alle Kreatu-
ren wie die Menschen Gottes Geschöpfe sind und alle Geschöpfe deshalb auf
das Geschaffensein reagieren, im Lob antworten können. Sie können es, wie es
Ps 19 zeigt, mit ihrer bloßen Existenz.

In der Gliederung V. 1–6.7–13 ist die Schöpfung als Ganzheit vorgegeben.
Ein Ganzes in zwei Punkten (d.h. zwei Begriffen) auszudrücken, ist für die
hebräische Sprache bezeichnend. Das erste und wichtigste Beispiel ist die Bezeichnung des Alls als Himmel und Erde in Gen 1,1. In Ps 148 ist ebenso wie
dort mit „Himmel und Erde" das Ganze des Geschaffenen gemeint. Der Ruf
zum Lob gilt dem Ganzen. Genannt sind himmlische Wesen V. 2 (vgl. Jes 6), die
Gestirne V. 3, die Himmel und die Wasser darüber (nach Gen 1). Diese Stelle
kann erklären, warum im Hebräischen das Wort für Himmel ein Plural (bzw.

Dual) ist. Es ist nicht ein numerischer Plural, das hat man später verkannt, wenn man von sieben Himmeln sprach, sondern ein Plural der Ausdehnung. Es ist damit die ungeheure Weite des Himmels bezeichnet und dessen, was noch über ihm sein kann (das Wasser über den Himmeln).

In V. 5 wird der Imperativ von V. 1 in einem Jussiv aufgenommen und dann begründet mit dem Geschaffensein durch das Schöpferwort Gottes, wie in Gen 1. Hier ist es ausgesprochen, daß das Lob der Kreaturen gemeint ist als „Antwort" auf ihr Geschaffensein. Mit V. 6 „Er stellt sie fest für immer und ewig" ist nicht etwa die Ewigkeit der Welt behauptet, sondern dem Gebrauch dieser Worte im Hebräischen entsprechend das Bestehenbleiben der von Gott geschaffenen Welt in den Grenzen, die er ihr gesetzt hat, so wie es Gen 8,20–22 sagt.

V. 7–13: Von der Erde her wie vom Himmel her soll dem Schöpfer das Lob der Kreatur entgegenhallen. Es ist zu beachten, daß der Himmel in Ps 148 ebenso wie die Erde zu den Kreaturen gehört. Der Himmel ist hier kein mythisches Jenseits; ein lokal gedachtes „Jenseits" kennt das Alte Testament nicht.

V. 7–8: Zum Lob gerufen werden die „Ungetüme und alle Fluten" V. 7. Es ist bezeichnend, daß gerade diese die Reihe beginnen: zum Lob gerufen ist nicht nur die Schöpfung mit ihrer freundlichen, hellen Seite, sondern die ganze Schöpfung, auch mit allem Furchtbaren, Schrecklichen und Feindlichen darin, auch die Elemente in V. 8 sind gemeint in ihren fördernden und ihren vernichtenden Auswirkungen auf die Menschen und ihre Werke. Hier zeigt sich: das „Gotteslob", zu dem sie gerufen sind, steht jenseits der menschlichen Maßstäbe.

V. 9–10: In den folgenden Versen ist es die dem Menschen nahe Schöpfung, die zum Lob gerufen wird, Berge und Hügel, Fruchtbäume und Waldbäume, wilde und zahme Tiere, Gewürm (Insekten) und Vögel, das also, was wir Natur nennen. Der 148. Psalm hat ein anderes Verständnis von der Natur als wir es haben. Von der Aufklärung ab bewirkte die Säkularisierung eine Sicht der Welt, in der der Mensch und die Natur einander gegenüberstanden. Im Verhalten der Menschen zur Natur gab es die beiden Möglichkeiten nebeneinander, daß der Mensch in Wissenschaft und Technik die Natur zum Objekt macht, das er erforschte und verwertete, und daß er sie zum Objekt der ästhetischen Betrachtung und der lyrischen Beschreibung machte. Im 148. Psalm wie überhaupt im Alten Testament ist ein anderes Gegenüber bestimmend: Auf der einen Seite Gott der Schöpfer und auf der anderen alle Geschöpfe, von ihm herkommend und von ihm in ihrer Existenz gehalten, am Leben erhalten. In ihrem Geschöpfsein gehören sie alle zusammen. Aus dieser Zusammengehörigkeit emanzipieren sich die Menschen, indem sie die übrige Schöpfung zum Objekt und Objekten machen, über die sie verfügen. In dieser Generation werden Menschen, zum erstenmal seit der Aufklärung, zu der Einsicht gezwungen, daß die Objektivierung der Natur an Grenzen kommt, die die Menschheit als ganze gefährden. Es ist die Frage, ob ein grundlegender Wandel möglich ist ohne die Einsicht, daß die Objektivierung der Natur als solche fragwürdig ist.

V. 11–12: Mit allen Geschöpfen zusammen werden die Menschen gerufen, Gott zu loben. Die Aufzählung in V. 11–12 ist nach hoch und nieder gegliedert: die Großen und Mächtigen V. 11 und die einfachen Leute, zu denen auch die Alten und die kleinen Kinder gehören. Es ist klar, was der Dichter des Psalms damit sagen will: die Hohen und die Niedrigen unter den Menschen sind gleichermaßen Gottes Geschöpfe und nur da kann menschliche Gemeinschaft heil sein, wo die einfachen Leute ebenso wie die Könige und Präsidenten sich dessen bewußt sind und sich danach verhalten. Im Gegenüber zu Gott stehen sie auf der gleichen Ebene, und vor Gott sind die einen nicht mehr und nicht weniger wert als die anderen.

Mit der Aufzählung aber hat der Dichter noch etwas anderes beabsichtigt. Auf die Nennung der Tiere in V. 10, wilde und zahme Tiere, Gewürm und Vögel, folgen die Könige der Erde und ihre Fürsten; was sie mit der lebendigen Kreatur gemeinsam haben, ist gewichtiger als die Würde ihrer hohen Stellung: sie müssen sterben wie diese.

V. 13–14: Daß alle Kreatur den gleichen Abstand von ihrem Schöpfer hat, sagt noch einmal der Schluß des Psalms. Er gibt eine andere Begründung des Rufes zum Lob als der Abschluß des ersten Teiles V. 5 f. An die Menschen insbesondere richtet sich die Begründung: „sie sollen loben *den Namen* des Herrn . . .“. Der Name setzt die Sprache voraus; die Menschen können den Namen Gottes anrufen (Gen 4,26), in diesem Namen ist beschlossen, was Gott für die Menschheit und alle Kreatur bedeutet. Darin aber besteht der Abstand, daß der Name Gottes allein erhaben ist. Die Majestät des Schöpfers kommt nur einem zu.

In den Lobpsalmen im ganzen wird die Majestät und die Güte Gottes gelobt. Der Abschluß des 148. Psalms zeigt, daß das Lob des Schöpfers das Lob der Größe Gottes entfaltet, und fügt in V. 14 die andere Seite des Gotteslobes, die Taten Gottes in der Geschichte seines Volkes andeutend, hinzu. Im letzten Satz: „Söhne Israels, Volk, das ihm naht“ schließt sich der Kreis: der Lobruf, mit dem der Psalm beginnt und der den Psalm bestimmt, erklingt im Gottesdienst Israels.

Psalm 8: Was ist der Mensch?

1 Für den Chormeister. Nach der Weise Gittit. Ein Psalm Davids.
2 Herr, unser Herrscher, wie herrlich ist dein Name!
   Deine Herrlichkeit reicht über die ganze Erde,
   deine Hoheit über die Himmel.
3 Aus dem Mund von Kindern und Säuglingen
   gründest du deine Macht trotz deiner Widersacher,
   um den Feind . . . zum Schweigen zu bringen.
4 Wenn ich deinen Himmel ansehe, das Werk deiner Finger,
   den Mond und die Sterne, die du auf ihre Bahn gesetzt hast:
5 Was ist der Mensch, daß du an ihn denkst,
   des Menschen Kind, daß du dich seiner annimmst?

6 Du hast ihn wenig niedriger gemacht als Gott,
   mit Ehre und Herrlichkeit hast du ihn gekrönt.
7 Du machtest ihn zum Herrn über die Werke deiner Hände,
   alles hast du ihm zu Füßen gelegt!
8 Schafe mitsamt den Rindern, und auch die wilden Tiere,
9 die Vögel des Himmels und die Fische des Meeres,
   was da die Pfade der Gewässer durchzieht.

10 Herr, unser Herrscher!
    Wie herrlich ist dein Name auf der ganzen Erde!

Zum Text

V. 1: Die Bezeichnung der Singweise *'al haggittīt* ist nicht erklärt.
V. 2: Die Worte *'ašer tenāh* sind unverständlich. Wegen des Parallelismus
       ist ein Parallelwort *'adartekā* zu *hōdekā* anzunehmen.
V. 3: Das letzte Wort „und den Rachgierigen" wahrscheinlich Zusatz.

Zum Aufbau

Im 77. Psalm fanden wir eine Weiterbildung des Klagepsalms in einem Nachsinnen über Gottes Tun: V. 4 „Ich denke an Gott, . . . ich sinne nach . . ." Dasselbe findet sich beim 8. Psalm V. 4 „Wenn ich den Himmel ansehe . . ." Hier aber erwächst das Nachsinnen aus dem Gotteslob. Mehrfach begegnet in Lobpsalmen ein staunendes Innehalten, so z. B. Ps 31,20: „Wie groß ist deine Güte . . ." Dieses staunende Nachdenken bestimmt den 8. Psalm: V. 1 „Wie herrlich ist dein Name . . .", V. 5 „Was ist der Mensch, daß du . . ." Von ihm ist auch der Aufbau des Psalms bestimmt. Er hat nicht den Aufbau eines Lobpsalms, ist aber auch nicht als „Mischpsalm" zu bezeichnen, er ist vielmehr eine Weiterbildung des Gotteslobes zu einem staunenden Nachdenken über das Geschöpf Mensch. Dem entspricht es, daß dieser Psalm keinen gottesdienstlichen Rahmen, also keinen Ruf zum Lob enthält und nicht den Aufbau einer Psalmgattung, sondern einen gedanklichen Aufbau hat, auch wenn er viele Psalmmotive enthält.

Der Psalm setzt in V. 2a ein mit dem aus dem Gotteslob kommenden staunenden Ausruf, der im Nachdenken über den Kontrast in V. 2b.3 entfaltet wird. Dem folgt ein weiterer Ausdruck staunenden Nachdenkens in V. 4a.5a, der wiederum in einem Kontrast V. 4–5 entfaltet wird. Den aus diesem Nachdenken folgenden Schluß bringt V. 6, entfaltet in V. 7–9. In V. 10 kehrt das Nachdenken wieder in das Gotteslob, von dem es ausgegangen war, zurück.

V. 2–3: In V. 2 spricht der Dichter mit der im Tempel Gott lobenden Gemeinde; er ist Teil eines Psalms, der Gott in seiner Majestät lobt, wie er in vielen Psalmen begegnet. Die Folge von V. 3 auf V. 2 aber ist nicht mehr die des Gott in seiner Majestät preisenden Psalms; mit ihm setzt das Nachsinnen des Dichters ein: dieser majestätische Gott kümmert sich um den kleinen Menschen! Dabei steht ihm ein neugeborenes Kind, ein winziges Kind in seiner Ohnmacht vor Augen.

In diesem kleinen Wesen hat sich der Herr Himmels und der Erden eine Macht zugerichtet! Man hat diesem Vers die abenteuerlichsten Auslegungen gegeben, aber der einfache Sinn ergibt sich aus dem Kontrast von V. 2 und 3. So formuliert ihn J. J. Stamm (1957, S. 470–478): „Ps 8,3 handelt es sich um die Kinder selbst, die durch ihr Schreien ihre Lebensfähigkeit bezeugen und darin die Feste wider die Feinde sind." Stillschweigend ist in den Kontrast von V. 2 und 3 das Gegenüber von Weltschöpfung und Menschenschöpfung eingeschlossen. Schon im Schreien eines Säuglings zeigt sich die Schöpferkraft Gottes, schon darin „richtet Gott eine Macht auf", wie er auch sonst durch kleine Dinge Großes wirkt, vgl. 2.Kor 12,9. Auch die Übersetzung Luthers (vgl. Mt 21,16) „. . . hast du dir ein Lob zugerichtet" hat eine gewisse Berechtigung, denn das kann das hebr. ʿōz in einigen Zusammenhängen auch bedeuten. Wenn er diese Macht gegen die Feinde aufgerichtet hat, können nur solche gemeint sein, die die Macht Gottes leugnen, also die Frevler oder Gottlosen der späten Zeit, von denen gerade dies oft gesagt wird. Aber niemals sonst in der Bibel wird wie hier gezeigt, daß schon das Weinen eines winzigen Menschenkindes einen Gottlosen zum Schweigen bringen kann.

V. 4–5: Es folgt der zweite Kontrast V. 4–5; ihm liegt deutlich das Gegenüber von Welt- und Menschenschöpfung zugrunde. Diese beiden Verse 4–5 sagen am deutlichsten, daß der 8. Psalm das Wort oder die Dichtung eines Nachdenkenden ist. Es wurde ausgelöst durch das Aufblicken zum Himmel, zur Sonne, dem Mond und den Sternen. An diesem Aufblicken zum Himmel, etwa an einem Frühlingstag, zum Sternenhimmel in der Nacht, hat sich seit der Zeit, als dieser Psalm gedichtet wurde vor etwa 2500 Jahren nichts geändert. So hat der Philosoph Kant zu den Sternen aufgeblickt „. . . und der gestirnte Himmel über uns . . .", so die Liederdichter der Romantik. Durch die Erforschung des Weltraums hat sich daran nichts geändert. Ein Unterschied aber liegt bei den Menschen: ob sie durch den Anblick des gestirnten Himmels bewegt werden oder nicht; ob in diesem Aufblick etwas wie Ehrfurcht ist oder nicht. Dem Dichter des 8. Psalms, der bei dem Blick zum Himmel hinauf an die Größe des Schöpfers denken muß, wird dabei bewußt, wie klein der Mensch ist, der gleiche Gedanke, den auch heute viele haben, die zum Sternenhimmel aufblicken. Und so, wie er beim Blick zum Himmel an dessen Schöpfer denkt, so auch beim Blick auf den kleinen Menschen in der Weite des Kosmos. Was ist dieser Mensch, so fragt er, daß du an ihn denkst, daß du dich um ihn kümmerst? Um diesen Satz zu verstehen, muß man wissen, daß die beiden hier gebrauchten Verben in den Klagepsalmen und dort in der Bitte um Gottes Zuwendung begegnen, z. B. Jer 15,15: „Herr, gedenke mein und nimm dich meiner an!" Mit diesen beiden Verben ist an den bedrohten, hilfsbedürftigen Menschen gedacht, der so verwundbar ist wie ein kleines Kind (V. 3). Das ist es, was den Dichter zum Nachsinnen und zum Staunen bringt: daß derselbe Gott, der die Weiten des Weltraumes geschaffen hat, sich um einen kleinen Menschen kümmert.

V. 6–9: Nach V. 5 muß man sich eine lange Pause des Nachdenkens vorstellen, dann setzt der 6. V. neu ein: Und nicht nur, du großer Gott, daß du dich dem notleidenden Menschen zuwendest, du verleihst ihm auch noch so große Möglichkeiten! Von diesen Möglichkeiten wird eine herausgehoben. In V. 6–9 ist 7–9 als Explikation zu V. 6 zu verstehen: 6 Du machtest ihn . . ., 7–9 indem du ihn . . ., „Wenig niedriger als Gott" bezieht sich auf den wirkenden Gott; gemeint ist: du hast ihm an einem Amt teilgegeben, in dem auch Gott wirkt, daran, über andere Wesen zu herrschen, über die Tiere 8–9. Damit ist deutlich auf Gen 1,26, den Schöpfungsauftrag Gottes an die Menschen gewiesen. Für uns ist das schwer verständlich, nicht nur deshalb, weil seit der Industrialisierung die Herrschaft des Menschen über die Materie viel wichtiger und umfangreicher geworden ist. Einmal steht dahinter, daß die menschliche Kultur erst durch die Herrschaft über die Tiere ermöglicht wurde; aber der Dichter denkt dabei auch an seine Gegenwart. Er empfindet es als etwas Wunderbares, daß ein Mensch das andere, fremde Wesen Tier mit seinem Willen und seinem Wort erreicht, daß seine Stimme den Abstand zu den Tieren überbrücken, ein Tier ihm folgen, ihm gehorchen und auf ihn angewiesen sein kann. Er sieht darin eine der höchsten Fähigkeiten des Menschen, die alle seine technischen Möglichkeiten weit in den Schatten stellt. Auch wenn wir dem nicht zustimmen, lohnt es sich angesichts der zunehmenden Zerstörung, die der Mensch jetzt unter den Tieren anrichtet, darüber nachzudenken.

V. 10: Der Psalm kehrt am Ende zu seinem Anfang zurück. Dem Preis des Menschen in V. 6 steht der Satz aus der Antigone des Sophokles nahe: „Vieles Gewaltige lebt, doch nichts ist gewaltiger als der Mensch." Das Nachdenken über den Menschen in diesem Psalm ist aus dem Loben Gottes erwachsen, das Loben Gottes ist auch sein letztes Wort.

Psalm 139: Du kennst mich

1 Dem Chormeister. Von David. Ein Psalm
   Herr, du erforschst und du kennst mich.
2 Ich sitze oder ich stehe, du weißt es,
   du verstehst meine Gedanken von ferne.
3 Ob ich gehe oder liege, du ermissest es,
   mit allen meinen Wegen bist du vertraut.
4 Ja, es ist kein Wort auf meiner Zunge,
   daß du, Herr, nicht wüßtest.
5 Du hältst mich von hinten und vorn umschlossen,
   und hältst deine Hand über mich.

6 Zu wunderbar ist diese Erkenntnis für mich,
   zu hoch, ich kann es nicht begreifen!
7 Wohin soll ich gehen vor deinem Geist,
   wohin fliehen vor deinem Antlitz?

8 Stiege ich zum Himmel hinauf – da bist du;
  bettete ich mich in der Unterwelt – auch dort bist du.
9 Nähme ich Flügel der Morgenröte
  und ließe mich nieder am äußersten Meer,
10 auch dort würde deine Hand mich ergreifen,
   deine Rechte mich fassen.
11 Spräche ich: Finsternis soll mich bedecken!
   Nacht um mich sein wie sonst Licht,
12 auch Finsternis wäre nicht finster für dich,
   die Nacht wäre hell wie der Tag.

13 Denn du hast meine Nieren geschaffen,
   hast mich gewoben im Leib meiner Mutter.
14 Ich preise dich, daß ich so wunderbar geschaffen bin,
   ja, wunderbar sind deine Werke!
15 Meine Seele kanntest du wohl, mein Gebein war dir nicht verborgen,
   als ich im Dunkel gebildet ward,
   kunstvoll gewirkt in den Tiefen der Erde.
16 Deine Augen sahen all meine Tage,
   in dein Buch sind sie alle geschrieben,
   meine Tage waren schon gestaltet, als noch keiner von ihnen da war.

17 Wie unergründlich sind mir, Gott, deine Gedanken,
   wie gewaltig ist ihre Zahl!
18 Wollte ich sie zählen, sie wären mehr als Sandkörner,
   wäre ich am Ende, ich wäre noch immer bei dir.
19 Ach, wolltest du doch, Gott, den Frevler schlagen,
   daß die Blutmenschen von mir wichen,
20 die dir frevelhaft widerstehen und deinen Namen mißbrauchen!
21 Sollt ich nicht hassen, Herr, die dich hassen,
   nicht verabscheuen, die sich gegen dich auflehnen?
22 Mit gründlichem Haß hasse ich sie,
   sie wurden mir selbst zu Feinden.

23 Erforsche mich, Gott, und erkenne mein Herz,
   prüfe mich, und erkenne meine Gedanken!
24 Siehe, ob ich auf dem Weg der Arglist bin,
   und leite mich auf dem Weg, der bleibt!

Zum Text

V. 12: Die beiden letzten Worte „Dunkelheit ist wie Licht" sind Zusatz.
V. 16: Lies *kol-jāmaj* = all meine Tage.
V. 20: Lies *jam rūka* (Appar.) und *nissā'ū* (Appar.).

Zum Aufbau

Auch dieser Psalm ist reflektierende, nachdenkende Erweiterung eines einzelnen Psalmmotivs: der Unschuldbeteuerung, einem Motiv der Klage des Einzelnen. Zu diesem Motiv gehört der Appell an Gott: „du weißt, daß ich unschuldig bin!". In diesen Appell ist der Psalm gerahmt V. 1 „Herr, du erforschst mich . . .", V. 23 „Erforsche mich, Gott, und erkenne mein Herz!" Die Situation, aus der dieser Appell gesprochen ist, ist die eines unschuldig Angeklagten (vgl. Ps 7; 35; 37; 69). Das klingt in V. 24a an: „. . . und sieh, ob ich auf dem Weg der Arglist bin!" Von den Gegnern, die ihn fälschlich beschuldigen, reden V. 19–22. In diesen Rahmen aber ist etwas völlig anderes gefügt, eine reflektierende Erweiterung des Eingangssatzes „. . . du kennst mich", die ein staunend-ergriffenes Gotteslob ist, ein Lob seines Schöpfers. Die V. 2–5 sagen, daß sein Leben und alles, was darin geschieht, offen vor Gott daliegt, und V. 7–12 ein Weiterdenken desselben Gedankens: daß es keinen Ort gibt, an dem er sich vor Gott verbergen könnte. Der V. 6 in der Mitte dieser beiden Teile ist ein staunendes Innehalten vor diesem Wunderbaren. V. 13–16 bringen die Begründung dafür in einem Nachdenken über das Erschaffensein und 17–18 schließen, an V. 6 anschließend, mit einem reflektierenden Lob des Menschenschöpfers.

V. 1: Dieser Satz der Unschuldsbeteuerung, der an Gott appelliert „Du weißt doch, daß ich unschuldig bin!", ist aus einer Situation äußerster Bedrängnis gesprochen, der Situation des unschuldig Angeklagten. Sie ist sehr deutlich in V. 19–22, dem Wort gegen die Feinde, wiederzuerkennen. Aber diese Situation tritt von V. 2 ab völlig zurück. Der Dichter wird von ihr frei, indem er über diesen einen Satz nachdenkt. In diesem Nachdenken tritt er aus der Angst heraus. Wir erfahren hier etwas für die Bedeutung der Psalmen im alten Israel Wichtiges. Die Psalmen hatten ihren Sitz im Leben nicht nur im Tempelgottesdienst. Sie gingen mit den Leuten aus dem Gottesdienst mit in ihr Leben draußen. Sie dachten über die Worte des Psalms nach, es ging ihnen daran etwas auf, was sie erfreute, erstaunte, was sie nicht verstanden hatten. Auf jeden Fall waren ihnen die Worte des Psalms wichtig und beschäftigten sie. So ein Nachdenken über ein Psalmwort begegnet uns im Mittelteil des 139. Psalms.

V. 2–5: Dieses Nachdenken ist auch aus psychologischer Sicht interessant. Der Nachdenkende fragt sich: Was bedeutet dieser Satz eigentlich?, und erklärt ihn sich, indem er ihn konkretisiert, d. h. in die Akte eines alltäglichen Lebens hinein entfaltet. Wenn er sich setzt und wenn er aufsteht, wenn er geht oder liegt, Gott weiß es, Gott ist dabei. Er kennt alle seine Wege, sogar auch seine Gedanken, so wie er alle seine Worte kennt und von allen seinen Wegen weiß. Der Dichter vollzieht hiermit eine gewichtige Überlegung. Ein Mensch kann im Gebet sagen: „Herr, du kennst mich!" und hat damit nichts gesagt, weil das für ihn ein abstrakter theologischer Satz ist. Erst wenn er diesen Satz in sein wirkliches Leben hinein buchstabiert, geht ihm auf, was er da eigentlich gesagt hat.

V. 7–12: Wiederum ist der nächste Schritt dieses Nachsinnens psychologisch verständlich. Er fragt sich: aber wenn ich das nun gar nicht will? Wenn ich nicht will, daß Gott bei jedem meiner Schritte dabei ist? Erst im Nachdenken über diesen negativen Aspekt des Satzes wird ihm klar, was er bedeutet. Ich kann ja mich selbst aus dieser Gegenwart gar nicht herauslösen „und nähme ich Flügel der Morgenröte und ließe mich nieder am äußersten Meer . . .“. So erst geht ihm auf, daß dies eine andere Gegenwart und ein anderes Kennen ist als ein Mensch sich das vorstellen kann. Sie bedeutet, daß ich selbst mich von Gott gar nicht lösen kann, „. . . auch Finsternis wäre nicht Finsternis für dich“. Dies gibt ihm ein Gefühl völliger Geborgenheit (V. 5) „du hältst mich von hinten und vorn umschlossen und hältst deine Hand über mich“.

V. 13–16: In einem dritten Gedankengang fragt er: Wie kommt das, worin ist es begründet?, und die Antwort liegt nahe: Ich bin Gottes Geschöpf. Aber wieder ist ihm diese bloße Feststellung nicht genug. Wieder buchstabiert er sie in sein Leben hinein „denn du hast mich . . . gewoben im Leib meiner Mutter . . .“, und hier folgt eine nur angedeutete, aber für die Hörer damals verständliche Gleichsetzung der Geburt aus dem Mutterleib mit der Geburt des Menschengeschlechts aus der Mutter Erde: „kunstvoll gewirkt in den Tiefen der Erde“, einem uralten Mythos von der Geburt des Menschengeschlechts. Diese Gleichsetzung der eigenen Geburt mit der Erschaffung des Menschen am Anfang hat den Sinn der Erzählung von der Erschaffung des Menschen verstanden: sie zielt auf das Sich-Verstehen des einzelnen Menschen in der jeweiligen Gegenwart als Gottes Geschöpf.

Indem der Dichter in V. 13 an seine eigene Geburt denkt, steht auch sein Lebensweg von Geburt an bis in diese Stunde ihm vor Augen. Darin ist es bedingt, daß in seinem Nachdenken nun zu dem horizontalen, du kennst alle meine Wege . . ., der vertikale tritt: du warst von Anfang an dabei, von Mutterleib und Kindesbeinen an, „deine Augen sahen alle meine Tage“.

V. 6.14.17 f.: Damit ist sein Nachdenken in den drei Gängen zum Abschluß gekommen, es mündet ein in das bewegte, ergriffene Gotteslob. Was er erkannt hat, ist ihm zwar gewiß, aber fassen kann er es nicht: „Zu wunderbar ist diese Erkenntnis für mich . . .“ V. 6.17.18. Daß er es nicht begreifen kann, läßt ihn zum Schöpfer aufblicken (V. 14). Daß er so wunderbar geschaffen ist, darin erkennt er das Wirken des Schöpfers. Es ist ein großer Abstand zwischen dem Schluß, zu dem sein Nachdenken den Dichter dieses Psalms führt, und dem Schluß, zu dem ein seiner selbst gewisses theologisches Denken hier kommt, wenn es das, was der Psalm sagen will, auf die abstrakten Begriffe bringt: „Gottes Allwissenheit und Allgegenwart“. So ist in manchen Auslegungen dieser Psalm überschrieben. In dieser Überschrift ist der Psalm nicht verstanden.

V. 19–21: Die nachdenkende Erweiterung ist mit V. 18 abgeschlossen. Mit V. 19–21 kehrt der Rahmen des Klagepsalms wieder, in dem der Unschuldsbeteuerung der Wunsch folgt, Gott möge die Feinde des Beters, die ihn zu Unrecht beschuldigt haben, vernichten. Diese Feinde sind zugleich Gottes Feinde (V. 21). Der Fromme folgert daraus, daß er die Frevler hassen muß, die Gott hassen. Er stellt sich gegen sie auf die Seite Gottes. Das war eine zur Zeit des Psalmisten notwendig erscheinende Konsequenz, weil die Entscheidung zwischen Frommen und Gottlosen in diesem Leben fallen mußte. Hierin liegt eine Grenze der Psalmenfrömmigkeit. Ein Wandel trat erst damit ein, daß Christus auch für die Gottlosen, auch für die Feinde Gottes gestorben ist und deshalb vom Kreuz für sie um Vergebung bat.

V. 23–24: Der Psalm kehrt zu seinem Anfang zurück. Er vertraut sich der Prüfung Gottes an; damit zugleich aber vertraut er seinen weiteren Lebensweg seinem Schöpfer an, der ihn kennt. Zu ihm hat er ein grenzenloses Vertrauen. „Du hältst mich von hinten und von vorn umschlossen und hältst deine Hand über mich" (V. 5).

Liturgische Psalmen

Als liturgische Psalmen bezeichne ich die Psalmen, in denen ein gottesdienstlicher Vorgang in der Verbindung von Wort und Handlung zu erkennen ist. Sie kann schon in der Wechselrede erkennbar sein, die ein Gegenübertreten zweier Gruppen oder des Liturgen und der Gemeinde voraussetzt, Aufforderung und Befolgung der Aufforderung. Dazu können mancherlei Handlungen treten. Niederfallen, Schreiten in der Prozession, Umschreiten des Altars, Betreten des Heiligtums, Vollzug einer Segens- oder Weihehandlung und Opferhandlungen sehr verschiedener Art; vgl. Dtn 26.

Psalm 118: Dies ist der Tag, den der Herr macht!

1 Lobet den Herrn, denn er ist gütig,
  denn ewig währt seine Gnade!
2 So soll Israel sprechen: denn ewig währt seine Gnade!
3 So soll das Haus Aron sprechen: denn ewig währt seine Gnade!
4 So sollen sprechen, die den Herrn fürchten:
  denn ewig währt seine Gnade!

5 Aus der Bedrängnis rief ich zum Herrn,
  der Herr hat mich erhört und mich befreit.
6 Der Herr ist für mich, ich fürchte mich nicht,
  was sollten Menschen mir tun?
7 Der Herr ist mit mir, er ist mein Helfer,
  ich aber werde sehen auf die, die mich hassen.
8 Besser ist es, sich bei Gott zu bergen,
  als auf Menschen zu vertrauen.

9 Besser ist es, sich bei Gott zu bergen,
   als sich auf Fürsten zu verlassen.

10 Wie Hunde hatten sie mich umringt,
   ich wehre sie ab im Namen des Herrn.

11 Dicht hatten sie mich umringt,
   ich wehre sie ab im Namen des Herrn.

12 Sie umschwärmten mich wie Bienenschwärme,
   ich wehre sie ab im Namen des Herrn.
   (Sie sind ausgelöscht wie das Feuer verbrennt)

13 Sie stießen mich, daß ich zu Fall käme,
   aber der Herr hat mir geholfen.

14 Meine Stärke und mein Lied ist der Herr, er wurde mir zur Rettung.

15 Lauter Jubel und Siegesruf in den Zelten der Gerechten.
   Die Rechte des Herrn hat sich mächtig erwiesen,

16 die Rechte des Herrn hat sich erhoben,
   die Rechte des Herrn hat sich mächtig erwiesen.

17 Ich werde nicht sterben, sondern leben
   und von den Taten des Herrn erzählen.

18 Der Herr hat mich hart gezüchtigt,
   doch dem Tod gab er mich nicht preis.

19 Tut mir auf die Tore des Heils,
   daß ich eintrete, den Herrn zu loben!

20 Dies ist das Tor des Herrn,
   das die Gerechten durchschreiten.

21 Ich will dich loben, denn du erhörtest mich
   und wurdest mir zum Retter.

22 Der Stein, den die Bauleute verworfen,
   der ist zum Eckstein geworden.

23 Vom Herrn ist das gewirkt,
   wunderbar ist es in unseren Augen.

24 Dies ist der Tag, den der Herr macht,
   wir wollen jubeln und uns seiner freuen!

25 Ach Herr, hilf doch! Ach Herr, laß doch gelingen!

26 Gesegnet, wer eintritt im Namen des Herrn.
   Wir segnen euch vom Haus des Herrn her!

27 Der Herr ist Gott, er lasse uns leuchten . . .
   Bindet den Reigen mit Zweigen bis zu den Hörnern des Altars!

28 Du bist unser Gott, ich will dich preisen,
   mein Gott, ich will dich erhöhen!

29 Lobet den Herrn, denn er ist gütig,
   denn ewig währt seine Gnade.

Zum Text

V. 10: Statt *kol-gojim* lies *kī kelābīm* = „denn Hunde".

V. 12b: Text gestört. Die Übersetzung ist nur Vermutung.

V. 13: Das Verb 3. Pers.

V. 27a: Wahrscheinlich wird der in V. 26 erwähnte Segen zitiert, aber V. 27a ist unvollständig, zu ergänzen wohl: „. . . dein Angesicht".

Zum Aufbau

Ps 118 ist ein liturgischer Psalm; Wort und Handlung sind in ihm miteinander verbunden, die Handlungen V. 19–27. Den Kern des Psalms bildet der Lobpsalm eines Einzelnen V. 5–14. 17–18, erweitert um das Zitat eines alten Siegesliedes in V. 15–16. Dieser Teil V. 5–18 ist in V. 1–4 und 29 eingeleitet und beschlossen als ein Lobpsalm der gottesdienstlichen Gemeinde; dazu gehört das in V. 15–16 eingefügte Siegeslied und einzelne Sätze des Gotteslobes in dem Handlungsteil V. 19–27 (20–24). Der Lobpsalm des Einzelnen ist vollständig, aber seine Sätze sind über den Psalm verteilt: V. 5 einleitende Zusammenfassung; 6–7 Ausdruck der Zuversicht, in 8–9 erweitert; 10–13a Bericht von der Not (abgewandelt); 13b.14.17.18 Bericht von der Rettung; 17.21.28 Lobgelübde.

V. 19–27 könnte man eine Einzugsliturgie nennen; vgl. Ps 24. Aber die hier angedeutete Folge von Handlungen läßt sich nur ahnen; sie ist nur skizziert und wahrscheinlich stark abgekürzt. V. 19–20 der Einzug, die Worte wahrscheinlich im Wechsel gesprochen: V. 19 die einziehende Prozession, V. 20 Antwort des Priesters (oder plur.) vom Tempel her; vgl. Ps 24. V. 21 und 28 gehören zum Loblied des Einzelnen; auf dieses antwortet die Gemeinde in V. 22–24, sie nimmt das Gehörte in einem Gebet V. 25 (verkürzt) auf. In V. 26–27 kommt die Einzugsliturgie in der Segnung der Einziehenden und der Aufforderung zum Kulttanz zum Abschluß.

V. 1–4: Der imperativische Lobruf, der den Psalm rahmt (= V. 29), ist in V. 2–4 nach den Angeredeten gegliedert: Israel V. 2, die Priester V. 3 und die Gemeinde V. 4. Früher ist der Ruf wahrscheinlich an die Stämme ergangen. Der Satz „denn er ist gütig, denn ewig währt seine Gnade" ist hier schon wie in Ps 136 u. ö. zur liturgischen Formel geworden.

V. 5–14: Der berichtende Lobpsalm braucht nicht im einzelnen ausgelegt zu werden, da er den bisher ausgelegten entspricht. V. 8–9 ist eine reflektierende Erweiterung wie z. B. in Ps 34,9b. Der Bericht von der Not spricht von der Bedrohung durch Feinde ähnlich wie Ps 22,13–17.

V. 15–16: Dem Loblied eines Einzelnen ist in V. 15–16 ein Lob Gottes über eine Heilstat an seinem Volk angefügt. Es ist ein Zitat aus einem Siegeslied, wahrscheinlich aus der Frühzeit Israels wie Ri 5. Das Fragment bezeugt, daß es früher mehr solcher Siegeslieder gab, die uns nicht überliefert sind.

V. 19–27: Auch wenn dieser Teil nur andeutet und abkürzt, vermittelt er uns doch einen Eindruck, wie lebendig und vielgestaltig, wie voller Jubel und Äußerungen der Freude auch im Tanz die Gottesdienste im alten Israel waren. Der Einzug in den Tempel (V. 19–20) war eine festliche Handlung, begleitet von Chören im Wechsel. Der Satz V. 22: „Der Stein, den die Bauleute verwarfen, der ist zum Eckstein geworden", in Mt 21,42 u. ö. auf Christus gedeutet, ist uns leider nicht mehr verständlich. Während V. 21 zum Lobpsalm des Einzelnen gehört, bezieht sich V. 22 auf das Siegeslied V. 15–16. Wahrscheinlich meint der Vergleich das Volk Israel: das vorher von den Völkern verworfene und gedemütigte Israel ist zu neuer Bedeutung gekommen.

V. 23–24: In V. 23 f. ist beides zusammengefaßt, die großen Taten Gottes an seinem Volk wie an dessen Gliedern werden gefeiert.

V. 25: Zu diesen Feiern gehört auch das Anrufen Gottes um seinen ferneren Beistand, V. 25, hier nur abgekürzt. Eingeleitet ist es durch den Kultruf „Ach Herr!" = *'ānnā' jhwh*. Die Wiederholung in V. 25a und b deutet an, daß dieser Ruf viele Male wiederholt wurde. In den beiden Vershälften ist die Bitte um Rettung „Hilf doch!" mit der Bitte um Segen, genauer Gelingen: „laß wohl gelingen!" verbunden: in beidem wird Gottes Güte (V. 1–4.29) erfahren. Von diesem Ruf in Ps 118,25 her wird der eigenartige Bedeutungswechsel verständlicher, der sich bei dem Kultruf *hōšī'āh nā'* = Hosianna vollzogen hat. Hier in V. 25 ist es (wegen des Parallelismus) noch ein Hilferuf an Gott; beim Einzug Jesu in Jerusalem ist daraus ein Lobwort geworden.

V. 26–27: Den feierlichen Einzug beschließt die Segnung der Eintretenden vom Tempel her. Wahrscheinlich ist es hier ebenso wie in Ps 24 ein Chor von Priestern, der den Segen erteilt. In V. 27a war wahrscheinlich der Segen nach Num 6,24–26 zitiert, das Zitat ist abgebrochen. Der Segen antwortet auf den Anruf Gottes in V. 25. Die Erteilung des Segens ist mit einem Ritus verbunden, zu ihm wird in V. 27b aufgefordert: das feierliche Umschreiten des Altars mit Zweigen in den Händen.

V. 28–29: V. 28 schließt den Psalm des Einzelnen ab; dieser Abschluß wird hier von der ganzen Gemeinde aufgenommen. V. 29 wiederholt den Lobruf des Psalmeingangs: das Gotteslob darf nicht verstummen.

Psalm 24: Macht hoch die Tür!

1   Von David. Ein Psalm
    Des Herrn ist die Erde und ihre Fülle,
    der Erdkreis und die ihn bewohnen!
2   Denn er hat sie auf die Meere gegründet,
    auf den Strömen errichtet.

3   Wer darf hinaufsteigen zum Berg des Herrn,
    und wer darf stehen an seinem heiligen Ort?

4   Der unschuldige Hände hat und ein reines Herz,
      der sein Begehren nicht nach Freveltaten erhebt
      und nicht schwört zum Trug gegen seinen Nächsten . . .

5   Der wird Segen von Gott empfangen
      und Heil vom Gott seiner Hilfe.

6   Das ist das Geschlecht, das nach dem Herrn fragt,
      die dein Antlitz suchen, du Gott Jakobs!

7   Erhebt eure Häupter, ihr Tore,
      hebt euch hoch, ihr uralten Tore,
      daß der König der Herrlichkeit einziehe!

8   Wer ist dieser König der Herrlichkeit?
      Der Herr, mächtig und stark,
      der Herr, gewaltig im Kampf.

9   Erhebt eure Häupter, ihr Tore,
      hebt euch hoch, ihr uralten Tore,
      daß der König der Herrlichkeit einziehe!

10   Wer ist dieser König der Herrlichkeit?
      Der Herr der Heerscharen. Er ist der König der Herrlichkeit.

Zum Text

V. 4:   Am Ende von V. 4 ist mit G einzufügen „gegen seinen Nächsten".
         Vielleicht sind hier noch weitere Gebote ausgefallen.

V. 6:   Im ersten Halbvers ist „dem Herrn" einzufügen, im zweiten ist zu
         lesen „du Gott Jakobs".

Zum Aufbau

Der Psalm hat drei Teile: V. 1–2 ein Teil eines Lobpsalms, das Eingangslied, V.
3–6 die Einzugstora (vgl. Ps 15) und V. 7–10 der Einzug. Der ganze Psalm stellt
dar und begleitet den Einzug der Ladeprozession in den Tempel. Dazu gehört
vor dem Einzug die „Toraliturgie", übereinstimmend mit Ps 15, in Wechselrede
zwischen den Wallfahrern (3b) und dem Priester (4–5) und dem Wechselgespräch beim Einzug: Einlaßbegehren der Prozession (7) für die Lade („den
König der Herrlichkeit"), die Frage von drinnen: Wer ist da? (8a), die Antwort
8b. In V. 9–10 wird das Einlaßgespräch noch einmal wiederholt.

V. 1–2: Die Sätze V. 1–2 sind Teil eines gottesdienstlichen Lobpsalms: das Lob
Gottes in seiner Majestät (V. 1) und dessen Entfaltung, Lob des Schöpfers und
des Herrn der Schöpfung. Es ist anzunehmen, daß dieser Ausschnitt für einen
ganzen Lobpsalm steht. Durch diesen Psalmeingang erhält der ganze Psalm
einen universalen Horizont: Der hier in den Tempel zu Jerusalem einzieht, ist
der Schöpfer und Herr der Welt!

V. 3–6: In der Einzugstōrā V. 3–6 geht es um die Heiligkeit des Tempels als des Ortes, „an dem Gott seinen Namen wohnen läßt". Es darf nicht jeder diesen Ort betreten (V. 3). Es ist zu beachten, daß in V. 4–5 von Reinigungsriten, von kultischer Unreinheit, von tabu-Verletzungen keine Rede ist. Der Zugang zum Tempel ist dem offen, „der unschuldige Hände und ein reines Herz" hat. Das wird entfaltet in zwei näheren Bestimmungen, die Geboten des Dekalogs entsprechen. Der Vergleich mit Ps 15 zeigt, daß auch mehr und andere Gebote hier genannt sein könnten. In dem, was genannt ist, geht es allein um die innere Einstellung und das Verhalten den anderen gegenüber; es zeigt sich darin deutlich der Einfluß der Prophetie. In V. 6 ist noch einmal mit anderen Worten gesagt, wem der Zugang zum Tempel offen ist: Es sind die, die nach Gott fragen und sein Angesicht suchen. Damit wird nicht eine ethische oder religiöse Qualität beschrieben, sondern das Vertrauen, sich an Gott zu wenden, die Bereitschaft, seinen Willen zu tun. Ihnen wird zugesagt, was sie im Tempelgottesdienst erwartet: der Segen für ihr Leben draußen, für ihre Familie und ihre Arbeit, aber auch Hilfe, wenn sie mit einer Not zu ihm kommen (V. 5).

V. 7–10: Der Einzug. Der Schlußteil zeigt in eindrücklicher Weise, wie ein Vorgang aus der alltäglichen Wirklichkeit zu einem Ritus, auch einem gottesdienstlichen Ritus werden kann. Dieser Vorgang spielt sich überall dort ab, wo ein Gebäude, eine Burg, eine Stadt, ein Tempel durch Mauern mit Toren abgeschlossen ist. Es besteht aus den immer und überall gleichen Akten: 1. Das Einlaßbegehren, 2. Frage von drinnen: Wer seid ihr?, 3. Antwort: wir sind . . ., 4. Öffnen der Tore oder Abweisung. Dieser an sich völlig profane Vorgang wird hier dadurch ritualisiert, daß er mit der Ankunft der Prozession vor dem Tempel, in diesem Fall einer Ladeprozession verbunden wurde. Seine ursprüngliche Funktion zur Sicherung hat er dabei verloren. Die Ritualisierung zeigt sich besonders bei der Wiederholung des Vorganges in V. 7–8 und 9–10.

Zur Ritualisierung gehört auch, daß in V. 7 (= 9) die Tore angeredet und aufgefordert werden, „ihre Häupter zu erheben" (es müssen Falltore gewesen sein). Das entspricht dem rituellen Stil; ebenso, daß sie „uralt" genannt werden. Einer aus der Gefolgschaft kündigt die Ankunft eines Königs an, der Einlaß begehrt: „daß der König in seiner Majestät einziehe". Damit kann nur gemeint sein: so wie bei Götterprozessionen in Ägypten und Babylon das Abbild eines thronenden Gottes aus dem Tempel in einer Prozession herumgetragen und dann wieder in ihn zurückgebracht wurde, so in Israel die Lade, die im Tempel zu Jerusalem aufgestellt war und zu Prozessionen hinaus- und wieder hereingetragen wurde. Die Lade wird als (leerer) Thronsitz Gottes gedeutet. Dabei wird der Akt des Einzugs zur Verherrlichung dieses Königs benutzt. Statt der einfachen Antwort auf die Frage, wer Einlaß begehre (V. 8a.10a) ertönt von dem Gefolge, d.h. den Teilnehmern der Prozession ein Preis dieses Gottes in V. 8b und 10b, des Herrn der Heerscharen, des mächtigen, kriegsgewaltigen Königs. So läuft der Psalm auf einen Preis der Majestät Gottes hinaus.

Exkurs: Gottesdienst und Geschichte: Dieser Psalm 24 zeigt in bewegender Weise den Einfluß der Geschichte auf den Gottesdienst. Die Lade, die David nach Jerusalem bringen ließ, war ein Wanderheiligtum der Frühzeit, in der es für Israel keine Städte, keine Königsburgen, keine Tempel gab. Sie sollte die Traditionen der Frühzeit mit der neuen Form des Gottesdienstes im königlichen Tempel verbinden. So wurde sie zum Königsthron umgedeutet, Gott wurde als König verehrt. An die Stelle der Prozessionen mit dem Gottesbild anderer Religionen trat die Ladeprozession. Dann wurde die Königsburg und der Königstempel vernichtet, die Lade gab es nicht mehr. Aber im nachexilischen Gottesdienst lebte der alte Psalm weiter unter völlig veränderten Umständen: ohne Lade, ohne Königspalast in einem Volk, das zur Provinz geworden war. Was blieb, war das Gotteslob im Gottesdienst der Gemeinde derer, „die dein Antlitz suchen, du Gott Jakobs".

Psalm 122: Nun stehen unsere Füße in deinen Toren!

1   Wallfahrtslied. Von David
    Ich freute mich, als sie zu mir sagten:
    Wir wollen zum Haus des Herrn gehen!
2   Und nun stehen unsere Füße in deinen Toren, Jerusalem!
3   Jerusalem, gebaut wie eine Stadt,
    zu der die ihr Verbundenen zusammenkommen,
4   zu welcher die Stämme pilgern, die Stämme des Herrn.
    Gesetz ist es für Israel, dort den Namen des Herrn zu preisen.
5   Denn dort standen die Throne zum Gericht,
    die Throne des Hauses Davids.
6   Wünschet Jerusalem Heil, sicher seien deine Zelte.
7   Friede herrsche in deinen Mauern,
    Sicherheit in deinen Häusern.
8   Um meiner Brüder und Freunde willen
    will ich den Friedensgruß über dich sprechen.
    Um des Hauses des Herrn, unseres Gottes, willen
    will ich dir Gutes wünschen!

Zum Text

V. 3:   Lies nach G Qal und statt *jaḥdāw* lies *jēḥad*.
V. 4:   Vor *lehōdōt* ist *šām* = dort einzufügen.
V. 6:   Statt „die dich lieben" lies *'ōhālajik* = „deine Zelte".

Zum Aufbau

Dies ist ein sehr schlichtes Wallfahrtslied, angestimmt in dem Augenblick, da die Pilger vor dem Tempel von Jerusalem ankommen, gegliedert in die Ankunft, V. 1–2, den Blick auf die Stadt V. 3–5, Begrüßung des Heiligtums V. 6–8.

Eigentlich ist dies ein rein profanes Lied mit den Motiven eines Wanderliedes, wie es sie überall gibt, ganz im Ton eines Volksliedes. Mit Ps 122 ist der ähnliche Ps 84 zu vergleichen.

V. 1–2: Die beiden ersten Verse geben das uralte, überall begegnende Motiv von Aufbruch und Ankunft wieder: die Pilger sind vor der Stadt Jerusalem angekommen, am Ziel denken sie an den Aufbruch zurück. Nun sind sie da und sehen die Stadt und den Tempel vor sich.

V. 3–5: Beim Blick auf die Stadt sagen sie laut oder still für sich den Namen der Stadt und sprechen aus, was er für sie bedeutet. Der erste Gedanke hat es mit der Gegenwart (V. 3–4), der zweite mit der Vergangenheit (V. 6) zu tun. Erstaunlich ist, daß beide Gedanken, die die Pilger beim Anblick der Stadt bewegen, durchaus profan sind. Sie denken an die vielen Menschen, die sie in der Stadt und beim Tempel treffen werden; hier kommen sie aus dem ganzen Volk, aus allen Stämmen zusammen, wie es im Gesetz geboten ist, um miteinander den zu loben, der sie alle verbindet, der ihrer aller Herr ist.

Und der andere Gedanke: In dieser Stadt stand der Thron unseres Königs David und der Könige aus seinem Haus! Was ihnen aber an diesem Königtum das Wichtigste ist, daß von dem „Thronen zum Gericht" eine gerechte Führung des Volkes ausging, die Gerechtigkeit und Frieden bewahrte.

V. 6–8: Nun aber grüßen die Pilger die Stadt, vor der sie angekommen sind. Der Gruß ist das Ziel dieses einfachen Pilgerliedes, wobei die Aufforderung V. 6a in den Gruß V. 6b–8 übergeht, die ganz von dem Wort šālōm bestimmt ist: „Friede in deinen Mauern, Sicherheit in deinen Häusern." Und dann in einem schönen und sinnvollen Parallelismus: „Um meiner Brüder und Freunde willen", „um des Hauses unseres Gottes willen", wobei auch hier, dem Charakter des Liedes entsprechend, die Menschen vor dem Tempel genannt werden.

Die Bedeutung des Grußes im alten Israel zeigt sich auch in diesem Lied. Der Friedensgruß kann auch einer Stadt entboten werden, er erhält seinen Sinn aus der Situation: die Ankunft der aus der Ferne kommenden (V. 1–2), der Blick auf die Stadt (V. 3–5), das Bewußtsein, es ist unsere Stadt (V. 6–8).

Die Zionslieder

Wahrscheinlich mit den Wallfahrtsliedern verwandt sind die Zionslieder, in denen es besonders um die Bewahrung der Gottesstadt vor dem Ansturm der Feinde geht. Diese Psalmen setzen die Erwählung des Zion als des Gottesberges mit Tempel und Stadt voraus. Manche Motive in diesen Psalmen 46; 48; 76; 84; 87 gehen noch bis in die Zeit zurück, als vor David der Zion noch ein jebusitisches Heiligtum war.

Psalm 46: Gott ist unsre Zuflucht

1 Dem Chormeister. Von den Söhnen Korachs.
  Ein Lied, nach der Weise „Jungfrauen".
2 Gott ist meine Zuflucht und Stärke.
  Eine Hilfe in Nöten stark bewährt.
3 Deswegen fürchten wir uns nicht,
  wenn auch die Erde sich wandelt,
  ob auch die Berge mitten ins Meer stürzen.
4a Ob seine Wasser toben und gären,
  vor seinem Ungestüm die Berge zittern.
4b Der Herr der Heerscharen ist mit uns,
  der Gott Jakobs ist unsere Burg.

5 Eines Stromes Arme erfreuen die Gottesstadt,
  geheiligt hat der Höchste seine Wohnung.
6 Gott ist in ihrer Mitte, sie wird nicht wanken,
  Gott hilft ihr beim Anbruch des Morgens.
7 Völker toben, Reiche wanken,
  er erhebt die Stimme, da bebt die Erde.
8 Der Herr der Heerscharen ist mit uns,
  der Gott Jakobs ist unsere Burg.

9 Kommt, schaut die Taten des Herrn,
  der Erschreckendes anrichtet auf Erden,
10 der dem Krieg Einhalt gebietet bis an die Enden der Erde,
  Bogen zerbricht er, Speere zerschlägt er,
  Schilde verbrennt er mit Feuer.
11 Laßt ab und erkennt, daß ich Gott bin!
  Erhaben über den Völkern, erhaben auf der Erde.

12 Der Herr der Heerscharen ist mit uns,
  der Gott Jakobs ist unsere Burg.

Zum Text

V. 4: Nach V. 4 ist der Kehrvers V. 8 = 12 einzufügen, der hier von dem
         Vordersatz V. 4 her erforderlich ist.
V. 5: Lies statt „heilig": „er hat geheiligt" *(qiddēš)*; dann „seine" Woh-
         nung.
V. 10: Lies *'agīlot* = Schilde.

Zum Aufbau

Ps 46 gehört zu den Psalmen, in denen ein Motiv, hier das Bekenntnis der Zuversicht (aber auf das Volk bezogen), zu einem Psalm erweitert ist. Bei diesem Psalm kommt das besonders deutlich zum Ausdruck. Mit diesem Motiv setzt der Psalm in V. 2 ein und es durchzieht den Psalm in dem Kehrvers V. 4b (zu ergänzen), V. 8 und 12. Der ganze Psalm will ein Ausdruck des Vertrauens sein.

Durch die Kehrverse ist der Psalm in drei Strophen geteilt: V. 1–4, 5–8, 9–12. In der ersten begründen V. 3–4 das Vertrauensbekenntnis in V. 1: Deswegen haben wir keine Furcht, auch wenn eine kosmische Katastrophe eintritt. In der zweiten Strophe V. 5–8 wird die Zuversicht bewahrt angesichts einer politischen Katastrophe, einem Völkeransturm gegen die Stadt Gottes (V. 7), es ist die heilige Stadt Gottes, vom Lebensstrom umgeben. Gott wird den Angriff abwehren. Die dritte Strophe führt die zweite weiter: Die Abwehr des Völkeransturms hat zur Folge, daß Gott den Kriegen ein Ende setzt. Die Völker werden gerufen, ihn als Herrn anzuerkennen.

V. 2–4: „Wir" das ist die zum Gottesdienst in Jerusalem zusammenkommende Gemeinde. Sie bekennt, daß Gott ihre Zuflucht, Gott ihre Stärke ist. Als solcher hat er sich in der Geschichte des Volkes bewährt; auf ihn kann es sich in allen kommenden Bedrohungen verlassen.

Luther hat diesen Vers übersetzt: „Gott ist unsere Zuversicht und Stärke, eine Hilfe in den großen Nöten, die uns betroffen haben." Diese Übersetzung ist grammatisch nicht möglich. Durch diese Übersetzung aber ist die Auffassung des ganzen Psalms in Luthers Übersetzung bestimmt: als ein Wort angesichts einer gegenwärtigen Bedrohung. Diese Auffassung ist dann noch stärker ausgeprägt in Luthers Nachdichtung des Psalms: „Ein feste Burg ist unser Gott . . ." Hier spricht er ausdrücklich von der Not, „die uns jetzt hat betroffen". Das hat den kämpferischen Ton in dem Lied bewirkt: „Und wenn die Welt voll Teufel wäre . . . es soll uns doch gelingen . . ." Diese Auffassung entspricht dem Psalm nicht, der von dem Ton stillen Vertrauens bestimmt ist.

V. 3–4: Dieses Vertrauen wird auch angesichts einer kommenden kosmischen Katastrophe standhalten. Hinter den Sätzen in V. 3 und 4 steht die Vorstellung der chaotischen Urflut (Gen 1,2), die der Schöpfer gebändigt hat Ps 65,8; 89,10; 93,3; 104,6f.; Hi 38,11; hier sollen sie sagen: auch vor dem Hereinbrechen des Chaos fürchten wir uns nicht. Da die Sätze V. 3b–4 den Charakter eines Vorsatzes haben: „wenn auch . . .", muß ein Nachsatz folgen, der Übergang von V. 4a zu 5 wäre sonst zu schroff. Deswegen ist mit dem Apparat und mit fast allen Auslegern hier der Kehrvers V. 8 = 12 zu ergänzen (4b). Die Bezeichnung „Herr der Heerscharen" = *jhwh ṣebāōt* bezeichnet hier Gott in seiner Majestät; im Parallelsatz bezeichnet „der Gott Jakobs" (= der Gott Israels) den Gott, der sich in der Geschichte Israels als Zuflucht bewährt hat.

V. 5–8: Die zweite Strophe spricht von einem Völkeransturm gegen die Gottesstadt. Bei dem Strom mit seinen Armen, der die Stadt umgibt, ist an den

Paradiesesstrom Gen 2,10–14 gedacht. Von ihm redet auch Jes 33,21 (vgl. H. Wildberger, Komm. zu Jesaja, z.St.), hier aber auf die Endzeit übertragen. Die Entsprechung von Urzeit und Endzeit ist wie in V. 3–4 so auch in V. 5–7 vorausgesetzt. Der heilige Strom, der es umgibt, macht Jerusalem zur Gottesstadt der Endzeit. Sie hat Gott zu seiner Wohnung geheiligt; sie wird nicht wanken, weil Gott in ihrer Mitte ist.

Auch der Ansturm der Völker auf die Gottesstadt in V. 7 ist endzeitlich dargestellt. Ebenso wird er in Jes 17,12–14 geschildert: „Ha, Tosen vieler Völker, wie das Tosen des Meeres tosen sie . . .“; ebenso auch das abwehrende Eingreifen Gottes: „Doch er bedroht sie, da fliehen sie in die Weite . . .“. Auch der Satz V. 6b „Gott hilft ihr beim Anbruch des Morgens“ bezieht sich auf den Völkeransturm: das Morgengrauen ist die Zeit des Angriffs, schon den ersten Angriff zerschlägt Gott. Wenn nun in V. 3–4 und in V. 7 die gleichen Verben für die Bedrohung gebraucht werden, soll das andeuten, daß mit der kosmischen Bedrohung und der durch den Völkeransturm die gleiche Bedrohung der Gottesstadt in der Endzeit gemeint ist, auch in Jes 17,12 ist das Tosen der Völker mit dem des Meeres verglichen. Eine Parallele hierzu ist auch der 93. Psalm. Es sind in V. 3–4 und 5–7 zwei Aspekte der gleichen endzeitlichen Bedrohung dargestellt. Das zeigt auch der gleiche Aufbau beider Strophen. Der Völkersturm auf die Gottesstadt am Ende der Zeit wird kosmische Ausmaße haben; ein Völkersturm, durch den die Schöpfung wieder in ein Chaos gerissen werden soll. Sie ist ebenso in Ez 38–39 (Gog und Magog) gemeint.

Der Psalm setzt dagegen das ruhige Vertrauen zu dem Gott Israels, der die Welt geschaffen hat und sie in seinen Händen hält.

V. 9–12: In den Imperativen „kommt, schaut . . .“ müssen dieselben angeredet sein wie in „laßt ab . . .“ V. 11. Das Forum der Völker ist angeredet, vor dem sich Gottes große Taten vollziehen, ebenso wie bei Deuterojesaja, Jes 41,8 „es sahen's die Inseln und erschraken . . .“ und 52,10. Was Gott tut, ist in V. 9 „erschreckend“ genannt; das ist aber nicht negativ, sondern etwa im Sinn von ‚erschütternd‘ gemeint. Gott wird den Kriegen Einhalt gebieten auf der ganzen Erde, indem er die Waffen des Krieges vernichtet (V. 10). Dabei ist die Folge der dritten Strophe auf die zweite so gemeint: Dem apokalyptischen Kampf, in dem Gott den Angriff der „tobenden Völker“ auf die Gottesstadt abschlägt, soll ein Frieden folgen, mit dem die Kriege der Völker endgültig aufhören. Es ist die gleiche Gewißheit wie in Jes 2 und Mi 4, auch dort werden die Kriegswaffen vernichtet. Dieser Friede soll über die ganze Erde reichen, die ganze Menschheit umfassen. Auch wenn dieser Friede der Endzeit erst in der Zukunft liegt, kann die Gewißheit seines Kommens der Gemeinde in der Gegenwart Zuversicht geben. „Laßt ab!“, das kann heißen von den Versuchen, die „Stadt Gottes“ mit Gewalt zu vernichten; es kann zugleich heißen: von den Kriegen. Über Gottes großen Taten werden die Völker gerufen, diesen Gott anzuerkennen (so oft bei Ezechiel), der der Herr aller Völker ist.

Dieser Psalm ist in der nachexilischen Zeit entstanden und im Gottesdienst gesungen worden. Der Einfluß der Prophetie ist fast in jeder Zeile zu spüren, insbesondere einer späten Prophetie, die schon in die Apokalyptik übergeht. Der Psalm hat daher auch einen starken universalen Aspekt; auch wenn die Zuversicht auf Gott gleichgesetzt wird mit der auf das Bestehenbleiben der Gottesstadt, geht es in ihm um das Schicksal der Menschheit. Er ist vor allem deswegen bedeutsam, weil er bezeugt: daß Gott einmal den Kriegen auf der Erde ein Ende macht, ist nicht nur in einer Reihe von Prophetenworten gesagt worden, es ist auch im Tempelgottesdienst immer wieder neu als die Gewißheit der Gemeinde nach dem Exil bekannt worden.

Die Segenspsalmen

Eine Gruppe von Segenspsalmen enthält der Psalter nicht, denn der Segen ist eine gottesdienstliche Handlung; im Erteilen und Empfangen des Segens enden viele gottesdienstliche Begehungen. In diesem Zusammenhang wird er mehrfach im Psalter erwähnt, so in Ps 118,25 f.

„Gesegnet, wer eintritt im Namen des Herrn,
wir segnen euch vom Hause des Herrn her."

Ähnlich Ps 129,8; 134,3; 115,12–15. Das Ziel der Prozession in Ps 24,5 ist das Empfangen des Segens. In den Wallfahrtsliedern Ps 120–134 wird der Segen häufig erwähnt. Eine Bitte um den Segen enthält Ps 67:

V.2:   Gott sei uns gnädig und segne uns,
        er lasse sein Angesicht über uns leuchten!
V. 7:   das Land gebe seinen Ertrag.
        Es segne uns Gott, unser Gott!
        Es segne uns Gott, alle Welt fürchte und ehre ihn.

Ein Lob des Segenswirkens Gottes bringt Ps 65,10–14. Während in allen bisher genannten Stellen der Segen der ganzen Gemeinde gilt, spiegeln die beiden Psalmen 91 und 121 die Erteilung des Segens an einen Einzelnen.

Psalm 121: Ich hebe meine Augen auf zu den Bergen

1   Ein Wallfahrtslied
    Ich hebe meine Augen auf zu den Bergen.
    Von wo kommt mir Hilfe?
2   Meine Hilfe kommt von dem Herrn,
    dem Schöpfer des Himmels und der Erde.

3   Er wird deinen Fuß nicht gleiten lassen,
    der dich behütet, schläft nicht.
4   Fürwahr er schlummert und er schläft nicht, der Hirte Israels.
5   Der Herr wird dich behüten,
    der Herr ist ein Schatten zu deiner Rechten.
6   Bei Tag wird dich die Sonne nicht stechen
    noch der Mond bei Nacht.
7   Der Herr behüte dich vor allem Übel, er behüte dein Leben,
8   der Herr behüte deinen Ausgang und deinen Eingang
    jetzt und immerdar.

Zum Text

V. 8:   „dein Hinausgehen und dein Eintreten": Es ist für die Sprache der
        Psalmen bezeichnend, daß ein Begriff „deine Wege" in zwei Punkten
        konkretisiert wird.

Zum Aufbau

Der Psalm ist als ein Wechselgespräch gestaltet. V. 1f. ist in der 1. Pers.
gesprochen, V. 2–8 ist Anrede in der 2. Pers. Das ist ebenso beim 91. Psalm, V. 2
in der 1. Pers., V. 3–13 Anrede in der 2. Pers. Auch inhaltlich entsprechen
einander die beiden Teile in beiden Psalmen. Der zuerst Sprechende gibt seinem
Vertrauen zu Gott Ausdruck, der ihn daraufhin Anredende sagt ihm Gottes
Schutz und Geleit zu. Wir können daraus auf eine Segenserteilung an Einzelne
im Gottesdienst Israels schließen, gewiß bei besonderen Anlässen wie z.B. vor
einer Reise oder einem sonstigen gefahrvollen Unternehmen. Dieser persönliche
Segensempfang ist uns in den beiden Psalmen 91 und 121 erhalten. Auch in
Hiob 5 steht wahrscheinlich dieser Ritus im Hintergrund.

V. 1–2: Bei dem Satz „Ich hebe meine Augen auf zu den Bergen" ist nicht an
einen bestimmten Berg gedacht, auch nicht an ein Heiligtum auf einem Berg;
dieser Satz ist vielmehr etwas wie eine Sprachgebärde. Er hat den gleichen Sinn
wie wenn da stünde: Ich erhebe meine Augen; da aber das Aufblicken zu einem
Berg ein so typisches Aufblicken ist, dient es dazu, fast wie ein Vergleich, das
Aufblicken zu einer Gebärde zu gestalten, es lebendig zu machen.
Die Frage „Von wem kommt mir Hilfe?" mag auf eine voraufgehende Frage des
Priesters weisen; im Text aber dient sie nur der Unterstreichung des nun
folgenden Satzes: „Meine Hilfe kommt . . ." Wenn in Ps 91 wie hier der
Erteilung des Segens dieses Vertrauensbekenntnis voraufgeht, gibt das einen
wichtigen Hinweis für das Verständnis des Segens nicht nur in den Psalmen,
sondern im ganzen Alten Testament. Der Empfangende zeigt damit, daß er die
Erteilung des Segens nicht nur über sich ergehen läßt, sondern daß er ihm mit
einem vertrauenden Herzen entgegenkommt. Die Hilfe, auf die er vertraut,
kommt von „dem Schöpfer des Himmels und der Erde". Mit jedem Schritt, den

er tut, mit seinem Blicken auf den Weg vor ihm, wird er sich im Bereich dessen befinden, der das alles geschaffen hat.

V. 3–8: Daraufhin erteilt ihm der Priester den Segen. In den Sätzen, die der Segnende spricht, ist im Hintergrund der der gottesdienstlichen Gemeinde erteilte Segen erkennbar, wie er in Num 6,24–26 geboten ist. Aber dieser Segen ist keine starre Formel, er kann je nach der Situation abgewandelt werden. In diesem Fall ist es offenbar eine Reise, für die der Segen erteilt wird: die Schritte des Weges werden genannt V. 3, Aufbruch und Ankunft V. 8, das Wandern bei Tag und bei Nacht V. 5, das gefahrvolle Übernachten V. 3b.4. Denkt man den Sätzen dieses Segens nach, wird einem klar, daß in ihnen die bevorstehende Reise von dem den Segen Erteilenden ebenso wie die dem ihn Empfangenden in ihrer ganzen Realität, mit allem, was zu ihr gehört, dem Schutze Gottes anbefohlen wird und dann ein Mensch seinen Weg wirklich mit Gott geht.

Psalmen und Weisheit

Vielfach bezeichnet man eine Gruppe von Psalmen als „Weisheitspsalmen", aber diese Kombination ist irreführend. Psalmen gehören dem Gottesdienst an und sind aus dem Gottesdienst erwachsen. „Weisheit" bezeichnet einen durchaus anderen, ursprünglich profanen Bereich, der keinerlei Beziehung zum Gottesdienst hat. „Weisheitspsalmen" im strengen Sinn gibt es nicht und kann es nicht geben.

Gründe dafür, daß man dennoch von Weisheitspsalmen spricht, gibt es mehrere.

1. In die Sammlung der „Wallfahrtslieder" Ps 120–134 (und allein in diese) wurden einige Weisheitssprüche aufgenommen: Ps 127,1–2.3–5; 128,1–3.4–6; 133,1–3. Den Grund dafür kennen wir nicht. Jeder dieser Texte könnte ebensogut in dem Buch der Sprüche stehen; es sind keine Psalmen und haben keine Beziehung zu ihnen. Daß sie in eine Psalmensammlung aufgenommen wurden, hängt damit zusammen, daß es in der Spätzeit eine fromme Weisheit gab, die sich in manchem mit der Frömmigkeit der Psalmen berührte.

2. Eine solche Berührung bestand in der Entgegensetzung von Frommen und Gottlosen, die in den Proverbien eine große Gruppe von Sprüchen bildet, ebenso einen wichtigen Bestandteil der Freundesreden im Hiobbuch. Sie begegnet im Psalter als eine Erweiterung in manchen Einzelklagen, in denen der Gottesfürchtige die Frevler, die ihn bedrängen, anklagt.

In Ps 37 ist die Klage abgewandelt zu weisheitlicher Belehrung, wenn er einsetzt: „Erhitze dich nicht über die Bösewichte und ereifre dich nicht über die Missetäter . . .", und die Frommen zum Vertrauen auf Gott mahnt V.

3.5.7.34.37, der doch schließlich die Frevler strafen und den Frommen beistehen wird V. 5:

> „Befiehl dem Herrn deine Wege
> und hoffe auf ihn, er wird's wohl machen . . ."

Psalm 1: Wohl dem Mann!

1 Wohl dem Mann, der nicht im Rat der Gottlosen verkehrt
und nicht auf den Pfad der Sünder tritt
und im Kreis der Spötter sitzt,

2 sondern am Gesetz des Herrn seine Freude hat
und über sein Gesetz nachdenkt Tag und Nacht.

3 Der ist wie ein Baum, gepflanzt an Wasserbächen,
der seine Frucht bringt zu seiner Zeit
und dessen Blätter nicht verwelken,
alles, was er unternimmt, gelingt ihm.

4 Nicht so die Gottlosen, sondern sie sind wie Spreu,
die der Wind zerstreut.

5 Darum werden die Frevler im Gericht nicht bestehen
noch die Sünder in der Gemeinde der Gerechten.

6 Denn der Herr kennt den Weg der Gerechten,
der Weg der Gottlosen aber führt zum Untergang.

Dieses Wort frommer Weisheit wurde dem Psalter als Introitus vorangestellt, in der dieser nicht mehr nur gottesdienstliches Gesangbuch, sondern auch Andachtsbuch geworden war. Man stellte damit den ganzen Psalter unter den für diese späte Zeit bestimmenden Gegensatz von Frommen und Gottlosen, deren Schicksal vor Gott der Psalm darstellt. Der Gegensatzspruch V. 6 wird in V. 1–5 in der Weise entfaltet, daß in V. 1–2 der Fromme geschildert wird, der keine Gemeinschaft mit den Gottlosen hält, sondern Freude an Gottes Wort hat und sich ständig mit ihm beschäftigt. Das Schicksal beider zeichnet der Gegensatz der beiden Vergleiche vom fruchtbaren Baum und der verwehenden Spreu V. 3–4: der Frevler wird vergehen (5). Das Glücklichpreisen des Frommen, mit dem der Psalm einsetzt, begegnet auch in Ps 41,2 f.; 84,13; 119,1 f.; in Lobpsalmen Ps 34,9 und 40,5: „Wohl dem Mann, der sein Vertrauen auf den Herrn setzt."

3. Nachdenken über die Vergänglichkeit des Menschen: Es ist Erweiterung der Vergänglichkeitsklage und erhält als solche eine Verselbständigung zur Betrachtung der Vergänglichkeit, so in Ps 39; 49; 90 und im Hiobbuch Kap. 7; 9 f. und 14. So in Ps 39,5–7.12b:

> „Ein Hauch nur ist alles, was Mensch heißt,
> nur wie ein Schatten geht der Mensch einher,
> macht Lärm um ein Nichts,
> häuft zusammen und weiß nicht, wer einsammeln wird."

Wie dies ein Hauptthema der Weisheit werden kann, zeigt das Buch Prediger.

4. Andacht, die sich der Tora zuwendet. Im Werden des Psalters aus kleineren Sammlungen gab es ein Stadium, in dem der Psalter die Psalmen 1–119 umfaßte (mit 120 beginnt eine neue Sammlung, die der Wallfahrtslieder, 120–134). Diese Sammlung wurde in die beiden Andachtsworte Ps 1 und Ps 119 gerahmt. Sie dienen beide der Andacht, die sich der Tora zuwendet. (Anmerkung: Ich ersetze hier bewußt das Wort „Gesetz" durch das hebräische Tora, weil das mit Gesetz nur ungenügend wiedergegeben wird. Es ist unserem Wort „Bibel" näher.)

Psalm 119: Dein Gesetz

Im 1. Psalm ist der Fromme beschrieben als der, der „über das Gesetz (die Tora) nachdenkt Tag und Nacht"; ebendies geschieht im 119. Psalm (und in Ps 19B). Er ist nicht eigentlich ein Psalm, sondern eine Andacht, die sich Gottes Wort zuwendet. Der Psalm umfaßt 176 Verse und ist alphabetisch gegliedert; je 8 Zeilen beginnen mit dem gleichen Buchstaben durch das ganze Alphabet hindurch.

11 Ich suche dich von ganzem Herzen,
    laß mich nicht abirren von deinen Geboten!

18 Öffne mir die Augen,
    daß ich sehe die Wunder an deinem Gesetz,

19 ich bin ein Gast auf Erden,
    verbirg mir deine Gebote nicht!

33 Zeige mir, Herr, den Weg deiner Gebote,
    und ich will ihn bis ans Ende einhalten.

50 Das ist mein Trost in meinem Elend,
    daß dein Wort mich am Leben erhält.

64 Die Erde ist voll deiner Güte, o Herr,
    lehre mich deine Gesetze!

67 Ehe ich gebeugt ward, irrte ich,
    nun aber halte ich dein Wort.

73 Deine Hände haben mich gemacht und bereitet,
    gib mir Einsicht, daß ich deine Gebote lerne!

81 Meine Seele schmachtet nach deiner Hilfe,
    ich harre auf dein Wort.

94 Ich bin dein, hilf mir,
    denn ich forsche in deinen Gesetzen.

105 Dein Wort ist meines Fußes Leuchte
    und ein Licht auf meinem Weg.

114 Du bist mein Schirm und mein Schild,
    ich harre auf dein Wort.

140 Dein Wort ist rein und lauter
    und dein Knecht hat es lieb.

162   Ich freue mich über dein Gesetz
       wie einer, der große Beute davonträgt.

171   Meine Lippen sollen vom Lob überströmen,
       denn du lehrst mich deine Gesetze.

175   Laß meine Seele leben, daß ich dich lobe,
       und deine Gesetze mögen mir helfen.

176   Ich bin verirrt wie ein verlorenes Schaf,
       nahe deinem Knecht,
       denn deine Gebote habe ich nicht vergessen.

In diesem Gedicht frommer Andacht liegt das Zeugnis einer Bibelfrömmigkeit vor, die für die jüdische wie die christliche Religion eine hohe Bedeutung bekommen hat und noch hat. Gottes Wort liegt in einem Buch vor, und dieses Buch wird mit Ehrfurcht und Andacht gelesen. Es begegnen viele Psalmmotive in Ps 119, aber sie sind in einer Weise zu isolierten Einzelsätzen geworden, die von der organischen Ganzheit der Psalmen weit entfernt ist. Es ist eine Bibelfrömmigkeit, in der das einzelne, für sich betrachtete Einzelwort Gegenstand der Andacht ist.

Stärker aber tritt das eigentliche Leitmotiv heraus: das Gesetz; und zwar nicht nur im weiteren Sinn der Tora, die auch die anderen Bibelteile umfaßt, sondern bewußt einseitig die Gesetze. Hier beginnt eine Gesetzesfrömmigkeit, die einseitig in den Gesetzen das eigentliche Wort Gottes sieht. Es ist eine tiefe, echte Frömmigkeit, die hier spricht; aber daß sie einseitig auf das Gesetz Gottes ausgerichtet ist, kann nicht übersehen werden.

Die Psalmen und Jesus Christus

Wenn in vielen Drucken die Psalmen mit dem Neuen Testament zu einem Buch vereinigt wurden, zeigt das, wie durch die ganze bisherige Geschichte der Christenheit eine besondere Nähe der Psalmen zum Neuen Testament gesehen wurde. Geschichtlich ist das darin begründet, daß der Psalter für eine lange Zeit das Gebetbuch der christlichen Gemeinden blieb. Das war für Jesus so und für die Apostel und blieb so durch viele Generationen. Diese bleibende Geltung des Psalters für die Christenheit bekam ihren Ausdruck auch darin, daß das Neue Testament einen Gebets- (oder Lieder-) Teil nicht erhielt. Der Psalter blieb als Gebetbuch in Geltung. Das war möglich, weil sich an den Grundelementen des Gebets nichts änderte, auch wenn im Einzelnen sich manches wandelte. Darüber hinaus aber weisen drei wesentliche Zusammenhänge aus den Psalmen direkt auf Christus und sein Werk.

1. Der erste ist das Lob des barmherzigen Gottes in der Mitte des beschreibenden Lobpsalms, so in Ps 113:

„Wer ist wie der Herr, unser Gott,
im Himmel und auf Erden,
der hoch in der Höhe thront, der tief in die Tiefe sieht!"

Dieser Satz zeigt unmittelbar hinüber zum Kommen Jesu Christ, in dem das Herabsehen Gottes von seiner Höhe in unsere Tiefe Ereignis wurde: „... er erniedrigte sich selbst und nahm Knechtsgestalt an." Davon singen die Lieder zum Fest der Geburt Christi: „... damit der Sünder Gnad erhält, erniedrigst du dich, Herr der Welt ..." Die Dogmatik spricht von der Kondeszendenz Gottes. In der Vorgeschichte des Lukasevangeliums reicht dieses Psalmmotiv in das Neue Testament hinüber in den Liedern der Maria Lk 1,46–55 und des Zacharias Lk 1,67–79:

„... durch die herzliche Barmherzigkeit unseres Gottes,
durch welche uns besucht hat der Aufgang aus der Höhe,
auf daß er erscheine denen,
die da sitzen in Finsternis und Schatten des Todes."

2. Wenn das Hinabsehen Gottes aus seiner Höhe in unsere Tiefe in Christus Ereignis wurde, schließt das ein, daß er ein Leidender wurde und an der Klage, der Sprache des Leidens, teilhatte. Die Evangelien bringen das durch die Aufnahme des 22. Psalms in die Leidensgeschichte zum Ausdruck. Die häufigen Zitate aus diesem Psalm in der Passionsgeschichte zeigen, daß die Evangelisten hier einen Zusammenhang sahen. Der Schrei Jesu am Kreuz in den Worten des 22. Psalms Mk 15,34 sagt: Christus hat die Klage des Psalms zu seiner eigenen gemacht. Bis in diese Tiefe menschlichen Leidens ist er hinabgestiegen. Er kennt die Fragen der Leidenden aller Zeiten „Warum?", „Wie lange?". Der 22. Psalm ist in die Leidensgeschichte aufgenommen als ein Exponent aller Klagepsalmen (zu seiner Besonderheit vgl. die Auslegung). Wie sich im Leiden Christi das Gebet gegen die Feinde wandelt in das Eintreten für die Feinde vor Gott, war schon gezeigt worden.

3. Ps 22 ist eine „gewendete Klage", er geht im zweiten Teil in das Lob des Geretteten über. Wenn der 22. Psalm den Evangelisten zur Darstellung der Passion Christi dient, haben sie den ganzen Psalm vor Augen, in dem Leiden und Erlösung aus dem Leiden einen Zusammenhang bilden. In den berichtenden Lobpsalmen wird die Rettung aus der Not oft als ein Herausreißen aus den „Schlingen des Todes" bezeichnet. So wie in Ps 22 von der Erhörung des Schreiens berichtet wird:

„Denn er hat nicht verachtet,
nicht verworfen das Elend des Elenden,
hat nicht verborgen sein Antlitz vor ihm
und auf sein Seufzen zu ihm hat er gehört ...",

so ist die Verkündigung der ersten Boten der Auferstehung dessen gewiß, daß Gott auf den Schrei am Kreuz geantwortet hat. Die Osterbotschaft entspricht dem berichtenden Lob in den Psalmen; der Satz Mt 28,10: „Gehet hin, verkündiget meinen Brüdern . . .“ spielt auf Ps 22,23 an. Die Botschaft von der Auferstehung Jesu steht in den ersten Apostelpredigten in der Reihe der großen Taten Gottes an seinem Volk. Und wie in den Psalmen hat das Lob der Rettungstat Gottes in Christus in sich den Drang, sich auszuweiten in alle Fernen.

Die Bitte gegen die Feinde

Das Alte Testament berichtet eine Geschichte, die zu Christus hinführt. Manche Psalmen zeigen das besonders deutlich, wie der 22. Psalm. Es ist darum gewiß nicht zufällig, daß der Dichter dieses Psalms zwar um die Rettung vor den Feinden fleht, aber eine Bitte gegen die Feinde nicht ausspricht. Sonst aber begegnet die Bitte gegen die Feinde, die Bitte, Gott möge die Feinde vernichten, in einer ganzen Reihe von Psalmen (z. B. 2; 3; 5; 6; 7; 9; 10; 11; 12; 17; 58; 59; 109 und viele andere). Sie begegnet sogar in den Klagen Jeremias (12,3; 15,15; 18,21–23; 20,11). Diese Bitte um Gottes Eingreifen war in der Zeit des Alten Testaments, der Zeit vor Christus, darin begründet, daß alles, was zwischen Gott und Mensch, zwischen Gott und seinem Volk geschah, diesseits des Todes lag: „Die Toten loben Gott nicht.“ Es mußte sich in diesem Leben erweisen, auf wessen Seite Gott stand. In diesem Leben mußte Gott für den Frommen oder für die Feinde des Frommen eintreten, wenn er gerecht war; eine dritte Möglichkeit kannte man nicht. Deshalb konnte man als ein frommer Mensch darum bitten, daß Gott die Feinde des Beters, die ja auch Feinde Gottes waren, vernichtete. In diesem Leben mußte es sich erweisen, auf wessen Seite Gott stand.

Durch das Leiden, Sterben und Auferstehen Jesu Christi ist diese Grenze durchbrochen worden. Gott war auf der Seite des Unterlegenen, des Hingerichteten. Was in den Gottesknechtliedern Deuterojesajas schon angedeutet war, wurde hier Wirklichkeit: Der Tod eines Menschen wurde hier eine Möglichkeit lebensfördernden Gotteshandelns. In den Evangelien erhält die dadurch bedingte Wandlung ihren Ausdruck in der Fürbitte Jesu vom Kreuz für seine Feinde. Im Wirken Jesu schließt das Leiden für andere auch seine Feinde ein. Die Bitte gegen die Feinde ist damit aus dem Gebet des Gottesvolkes getilgt. Die Bitte „Erlöse uns von dem Übel!“, hinter der die Klage der Psalmen steht, bleibt bestehen; aber seit Christus braucht niemand mehr Gott zu bitten, einen Menschen zu vernichten.

Ich deute nur an, daß diese Wandlung noch einen weiteren Horizont hat. Für viele Leser des Alten Testaments ist es eine schwere Anfechtung, daß in den Geschichtsbüchern so oft Kriege im Namen Gottes geführt werden, daß Gott selber als Krieger geschildert ist, daß Menschen im Eifer für Gott getötet werden. Dies ist dadurch bedingt, daß für eine lange Periode der Menschheitsgeschichte die religiöse (oder gottesdienstliche) Gemeinschaft identisch war mit dem politischen Volk. Das ist in allen Religionen dieser Periode so, und in dieser

Hinsicht ist das alte Israel ein Volk wie jedes andere auch. In Israel aber hat sich auf dem Weg durch seine Geschichte ein Wandel vollzogen. Im bybylonischen Exil ist Israel die Rettung aus dem Exil verheißen worden, aber nicht die Wiederherstellung seiner politischen Macht. Der verheißene König Israels ist ein König des Friedens. Die auf dem Werk Christi gründende Kirche ist eine Gemeinde ohne Macht, in der das Leiden für andere eine höhere Würde hat als das Bekämpfen anderer. Von ihrer Fürbitte ist kein Mensch ausgeschlossen, aus ihrem Gebet ist die Bitte gegen eine andere Menschengemeinschaft und gegen andere Menschen ausgeschlossen.

Es ist diese Wandlung des Gebetes gegen die Feinde durch Christus, die es ermöglichte, daß die Psalmen zum Gebet der Christen werden konnten. Wenn die Bitte gegen die Feinde für die Christen abgetan ist, so erinnern die Stellen in den Psalmen, an denen sie begegnet, daran, was geschehen mußte, damit die Gemeinde Gottes nicht mehr als eine Gruppe gegen andere Gruppen, sondern für alle Menschen da sein konnte.

Abkürzungs- und Literaturverzeichnis

ANET   Ancient Near Eastern Texts Relating to the OT, Herausgeber J. B. Pritchard (1952)

ATD   Das Alte Testament Deutsch

BHH   Biblisch-Historisches-Handwörterbuch 1963–1979

CThM   Calwer Theologische Monographien

RGG³   Die Religion in Geschichte und Gegenwart, 3. Aufl. 1957–1965

THAT   Theologisches Handwörterbuch zum AT I (1971) II (1976), Herausgeber E. Jenni, C. Westermann

ThB   Theologische Bücherei

WMANT   Wissenschaftliche Monographien zum Alten und Neuen Testament

Albertz, R., Persönliche Frömmigkeit und offizielle Religion. Religionsinterner Pluralismus in Israel und Babylon: CThM 9 (1978)

Barth, Chr., Die Errettung vom Tode in den individuellen Klage- und Dankliedern des AT (1947)

Beyerlin, W., Religionsgeschichtliches Textbuch zum AT: Grundrisse zum AT, ATD Ergänzungsreihe (1975)

Blackman, A. M., Die Psalmen in ägyptischer Sicht, in: P. H. Neumann, Zur neueren Psalmenforschung (1976), S. 134–55

Crüsemann, F., Studien zur Formgeschichte von Hymnus und Danklied in Israel: WMANT 32 (1969)

Falkenstein, A., Sumerische Götterlieder II (1960)

Falkenstein, A.–Soden, W. von, Sumerische und akkadische Hymnen und Gebete (1953)

Gunkel, H., Die Psalmen: Göttinger Handkommentar zum AT (1926)

Herder, J. G., Vom Geist der ebräischen Poesie (1782 f.)

Kraus, H.-J., Die Psalmen: Biblischer Kommentar AT XV (⁵1978 ff.)

Rad, G. von, Das formgeschichtliche Problem des Hexateuch: ThB 8 (1958), S. 9–81

Weiser, A., Die Psalmen: ATD XIV (1955)

Westermann, C., Genesis 12–36: Biblischer Kommentar AT I/2 (1981); Vergegenwärtigung der Geschichte in den Psalmen: ThB 24 (1964), S. 306–335; Lob und Klage in den Psalmen (⁵1977); Das sakrale Königtum in seinen Erscheinungsformen und seiner Geschichte: ThB 55 (1974), S. 291–308; Das Hoffen im AT: ThB 24 (1964), S. 219–265; Der Aufbau des Buches Hiob: CThM 8 (²1977)

Weitere Literatur in Artikeln zu Psalmen, Psalter in RGG³ und BHH.

Claus Westermann

Lob und Klage in den Psalmen

6. Auflage von „Das Loben Gottes in den Psalmen" 1983. 212 Seiten, kart.

„Die hier vereinigten Untersuchungen zu den Psalmen haben seit dem ersten Erscheinen nichts an Bedeutsamkeit und Aktualität verloren. Wer sich mit der Frage nach den Psalmengattungen beschäftigt, wird an Westermann nicht vorbeikommen."
Theologische Revue

Das Buch Jesaja

Kapitel 40–66. (Das Alte Testament Deutsch, Band 19). 4., ergänzte Auflage 1981. 344 Seiten, kart., Leinen

„Die Kapitel 40–66, die in den vier Gottesknechtliedern den Höhepunkt alttestamentlicher Offenbarung erreichen, finden in diesem Kommentar eine kongeniale Erläuterung. C. Westermann überrascht immer von neuem durch sein an den Psalmen geschultes Einfühlungsvermögen, das die dichterische Schönheit dieser Kapitel aufleuchten läßt."
Bibel und Liturgie

Predigten

(Göttinger Predigthefte, 33). Hrsg. von Rudolf Landau. 1975. 143 Seiten, kart.

„Wohltuende Schlichtheit, hinter der strenge theologische Reflexion steht. Der Verfasser läßt sich ins Handwerk schauen, indem er in mehreren Schritten den Weg von Exegese und Theologie zur Predigt aufweist. Zu jeder Predigt werden Literaturangaben geboten."
Kirchenblatt für die ref. Schweiz

Theologie des Alten Testaments in Grundzügen

(Grundrisse zum Alten Testament, Band 6). 1978. IV, 222 Seiten, kart.

„Der Verfasser legt eine beachtenswerte Theologie des Alten Testaments vor, die von einem völlig anderen Ansatzpunkt, einem gattungs- bzw. formgeschichtlichen, ausgeht. Es gelingt ihm so, das Alte Testament in faszinierender Weise neu aufzuschließen."
Bibel und Kirche

Die Verheißungen an die Väter

Studien zur Vätergeschichte. (Forschungen zur Religion und Literatur des Alten und Neuen Testaments, Band 116). 1976. 171 Seiten, kart., Leinen

Die Verheißungen an die Väter werden in dieser Arbeit als ein selbständiger, wesentlicher Bestandteil der Väterüberlieferungen je für sich und in ihrem Verhältnis zueinander untersucht. Jede einzelne der in den Vätergeschichten begegnenden Verheißungen (des Sohnes, neuen Lebensraumes, des Beistandes, des Landbesitzes, der Mehrung, des Segens, des Bundes) hat ihren eigenen Ort, ihre eigene Funktion und Geschichte.

Werden und Wirken des Alten Testaments

Festschrift für Claus Westermann zum 70. Geburtstag. Hrsg. von Rainer Albertz, Hans-Peter Müller, Hans Walter Wolff und Walther Zimmerli. 1980. 481 Seiten, geb. (Vandenhoeck/Neukirchener)

Vandenhoeck & Ruprecht · Göttingen und Zürich

Hermann Gunkel

Einleitung in die Psalmen

Die Gattungen der religiösen Lyrik Israels. 4., um ein Register erweiterte Auflage 1984. Ca. 560 Seiten, Leinen

»Dieses Standardwerk der alttestamentlichen Wissenschaft führt wie kein zweites Buch unmittelbar in die form- und gattungsgeschichtliche Arbeit am Alten Testament ein.«

Das Neueste

Es wird jetzt durch ein ausführliches Stellenregister (Bibel und außerkanonische Schriften) von Walter Beyerlin erschlossen.

Die Psalmen

5. Auflage 1968. XVI, 639 Seiten, Leinen

»Wer in der neueren Psalmenforschung ad fontes gehen will, wird auch in Zukunft auf Gunkels ‹Einleitung in die Psalmen› und den Kommentar ‹Die Psalmen› nicht verzichten können.«

Deutsches Pfarrerblatt

Genesis

Mit einem Geleitwort von Walter Baumgartner. 9. Auflage 1977. (Reprint der 3. Auflage 1910). 18, CIV, 509 Seiten, Leinen

„Es sind wohl nur wenige Kommentare, denen man wie H. Gunkels Genesis bescheinigen kann, auch nach Jahrzehnten gleich lesenswert zu sein wie bei ihrem ersten Erscheinen. Im Leser wird nicht nur ein Gespür für die religiöse Lebendigkeit des alten Israel und seine vielfältigen Überlieferungen geweckt, Vorurteile gegenüber Märchen und Sagen innerhalb der religiösen Überlieferung abgebaut und der Blick für das Besondere des israelitischen Glaubens geschärft, sondern auch eine ganz unmittelbare Freude an den biblischen Erzählungen hervorgerufen."

Bibel und Kirche

Vandenhoeck & Ruprecht · Göttingen und Zürich